LA TUNIQUE AUX COULEURS MULTIPLES

Deux siècles de présence juive au Canada

IRVING ABELLA

MUSÉE CANADIEN   CANADIAN MUSEUM
DES CIVILISATIONS   OF CIVILIZATION

Données de catalogage avant publication

Abella, Irving, 1940-

La tunique aux couleurs multiples : deux siècles de présence juive au Canada

(Collection Mercure, ISSN 0316-1854)
(Dossier/Centre canadien d'études sur la culture traditionnelle, ISSN 0316-1897, n° 61)
Comprend un résumé en anglais.
Publ. en anglais sous le titre : A coat of many colours, two centuries of Jewish life in Canada.
« Ce volume accompagne l'exposition itinérante 'La tunique aux couleurs multiples' du Musée canadien des civilisations »

1. Juifs – Canada – Histoire. 2. Juifs – Canada – Moeurs et coutumes. I. Centre canadien d'études sur la culture traditionnelle. II. Musée canadien des civilisations. III. Titre. IV. Titre : Deux siècles de présence juive au Canada. V. Coll. VI. Coll.: Dossier (Centre canadien d'études sur la culture traditionnelle ; n° 61)

FC106.J5A2314 1990   971.'004924   C90-098685-9
F1035.J5A2314 1990

Imprimé et relié au Canada

Publié par le
Musée canadien des civilisations
100, rue Laurier
C.P. 3100, Succursale B
Hull (Québec)
J8X 4H2

Traduction : Christian Bérubé
Traduit et publié en français avec la permission de Lester & Orpen Dennys Publishers, éditeurs de la publication originale *A Coat of Many Colours, Two Centuries of Jewish Life in Canada*.

Canada

BUT DE LA COLLECTION MERCURE

La collection Mercure vise à diffuser rapidement le résultat de travaux dans les disciplines qui relèvent des sphères d'activités du Musée canadien des civilisations. Considérée comme un apport important dans la communauté scientifique, la collection Mercure présente plus de trois cents publications spécialisées portant sur l'héritage canadien préhistorique et historique.

Comme la collection s'adresse à un public spécialisé, elle est constituée essentiellement de monographies publiées dans la langue des auteurs.

Pour assurer la prompte distribution des exemplaires imprimés, les étapes de l'édition y sont abrégées. Certaines coquilles ou erreurs grammaticales peuvent donc subsister. Nous vous demandons d'être indulgents.

Vous pouvez vous procurer la liste des titres parus dans la collection Mercure en écrivant au :

Service des commandes postales
Division de l'édition
Musée canadien des civilisations
C.P. 3100, Succursale B
Hull (Québec)
J8X 4H2

OBJECT OF THE MERCURY SERIES

The Mercury Series is designed to permit the rapid dissimination of information pertaining to the disciplines in which the Canadian Museum of Civilization is active. Considered an important reference by the scientific community, the Mercury Series comprises over three hundred specialized publications on Canada's history and prehistory.

Because of its specialized audience, the series consists largely of monographs published in the language of the author.

In the interest of making the information available quickly, normal production procedures have been abbreviated. As a result, grammatical and typographical errors may occur. Your indulgence is requested.

Titles in the Mercury Series can be obtained by writing to the:

Mail Order Services
Publishing Division
Canadian Museum of Civilization
P.O. Box 3100, Station B
Hull, Québec
J8X 4H2

pour Jacob et Zachary

Remerciements

Ce livre est mien, mais je suis redevable d'une bonne part de son contenu à d'autres personnes. En particulier, comme tous les Juifs du Canada, je dois beaucoup à un petit groupe d'historiens amateurs qui ont consacré énormément de temps à parcourir d'innombrables documents d'archives, des musées, des bibliothèques et même des cimetières pour retracer dans tous ses détails l'histoire de la présence juive au Canada. Parmi ces hommes et ces femmes, dont l'amour pour leur pays transparaît dans chacune des phrases qu'ils ont écrites, figurent le doyen des historiens de la communauté juive du Canada, David Rome, ainsi qu'Abe Arnold, Sheldon et Judy Godfrey, Harry Gutkin, Julius Hayman, Ben Kayfetz et Cyril Leonoff.

Ce sont véritablement eux qui les premiers ont écrit l'histoire des Juifs au Canada. D'autres personnes ont également rendu ce livre possible et je leur suis profondément reconnaissant : Andrea Bronfman, qui est l'âme de cette exposition et qui m'a incité à écrire ce livre; Malcolm Lester qui m'a proposé le projet; le professeur Craig Brown, dont la relecture du manuscrit me fut précieuse; Avram Shtern et Janice Rosen, des Archives nationales du Congrès juif canadien, qui m'ont aidé dans mes recherches; Sandra Morton Weizman, conservatrice invitée de l'exposition « La tunique aux couleurs multiples »; Catherine Yolles, qui a été présente tout au long de ce projet; et Lorraine Johnson qui a trouvé les photos.

Résumé

Dans cet ouvrage superbement illustré et extrêmement captivant, Irving Abella nous présente une histoire en grande partie encore méconnue, celle des Juifs du Canada.

En 1738, une jeune Juive aventureuse du nom d'Esther Brandeau arrivait en Nouvelle-France – déguisée en homme. Elle ne put dissimuler indéfiniment ni son sexe ni sa religion, et comme elle refusait de se convertir au catholicisme, Esther Brandeau fut forcée de retourner en France. Mais son courage, sa ténacité et la force de ses convictions annonçaient déjà les débuts de la présence juive au Canada.

D'Halifax à Victoria, l'histoire des Juifs du Canada est riche et diverse. Les marchands de fourrures juifs précédèrent les Anglais dans le Haut-Canada; Victoria fut la première ville d'Amérique du Nord britannique à se doter d'un maire juif; des groupes de femmes juives furent parmi les premiers au Canada à créer des organismes de bienfaisance, et les travailleurs, partout au pays, récoltent les fruits du travail des mouvements syndicaux juifs du début des années 1900.

Toutefois, dans les années 1930 et 1940, l'antisémitisme prospéra partout au pays, et dans les années 1950 les Juifs se voyaient encore interdire l'accès de certaines professions ainsi que de divers hôtels et clubs. Pourtant, de ces années sombres émergea une société diversifiée et novatrice, une véritable « tunique aux couleurs multiples » faite de gens, de traditions et d'activités divers.

Abstract

In this beautifully illustrated and marvellously engaging history of the Jews in Canada, Irving Abella presents a story never before fully told.

In 1738, a young Jewish adventurer named Esther Brandeau arrived in New France – disguised as a man. Her gender and faith were eventually discovered, and when she refused to convert to Catholicism, Esther Brandeau was forced to return to France. But her courage, tenacity and conviction set the stage for the beginning of Jewish life in Canada.

From Halifax to Victoria, the scope of Canadian Jewish history is rich and diverse. Jewish fur traders preceded the arrival of the English in Upper Canada; Victoria was the first city in British North America to have a Jewish mayor; Jewish women's groups were among the first in Canada to create charitable societies; and workers across the country today are benefiting from the efforts of the Jewish labour movement in the early 1900s. In the 1930s and 1940s, however, anti-semitic factions gained strength throughout the country, and as recently as the 1950s Jews were barred from certain professions, hotels and clubs. Yet the society that emerged from those dark years is a varied and creative mix, a veritable "coat of many colours" of people, traditions and occupations.

Table des matières

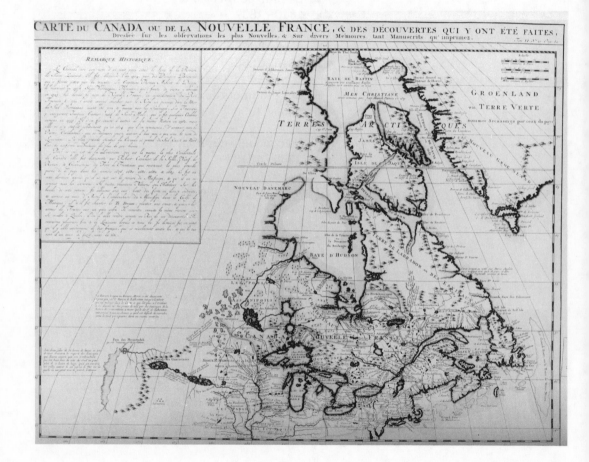

CARTE DU **CANADA** OU DE LA **NOUVELLE FRANCE**, & DES DÉCOUVERTES QUI Y ONT ÉTÉ FAITES,
Dressée sur les observations les plus Nouvelles, & Sur divers Memoires tant Manuscrits qu'imprimez.

La première génération
1738-1810

Le 15 septembre 1738, un jeune Français était cité à comparaître devant des responsables du gouvernement à Québec. Il venait de débarquer de la goélette *Saint-Michel*, venue du port français de La Rochelle. Il disait s'appeler Jacques La Farge et être venu en Nouvelle-France à la recherche de travail. Mais quelque chose chez lui éveillait les soupçons des autorités coloniales. Peut-être était-ce sa jeunesse, ses manières raffinées, ou encore ses vêtements mal ajustés.

Sa différence devint vite apparente. Interrogé par le commissaire maritime, La Farge admit que non seulement son nom était d'emprunt, mais aussi son sexe... En réalité il, ou plutôt elle, était une Juive française de dix-neuf ans du nom d'Esther Brandeau.

Son histoire est fascinante. Née à Bayonne, en France, fille de réfugiés juifs ayant fui l'Inquisition portugaise, Esther Brandeau fait naufrage à l'âge de quinze ans en route vers la Hollande, où elle va rendre visite à des parents. Après son sauvetage, elle décide de ne pas retourner chez elle, mais de parcourir le vaste monde.

Sous le nom de Pierre Mausiette, elle se déguise en garçon et devient marmiton à bord d'un bateau à Bordeaux. Apparemment, la cuisine ne lui convient pas et au cours des quatre années suivantes elle est tailleur, boulanger, garçon de courses dans un couvent et valet de pied d'un officier de l'armée. Sa soif d'aventure n'étant pas rassasiée, elle prend le nom de Jacques La Farge et embarque à bord du *Saint-Michel*.

À gauche: La Nouvelle-France, 1719.

À droite: Québec, capitale de la Nouvelle-France.

Il est évident qu'en tant que Juive elle ne peut rester en Nouvelle-France. Les autorités ecclésiastiques de Québec la supplient de se convertir au catholicisme. Des mois de persuasion, de cajoleries, de menaces et d'intimidations ne réussissent pas à lui faire abjurer sa foi. Exaspérées, les autorités se plaignent de sa « frivolité » et de son « obstination ». Après une année d'efforts croissants, elles abandonnent. Esther Brandeau, concluent-elles, ne se convertira pas, et doit donc partir. Le roi Louis XV en personne est tenu au courant de cette bizarre situation, et c'est sur ses ordres qu'en 1739 Esther est ramenée en France – aux frais de l'État français.

Les responsables français eurent plus de chance avec une autre Juive. Marianne Périous, née dans un village près de Bordeaux, arriva en Nouvelle-France en 1749, sans se faire annoncer, à la recherche d'aventure et d'un mari. Avertie qu'elle devrait rembarquer pour la France si elle ne se convertissait pas, Marianne, qui était illettrée, signa ses documents baptismaux d'un X. Elle devint ainsi catholique et citoyenne de la colonie. Il y avait une telle pénurie de femmes en Nouvelle-France que toutes étaient bienvenues, même les Juives converties. Mais il était évident que la Nouvelle-France n'était pas ouverte aux Juifs qui voulaient demeurer juifs.

Sous le régime français – la France fut a première puissance à coloniser le Canada –, les Juifs n'avaient pas le droit de s'établir dans la colonie; en fait, seuls les catholiques avaient ce droit. La population devait être parfaitement homogène. Une langue, une religion, une loyauté, un monarque. Il ne pouvait en être autrement. Après tout, la France était une théocratie, où l'Église et l'État étaient unis. Les minorités religieuses devaient se soumettre, accepter la religion d'État, ou partir. Donc, du début de la colonisation française, au début du XVIIe siècle, à la prise de Québec par les Anglais en 1759, les Juifs n'eurent pas droit de cité.

Lorsque le cardinal de Richelieu fonda en 1627 la Compagnie de la Nouvelle-France afin d'exploiter et d'explorer les territoires français d'Amérique du Nord, il stipula que ceux-ci n'étaient accessibles qu'aux catholiques français. Aucun Juif, aucun huguenot, aucun dissident, aucun étranger ne pouvait être admis. Cet ordre fut renforcé par le trop célèbre Code noir de 1685, qui décrétait que les responsables de toutes les possessions françaises dans le monde devaient « expulser [...] tous les Juifs [...] en tant qu'ennemis du nom de chrétien ».

Toutefois, il est désormais de plus en plus évident que certains Juifs ont pu passer outre à ces interdits, la plupart en se convertissant au catholicisme ou, comme les marranes, les réfugiés juifs fuyant l'Inquisition espagnole, en feignant de se convertir. D'autres, comme Esther Brandeau, dissimulaient tout simplement leur véritable identité.

Il est ironique de constater que c'est un Juif qui, avec ses deniers, maintint en grande partie la colonie sur pied. C'est une des grandes ironies de l'histoire du Canada que la colonisation ait été largement soutenue financièrement par une famille juive de Bordeaux, dont l'accès à la colonie était interdit de par sa religion.

La famille Gradis avait fui l'Inquisition portugaise et s'était établie à Bordeaux. Elle y avait créé une compagnie de commerce et y avait prospéré. Ce commerce se déroulait en grande partie avec les établissements français des Antilles, mais vers les années 1740 c'est la Nouvelle-France qui était au centre des intérêts de la famille. En 1748, Abraham Gradis s'associa avec l'intendant corrompu de Québec, François Bigot, pour approvisionner la colonie. De toute évidence, l'affaire leur profita à tous deux – surtout à Bigot, qui n'ayant rien investi fit d'énormes profits, à tel point qu'on en vint plus tard à l'accuser d'avoir pillé le trésor public, ce qui l'obligea à s'exiler.

Rien n'indique que la famille Gradis ait agi de façon criminelle. En fait, les documents témoigneraient plutôt du contraire. Après tout, la charte de la compagnie créée avec Bigot, la « Société du Canada », précisait que la famille devait fournir tout le capital et assumer tous les risques tout en n'engrangeant que la moitié des profits. Et au bout du compte, la part des profits de la famille Gradis fut beaucoup moindre.

Les historiens peuvent argumenter sur le rôle joué par la famille Gradis et sur son importance pour la Nouvelle-France avant la conquête britannique, mais il est évident que la colonie dépendait des provisions fournies par Gradis. Pendant une brève période, les navires de la famille empêchèrent presque à eux seuls les colons de mourir de faim et fournirent les munitions nécessaires à la défense de la colonie.

Avec ses collègues juifs portugais, Gradis, tout au long des années 1750, expédia en Nouvelle-France d'énormes quantités de nourriture, de provisions et de munitions ainsi que des centaines de soldats et de serviteurs engagés à long terme. En fait, un historien français a même prétendu que « Gradis a fait davantage pour la protection des intérêts français au Canada que la royauté elle-même ». Il y a bien là un peu d'exagération, mais il reste qu'Abraham Gradis a armé des navires à ses propres frais pour la défense désespérée de Louisbourg et que, pour renforcer Québec, il a fait franchir le blocus britannique par des bateaux pleins de soldats. La firme familiale était, au dire d'un autre historien, « presque un véritable corps d'armée à elle seule » en approvisionnant ainsi les troupes françaises. Le commandant des forces françaises de Québec, le marquis de Montcalm, appelait même Abraham Gradis son « bras droit » et affirmait que c'est surtout grâce à lui que les Français purent tenir aussi longtemps face à des forces anglaises supérieures. Beaucoup de ses navires arrivèrent sans encombre et débarquèrent ces renforts, dont on avait un besoin désespéré, mais peu d'entre eux purent retourner en France.

Grâce à ses contacts avec des Juifs londoniens, Gradis organisa même l'échange de prisonniers anglais et français, et c'est sa compagnie qui nourrit et vêtit les Français prisonniers des Anglais. Il exerça également, mais sans succès, de fortes pressions en faveur des intérêts de la colonie auprès des apathiques officiers de la cour de Louis XVI. On ne semblait guère vouloir sauver la colonie, peut-être parce que les autorités savaient que la cause était désespérée.

Les forces britanniques remontent le fleuve en prévision de la bataille des Plaines d'Abraham, 1759.

Et elles avaient bien sûr raison. Les Français ne pouvaient contrer la puissance écrasante de la flotte britannique. La chute de Québec, elles le savaient, était inévitable. Et pourtant Gradis persévéra jusqu'à la fin. En dépit de pertes massives, il était déterminé à renforcer la province française d'Amérique du Nord. Ses motifs étaient évidemment divers. Il voulait sans aucun doute se montrer loyal envers son pays d'adoption. Mais sa compagnie avait également fait d'énormes profits grâce aux colonies, et Gradis tenait à cette source de revenus. Il jugea donc que, malgré la précarité de la situation, il était toujours rentable pour lui d'approvisionner Montcalm.

La compagnie de Gradis survécut, mais pas la Nouvelle-France. En 1759, Québec tombait aux mains du général anglais James Wolfe. La contribution de Gradis ne serait toutefois pas oubliée. Vingt-cinq ans après la bataille des plaines d'Abraham, le roi Louis XVI exprima la gratitude du pays envers la famille et lui octroya l'« entière liberté » de s'établir en tant que sujets français dans le « nouveau monde ». Malheureusement, les Gradis ne purent tirer parti de cette nouvelle liberté, puisque le « nouveau monde » se trouvait maintenant presque entièrement entre les mains des Britanniques.

Il est ironique de constater que, pendant que les Gradis faisaient tant pour soutenir Montcalm, un autre Juif faisait de même avec les forces du général Wolfe. Alexander Schomberg, membre d'une famille juive bien en vue de Londres, était commandant de la frégate *Diana*, qui prit part à l'attaque

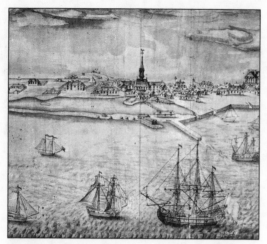

Détail de la *Vue de Louisbourg en 1731* par Claude-Étienne Verrier.

étaient venus pour approvisionner l'armée britannique. Ils étaient généralement les seuls non-militaires à accompagner les soldats. À leur arrivée, ils s'installaient souvent à demeure et étendaient leurs activités dans d'autres secteurs du commerce.

On a toujours cru que les premiers colons juifs du Canada étaient arrivés avec l'armée britannique à Halifax en 1749. Il semble toutefois que quelques Juifs avaient réussi à contourner les interdits sous le régime français et à s'installer plus au nord, sur la côte de Nouvelle-Écosse, à Louisbourg. Des recherches en cours à la forteresse indiquent que des marchands juifs portugais – vraisemblablement la famille Roderigue – associés à la firme Gradis vivaient clandestinement leur vie judaïque au nez du gouvernement français et de l'Église catholique.

La plupart, bien entendu, durent se convertir. Mais certains ne le firent pas. D'après le plus récent historien de Louisbourg, Kenneth Donovan, les archives paroissiales témoignent de la présence d'un grand nombre de personnes aux noms juifs, et même de l'existence d'une « rue des Juifs » dans la ville avant les années 1740. Un bon nombre d'entre eux étaient sans doute liés à l'empire commercial Gradis, peut-être le plus grand fournisseur de Louisbourg avant sa capture par les Anglais en 1758. Il semble donc qu'il y avait des Juifs au Canada même avant l'arrivée des Britanniques.

Il semble également qu'au moins un Juif arriva inopinément au Canada dès les années 1670. Un commerçant juif de Rotterdam, Joseph de la Penha, fut rejeté sur la côte du Labrador par une soudaine tempête dans l'Atlantique nord. Il revendiqua immédiatement le territoire au nom de l'Angleterre, dont le souverain, Guillaume III, régnait également sur la Hollande. Vingt ans plus tard, pour le récompenser de lui avoir sauvé la vie en mer, Guillaume céda le Labrador à Joseph de la Penha et à ses descendants. Le document qui octroie le Labrador à la famille juive existe toujours, mais pour diverses raisons celle-ci n'accepta jamais l'offre.

de Québec. Pour devenir officier britannique, Schomberg dut toutefois se convertir, car les Juifs ne pouvaient servir dans la marine anglaise. C'est donc en tant que chrétien qu'il joua un rôle dans la conquête du Canada par les Anglais.

Ceux-ci étaient néanmoins beaucoup plus disposés que les Français à accueillir des colons juifs. N'ignorant pas les compétences et les légendaires talents des Juifs, les Britanniques leur ouvrirent en fait leurs possessions d'outre-mer, tout comme, d'ailleurs, à divers autres dissidents. Tant qu'ils étaient loyaux envers la Couronne, ils avaient la liberté de s'établir dans une colonie de leur choix. Même quand les droits des Juifs à la citoyenneté anglaise furent niés en vertu d'une loi spéciale de 1740, les Juifs purent être naturalisés dans les colonies.

Et pour une très bonne raison. Au dix-huitième siècle, l'approvisionnement des armées était devenu une occupation courante chez les Juifs – « la voie royale menant à la richesse », disait un historien. Et comme l'armée anglaise était très active à cette époque, elle dépendait beaucoup des Juifs pour son approvisionnement. Donc, beaucoup des Juifs qui arrivèrent dans le Nouveau Monde – et particulièrement au Canada –

Les premiers colons juifs à laisser des preuves documentaires de leur présence s'étaient établis à Halifax en 1749. Une poignée de dynamiques marchands juifs des colonies américaines avaient pris la route d'Halifax, confiants que la présence des Anglais et l'existence d'un port naturel protégé assureraient la croissance et la prospérité de la ville. Le gouverneur britannique, lord Cornwallis, conscient que la nouvelle colonie avait besoin de provisions et de crédit pour franchir le cap des difficiles premières années, accueillait en fait les marchands et commerçants juifs de Nouvelle-Angleterre.

En 1752, une trentaine de Juifs vivaient à Halifax. La plupart étaient d'origine allemande et avaient immigré plus tôt dans les colonies américaines. Les plus en vue d'entre eux étaient Israel Abrahams, Isaac Levy, Nathan Nathans et les quatre frères Hart, Abraham, Isaac, Naphtali et Samuel. Tous étaient ambitieux et énergiques et donnèrent beaucoup à la jeune colonie. Levy fut le premier à tenter d'exploiter les gisements de houille du cap Baron. Abrahams fit démarrer l'industrie de la potasse dans la colonie, tandis que la compagnie de Nathans et Hart était le plus grand fournisseur de marchandises de toute la région.

On était très optimiste à cette époque quant à l'établissement d'une communauté juive à Halifax. Les Juifs étaient alors tolérés en Angleterre, mais ils avaient déjà été expulsés. Beaucoup voyaient donc dans les colonies de nouvelles patries où ils pourraient prospérer tout en restant fidèles à leur foi. En 1752, un journal d'Halifax annonçait en effet que trois navires avaient été affrétés en Angleterre pour amener des familles juives. Mais cette annonce n'eut pas de suites.

Et bien peu de Juifs vinrent s'établir à Halifax.

Comme dans toute nouvelle communauté juive, la première activité consista à créer un cimetière. Tous les Juifs doivent être ensevelis en terre consacrée. En 1750, on acheta un terrain à cette fin. Mais quelques années plus tard, celui-ci fut vendu à l'Etat pour y construire un hospice. Il était alors évident que les Juifs ne s'installeraient pas à demeure dans la ville. Beaucoup de ceux qui étaient venus à Halifax s'étaient convertis, avaient épousé quelqu'un d'une autre foi ou étaient retournés dans le sud, particulièrement après le déclenchement de la Révolution. À part le cimetière, rien ne témoignait de la vie ou de la religion juives – il n'y avait ni synagogue, ni rabbin, ni abatteur rituel, et bientôt il n'y aurait plus de Juifs.

Le plus influent des Juifs restés à Halifax était peut-être Samuel Hart, un riche marchand qui avait fait fortune à Newport, dans le Rhode Island. Vers les années 1780, il était l'un des principaux marchands de la colonie et possédait ce qui était peut-être la plus belle propriété d'Halifax. En 1793, il fut élu à l'Assemblée de la Nouvelle-Ecosse, devenant ainsi le premier député juif de tout l'empire britannique. Il semble toutefois qu'il ait dû pour occuper son siège prêter serment de s'acquitter de ses responsabilités tout en adhérant à « la seule vraie foi chrétienne ». Ce serment, Hart le prononça sans doute, puisque ses quatre enfants avaient déjà été baptisés dans l'Eglise anglicane, mais rien n'indique que Hart se soit lui-même converti. Quoi qu'il en soit, la Nouvelle-Ecosse a eu un législateur juif au moins 60 ans avant qu'un Juif puisse siéger au parlement britannique.

Quelques documents indiquent qu'il y eut d'autres Juifs en Nouvelle-Ecosse, hors d'Halifax, avant 1800. Malheureusement, comme aucun de leurs descendants n'est demeuré juif, la documentation est limitée. Mais nous savons que Jacob Calneck, un des premiers colons de la vallée de l'Annapolis, était un Juif allemand engagé par les Britanniques pour approvisionner leurs mercenaires de Hesse pendant la Révolution américaine. En récompense, le gouvernement britannique lui donna des terres étendues en Nouvelle-Ecosse. Il semble aussi que certains Juifs suivirent l'armée anglaise au Nouveau-Brunswick et s'y établirent.

Parmi les donations foncières de cette période, au moins deux furent faites à des Juifs. Dans le sud-ouest de la Nouvelle-Ecosse, un certain M. Abraham et un certain M. Shepard prirent possession de terres.

Samuel Hart.

Mais nous ne savons pas avec certitude ce qui leur est advenu, à eux et à leurs familles. Un autre Juif établi dans la colonie, Nathan Levy, était d'origine néerlandaise. Il se convertit bientôt au luthéranisme, et certains de ses descendants habitent toujours dans le comté de Lunenburg.

Après la chute de Québec, en 1759, il était évident que la totalité de l'Amérique du Nord britannique était enfin ouverte aux Juifs. Et beaucoup tirèrent parti des nouvelles possibilités. Le plus en vue de ceux-ci était un Juif alsacien qui avait immigré dans les colonies de Nouvelle-Angleterre et était devenu fournisseur de l'armée britannique. Lorsque débuta la guerre avec les Français, dans les années 1750, Samuel Jacobs suivit les troupes britanniques au Canada. Il s'établit un certain temps à Fort Cumberland, au Nouveau-Brunswick, où il s'adonna au commerce du bois et de l'alcool. En 1759, il aida à créer une brasserie dans la ville française de Louisbourg, qui venait d'être prise. Plus tard au cours de la même année, à bord de sa goélette *Betsey*, il remonta le Saint-Laurent jusqu'à Québec avec la flotte anglaise,

et s'y trouva immédiatement après la reddition des Français.

Bien que son navire fût réquisitionné par les Britanniques pour transporter de la nourriture entre Québec et l'île d'Orléans, Jacobs avait assez de ressources pour se lancer dans différentes entreprises. Il engagea des agents à New York, ainsi qu'à Montréal, Sorel, Québec et Trois-Rivières — la plupart était des Juifs —, pour solliciter des contrats pour ses compagnies. Vers le milieu des années 1760, Jacobs était un des principaux hommes d'affaires de la nouvelle colonie, et son plus grand importateur. À Saint-Denis, sur le Richelieu, au nord du lac Champlain, où il s'établit plus tard, il ouvrit un magasin général et une distillerie. En outre, il fournissait à d'autres commerçants juifs venus dans son sillage une bonne part des marchandises et des capitaux dont ils avaient besoin.

Homme véritablement remarquable, Jacobs était cultivé – ce qui était unique dans une aussi jeune localité – et possédait une énorme bibliothèque. Dans ses lettres – il a laissé une volumineuse correspondance –, il se plaignait sans cesse qu'il manquait désespérément de livres. Il aimait aussi la musique et était particulièrement fier de son violon. Il ne renia jamais sa judéité – il ajoutait souvent son nom en hébreu à sa signature officielle et écrivait même l'anglais en caractères hébraïques –, mais il refusa d'adhérer à une synagogue et il se maria hors de sa foi. Il épousa en effet une Canadienne française et ses cinq enfants furent élevés dans la religion catholique. Mais, au tribunal, il tenait toujours à prêter serment sur une « bible hébraïque ». Il disait d'ailleurs à un ami : « Je ne suis pas un Juif errant, mais je suis un Juif remuant. »

Samuel Jacobs ne fut pas le seul Juif à tirer parti des possibilités offertes par l'armée britannique. Au-delà de Québec, de vastes territoires ne demandaient qu'à être exploités, regorgeant de bois, de fourrures, de minéraux et de denrées alimentaires. Et personne ne tira parti aussi rapidement de ces possibilités que les fournisseurs juifs arrivés avec les troupes britanniques.

Un groupe de Juifs allemands arrivés à Montréal en 1760 avec l'armée britannique fut le premier à exploiter les territoires situés au-delà de Montréal. Fondée par Ezekiel Solomons, son cousin Levy Solomons, Chapman Abraham, Benjamin Lyon et Gershon Levy, la société considérait le Saint-Laurent comme une vaste voie commerciale plongeant jusqu'au coeur du continent. Rayonnant à partir de Montréal, ils ne tardèrent pas à parcourir toute la région des Grands Lacs, apportant provisions, colifichets et alcool aux Indiens et revenant avec d'énormes quantités de fourrures. Longtemps avant que les soldats anglais ne s'aventurent trop loin de Montréal, et de sa sécurité, Solomons, Abraham, Lyon et Levy pénétraient en canot dans des territoires inconnus. Les risques étaient grands, mais les éventuels profits l'étaient aussi. Ces pelletiers juifs et leurs associés commençaient à défier la mainmise de la Compagnie de la baie d'Hudson sur le Nord-Ouest.

En 1761, Ezekiel Solomons se lança dans ce qu'un historien a appelé « la plus dangereuse et la plus aventureuse de toutes les expéditions de l'histoire commerciale du Canada ». Il était déterminé à atteindre le fort Michilimackinac, à la rencontre des lacs Michigan et Huron. S'il était le premier commerçant à y parvenir et à établir des liens avec les Indiens des Grands Lacs, les profits seraient énormes – c'était du moins ce que lui et ses partenaires pensaient.

Le fort, étant situé sur le détroit séparant les deux lacs, était la clé du commerce dans les Grands Lacs supérieurs. Sous le régime français, il était devenu un important centre de traite des fourrures, mais, les Français partis, la région se trouvait offerte à qui voulait s'en emparer le premier.

Solomons et son groupe, après de folles aventures, furent les premiers à atteindre le fort, mais à leur arrivée le fort était entre les mains des pelletiers français et de leurs alliés indiens. Aucun soldat anglais ne s'était encore aventuré aussi loin dans l'intérieur. Et les Indiens qui entouraient le fort avaient toujours appuyé les Français

Journal de Samuel Jacobs.

dans leurs nombreuses guerres contre les Anglais. Solomons fut fait prisonnier et ne fut sauvé d'une mort certaine que par l'arrivée opportune de soldats anglais.

Mais une fois les Britanniques sur les lieux, Solomons tira pleinement parti de la situation. Il envoya des canots chargés de marchandises devant être échangées avec les Indiens qui vivaient à des centaines de milles du fort. En retour des babioles, des couvertures, des tissus et, bien sûr, de l'alcool, Solomons rapportait des centaines de peaux qu'il expédiait à Montréal.

Malheureusement pour Solomons et les autres commerçants anglais, les Indiens, ayant à leur tête Pontiac, se soulevèrent en 1763 contre l'envahisseur anglais. Solomons, Abraham et Levy furent capturés et gardés en otages. Mais ils eurent plus de chance que certains de leurs collègues, qui périrent sur le bûcher; ils furent parmi les rares prisonniers qui s'en sortirent in-demnes.

Une fois libéré, Solomons, en rien découragé, étendit son empire de traite bien au-delà du lac Supérieur, vers le nord-ouest. Lui et ses partenaires subirent différents revers financiers – il firent plusieurs fois faillite, mais ils retombèrent toujours sur leurs pattes et retournèrent dans l'intérieur.

Jacob Franks, membre de la famille étendue de Juifs bavarois qui avait des intérêts financiers à Philadelphie et New York, ainsi qu'à Montréal et Québec, était un autre aventurier intrépide. Dans les années 1780 et 1790, Franks, qui était bien connu pour son intégrité et son honnêteté, établit un poste de traite sur le lac Michigan et ne tarda pas à contrôler une grande partie du commerce des fourrures dans la région. Il construisit aussi la première distillerie de la région des Grands Lacs supérieurs.

Il est maintenant évident que ces entrepreneurs juifs, véritables pionniers, contribuèrent à établir la structure du commerce du Saint-Laurent et des Grands Lacs. Ils ouvrirent de nouvelles voies de communication, négocièrent avec les Indiens et furent parmi les premiers blancs à se rendre dans de nombreuses régions du nord-ouest. Solomons, par exemple, fut le premier colon juif du Michigan, et, pendant des années, il exploita avec Benjamin Lyon et quelques autres commerçants juifs des entreprises prospères au fort Michilimackinac. Leur vie fut en fait si colorée et mouvementée que ces pelletiers juifs canadiens firent l'objet de récits en partie fictifs, oeuvres d'auteurs tels que Stephen Vincent Benét et Francis Parkman.

Il ne fait plus aucun doute que dès le début de la colonisation britannique des Juifs participèrent activement aux affaires et au commerce de la nouvelle colonie. Peu nombreux, ils n'en jouèrent pas moins un rôle clé dans son développement. Ils étaient présents dans presque tous les secteurs du commerce; en fait, dans beaucoup des nouvelles villes qui surgissaient de terre dans l'Amérique du Nord britannique, il y avait des Juifs. Grâce à leurs contacts avec leurs coreligionnaires, leurs parents et leurs anciens associés d'outre-frontière, ils aidèrent à créer des liens commerciaux avec les nouveaux Etats-Unis nés de la Révolution.

Les Juifs jouaient également un rôle politique important – ce qui leur était interdit en Angleterre. Non seulement ils signaient pétitions et déclarations exigeant des réformes, la création d'une assemblée représentative, et critiquaient l'Acte de Québec, qui allait restreindre leurs activités d'affaires, mais ils occupaient en fait des postes au sein de l'administration publique. En 1768, John Franks, un Juif, fut nommé inspecteur des incendies de Québec, et John Lewis occupa ce poste à Trois-Rivières. Aaron Hart fut nommé maître de poste à Trois-Rivières, et Urich Judah devint protonotaire. Des Juifs canadiens occupèrent de même des postes au sein de la milice longtemps avant que les Juifs anglais puissent devenir officiers. Et la plupart d'entre eux prêtaient serment, non en tant que chrétiens, mais en tant que Juifs – ce qui n'était pas possible dans la mère patrie.

Il est donc évident que dès le début le Canada fut plus ouvert et beaucoup plus libéral que la Grande-Bretagne. Les Juifs – et d'autres, bien sûr, dont les catholiques et les dissidents – jouissaient au Canada de libertés dont ils ne pouvaient que rêver en Grande-Bretagne. Fait remarquable, la population juive du Canada ne comptait pas 120 personnes en 1800, sur un total de plus de 300 000 habitants. Leurs réalisations et leurs contributions n'en étaient pas moins étonnantes.

Leur plus grande difficulté consistait peut-être à demeurer juifs. Leur communauté ne comprenait pratiquement aucune femme. Beaucoup vivaient donc avec des Indiennes ou des Canadiennes françaises, qu'ils épousaient généralement, et avec lesquelles ils avaient des enfants. Et même si les enfants portaient souvent des noms juifs et étaient considérés comme des Juifs par leurs contemporains, presque tous étaient élevés et vivaient dans la foi chrétienne.

Montréal était bien sûr le coeur de la communauté juive. La plupart de ceux qui

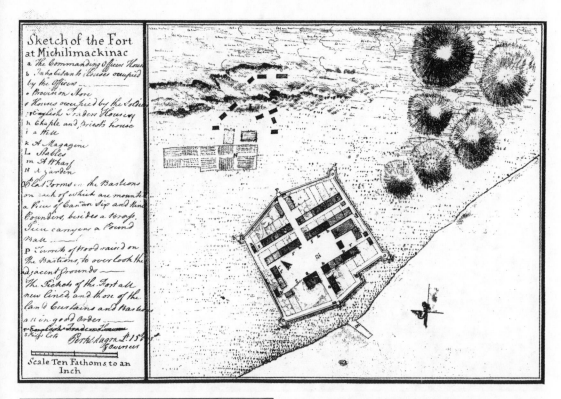

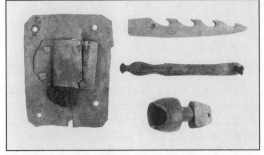

En haut: Plan du fort Michilimackinac, 1766; une flèche désigne la maison d'Ezekiel Solomons et Gershon Levy.

À gauche: Objets exhumés par des archéologues à la maison d'Ezekiel Solomons et Gershon Levy, au fort Michilimackinac.

étaient arrivés avec les Anglais choisirent de s'y établir, et en 1768 ils se réunirent pour fonder la première synagogue du pays, Shearith Israel, littéralement « le reste d'Israël ». Nommée ainsi en l'honneur de la première synagogue de New York, mais davantage connue sous le nom de synagogue hispano-portugaise, elle sera la seule véritable synagogue du Canada pour les deux prochaines générations. Pendant près de dix ans, les membres de la synagogue se réunirent dans une petite maison de la rue Saint-Jacques. En 1777, la synagogue fut construite sur un terrain situé rue Notre-Dame et donné par

Lazarus David, et avec des fonds fournis par la plupart des Juifs de la ville. En 1778, le révérend Jacob Rafael Cohen arriva de Londres pour être le chef spirituel de la communauté. Malheureusement, Cohen fut bientôt entraîné dans un conflit avec sa communauté au sujet de son salaire et, après une longue bataille juridique, il démissionna de son poste et accepta en 1784 un poste à Philadelphie. La communauté juive de Montréal allait être privée de rabbin pendant de nombreuses années.

Si la communauté juive de Montréal était la plus grande, une communauté plus

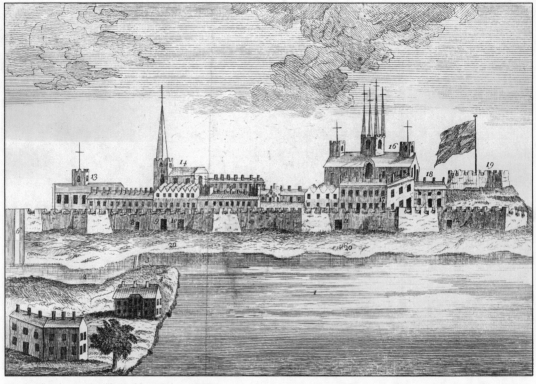

Les fortifications et la ville de Montréal, v. 1760.

dynamique se constituait à cette époque dans la petite ville de Trois-Rivières, en grande partie grâce aux efforts d'un seul homme, Aaron Hart. Dans l'histoire des Juifs canadiens, aucun colon de cette période ne fut plus important ni ne laissa un plus grand héritage que Hart. Pratiquement seule parmi les colons juifs de cette période, la famille Hart resta fidèle à sa foi. Peu de ses membres se sont mariés avec des personnes d'autres religions; la plupart ont reçu une solide éducation juive et presque tous ont joué un rôle dans la vie judaïque de leur temps. Presque tout au long des deux derniers siècles, les descendants d'Aaron Hart ont occupé une place de premier plan au sein de la communauté juive.

On ne sait pas grand-chose du passé d'Aaron Hart. D'ascendance allemande, il était probablement né à Londres en 1724. Après 1740, il émigra dans le Nouveau Monde et, sur foi d'un document attestant

qu'il faisait partie d'une loge maçonnique, nous savons qu'il était à New York en 1760. Toutefois, vers cette époque, il se joignit, en tant que ravitailleur, aux forces britanniques qui faisaient marche vers Montréal, commandées par les généraux Haldimand et Amherst. Il n'était pas officier, comme certains historiens du passé l'avaient affirmé. Aucun Juif ne l'était. Et il n'entra certainement pas à Montréal à cheval aux côtés d'Amherst, comme le prétendent d'autres versions. Mais il était loyal et il fut apparemment un assez bon entrepreneur pour que cela parvienne aux oreilles d'Amherst comme de Haldimand.

Après la reddition des Français à Montréal, les Anglais n'eurent plus besoin des services de Hart. Conscient de l'énorme potentiel de la nouvelle colonie britannique, celui-ci décida de ne pas retourner à New York et de s'établir à Trois-Rivières, une petite ville française située entre Québec et

Montréal. Il devint ainsi un des premiers colons anglophones de cette région.

Surtout, en quelques années, il devint
l'homme d'affaires le plus en vue hors de
Montréal. Il établit un florissant commerce
avec les Indiens, qui trouvaient son magasin, au confluent du Saint-Maurice et du
Saint-Laurent, beaucoup plus accessible que
ceux de Montréal et de Québec. Il était également fort actif dans le commerce de l'alcool,
l'exportation de céréales en Angleterre, et il
acquit de vastes terres, au premier rang des-
quelles figure la pittoresque seigneurie de
Bécancour. Au moment de sa mort, il était
peut-être le plus grand propriétaire terrien
de tout le Bas-Canada. Il fut aussi le premier
maître de poste de Trois-Rivières et le tréso-
rier des troupes britanniques stationnées
dans la région. En fait, Hart était à lui seul
un véritable conglomérat aux intérêts financiers divers – immobilier, fourrures, alcool,
aliments et bois.

Quel était le secret de la réussite de
Hart? La plupart des historiens s'accordent à
dire qu'il était l'homme de la situation et du
moment. Hart était un homme charmant, ha-
bile, énergique et honnête, qui arriva à Trois-
Rivières au moment même où le féodalisme
du régime français s'écroulait. Les possibilités financières étaient énormes, mais peu
en profitaient. Grâce à ses relations avec l'armée britannique qui contrôlait la région, et
à ses intérêts commerciaux au-delà de Trois-
Rivières, Hart put tirer parti de ces possibilités. Rares étaient les hommes d'affaires
britanniques en mesure de contester sa pri-
mauté, et, bien qu'il fît la plupart de ses affaires avec des non-Juifs, il pouvait toujours
compter sur l'appui des autres marchands
juifs, dont Samuel Jacobs et les Solomons.
Comme l'a dit un historien, ces Juifs formaient une « sorte de société d'entraide ».
Ils étaient peu nombreux et étaient souvent
alliés par le mariage; leurs problèmes
étaient les mêmes et un esprit de corps
les unissait. Leurs rivalités étaient souvent
âpres, dégénérant en litiges, mais il est
évident qu'ils se soutenaient généralement,
même si la plupart enviaient Hart, qui était

En haut: Trois-Rivières, v. 1760

En bas: Aaron Hart (1724-1800), le plus influent des
premiers colons juifs du Canada.

de loin le plus prospère – et le plus juif –
d'eux tous.

Et c'est en effet sa fidélité obstinée à
sa foi qui donne à Hart toute son importance dans l'histoire des Juifs du Canada.
Déterminé à épouser une Juive, Hart
retourna en 1768 en Angleterre afin de se
marier avec sa cousine Dorothea Judah,

En haut: La demeure de la famille Hart à Trois-Rivières.

En bas: Alexander Hart de Trois-Rivières, fils d'Aaron Hart.

et Samuel Judah, s'établirent à proximité, tout comme les enfants du beau-frère de Hart, Naphtali Joseph. La famille étendue Hart-Judah-Joseph allait dominer la société juive du Québec pendant un siècle.

Hart vivait à moins d'une journée de voyage de Montréal, mais rien n'indique qu'il ait eu des liens avec la communauté juive de cette ville – sauf bien sûr pour affaires. Il ne devint jamais membre de la synagogue Shearith Israel et ne contribua jamais à son soutien. En fait, il construisit sa propre synagogue – et aménagea bien entendu un cimetière – à Trois-Rivières. Comme le faisait observer un historien, il était « à lui seul une communauté ».

Il est vrai que Hart eut des difficultés avec ses voisins français. Incapable de s'ajuster à la nouvelle donne économique, après la conquête, beaucoup des anciens seigneurs et propriétaires terriens s'endettèrent profondément et grevèrent excessivement leurs biens d'hypothèques. Hart put ainsi acheter leurs terres pour une partie de leur valeur. Par ailleurs, il était d'une honnêteté scrupuleuse dans ses transactions avec les Français et il donna beaucoup d'argent à des oeuvres locales, particulièrement au couvent des ursulines, pour lesquelles il était un véritable saint. Il leur fit de généreux prêts – sans intérêt –, leur donna des biens et leur fournit gratuitement des services, et même il s'attira une grande reconnaissance pour, comme le disaient les religieuses, « les repas tout chauds qu'il envoyait » lors d'hivers particulièrement rigoureux. Il fut si généreux envers l'Eglise qu'à sa mort un humoriste de l'endroit fit observer que « Hart a fait plus pour les catholiques de Trois-Rivières que le pape lui-même ».

Aaron Hart ne chercha jamais à faire véritablement de la politique, mais il s'allia avec des hommes d'affaires anglais pour protester contre la dureté du gouvernement britannique et pour réclamer un régime plus représentatif. Mais Hart savait fort bien que même dans une colonie aussi libre que semblait l'être le Canada il y aurait toujours des restrictions – en particulier pour les Juifs. Avec beaucoup de clairvoyance, il mit en

la soeur d'un de ses partenaires. Ils eurent onze enfants, dont sept atteignirent l'âge adulte – et qui tous reçurent une éducation juive traditionnelle. En effet, il envoya ses fils Ezekiel, Moses, Benjamin et Alexander à New York et à Philadelphie vivre avec des familles juives et recevoir une éducation religieuse.

Pour étendre le clan Hart à Trois-Rivières, deux des frères de Dorothea, Uriah

Assemblée législative, Québec.

garde son fils Ezekiel, qui souhaitait vivement faire de la politique : « On s'opposera à toi parce que tu es juif. Tu peux étudier le droit, mais, sois-en sûr, aucun jury ne sera de ton côté, ni aucun parti de la Chambre. » Le seigneur de Bécancour comprenait donc que, malgré tout son prestige, sa richesse et sa générosité, il y avait des limites qu'un Juif ne pouvait pas encore franchir. Vers 1800, la poignée de colons juifs avait déjà beaucoup obtenu, mais beaucoup restait encore hors de leur portée.

Ignorant les avertissements de son père, Moses, le fils aîné de Hart, fut le premier à tâter de la politique. Il annonça sa candidature à l'élection législative de 1796. Il ne fut pas élu à ce moment, et il ne le serait pas non plus lors des deux ou trois autres scrutins où il serait candidat.

Après le décès de leur père, en 1800, les jeunes Hart commencèrent à voler de leurs propres ailes et à essaimer. Alexander, le benjamin, probablement pour ne plus être dans l'ombre de ses frères, se fixa à Montréal et y établit l'entreprise familiale. Moses resta à Trois-Rivières, où il fonda une compagnie de transport et une banque. Il était aussi un peu écrivain, puisqu'il publia en 1815 un ouvrage sur la religion. En dépit de

ses revers électoraux, Moses fut choisi pour être le premier *High Constable* de la police de Trois-Rivières. Mais le siège de l'Assemblée qu'il convoitait tant lui échappa toujours. C'est plutôt à son frère Ezekiel qu'il échut finalement, enfin presque.

L'élection partielle de 1807 à Trois-Rivières est un des événements clés de l'histoire des Juifs canadiens. Le député John Lees étant décédé, quatre candidats se sont présentés pour lui succéder : Matthew Bell et Thomas Coffin, qui représentaient la minorité anglophone, Pierre Vézina, un populaire officier de milice francophone, et Ezekiel Hart.

L'élection eut lieu le samedi 11 avril. L'autre député de la circonscription, le juge Louis Foucher, avait demandé aux électeurs de se rallier à Coffin et de se détourner de Hart en raison de ses prétentions, de son inexpérience et du fait qu'il était juif. Seul son frère Benjamin, le plus éloquent des enfants d'Aaron, se porta à la défense de son frère.

Mais comme la famille Hart était très respectée de la population, Ezekiel remporta une victoire rapide mais décisive — peut-être trop rapide. Il refusa de signer les documents électoraux, car c'était encore le sabbat. Il dit aux électeurs : « Je ne peux pas travailler le jour du sabbat; attendez au moins le coucher du soleil. » Lorsque des responsables le supplièrent de signer pour que sa victoire soit valide, il obtempéra, mais seulement après avoir rayé les mots « En l'année du Seigneur 1807 », et signé simplement « Ezekiel Hart, 1807 », au bas. Ezekiel devint ainsi le premier et le seul Juif à être élu aux assemblées législatives du Haut- ou du Bas-Canada.

Il ne faisait aucun doute, aux yeux de Hart, qu'il avait le droit de siéger même s'il était juif. Le juge en chef de la province, James Reid, l'avait en effet rassuré, affirmant que les doutes quant à son éligibilité étaient « sans fondement » puisque les restrictions s'appliquant aux Juifs de Grande-Bretagne « ne concernent pas cette province ». « Votre droit d'être élu, ajoutait-il, et de siéger en tant que député, ne le cède en rien, à mon avis, à celui de tous les autres députés. »

Muni de la lettre de Reid et d'un avis juridique du procureur général d'Angleterre, qui lui affirmait qu'en ce qui concernait la Couronne il n'y avait aucun obstacle juridique à l'éligibilité d'un Juif et au fait qu'il siège à l'Assemblée, s'il prêtait « les serments habituels », Hart arriva à Québec le 16 avril et occupa immédiatement son siège. Le même jour, l'Assemblée était dissoute. Quand la Chambre siégea de nouveau le 29 janvier 1808, un député demanda si Hart avait prêté « serment de la façon habituelle ». Lorsque les députés apprirent que Hart avait prêté serment sur le Pentateuque, l'Ancien Testament, la tête couverte, la Chambre suspendit sa séance dans la confusion.

Le lendemain, une résolution était présentée par le procureur général de la province, Jonathan Sewell, interdisant à Hart d'occuper son siège puisqu'il n'avait « pas prêté serment de la façon habituelle ». Deux jours plus tard, une pétition au nom de Thomas Coffin, candidat défait à Trois-Rivières, était présentée à la Chambre. On y alléguait que comme Hart, en tant que Juif, ne pouvait ni siéger à l'Assemblée, ni faire

les serments appropriés, lui, Coffin, devrait le remplacer en tant que député de Trois-Rivières.

Le 12 février, Hart présentait sa propre pétition, où il affirmait avoir fait les serments appropriés, mais que si on s'y objectait il prêterait serment « de la façon habituelle ». La Chambre ne lui en donna pas la possibilité. Par un vote de 21 contre 5, Hart fut exclu de l'Assemblée sous le prétexte que quiconque « professe la religion juive ne peut siéger ni voter à la Chambre ». Pendant le reste de la session, le député dûment élu de Trois-Rivières ne put représenter ses électeurs.

En avril 1808, le nouveau gouverneur du Bas-Canada, James Craig, dissout l'Assemblée. Le 17 mai, Hart est réélu par les électeurs de Trois-Rivières. Cette fois, pour ne pas ruiner ses chances, Hart prête serment sur le Nouveau Testament, la tête découverte. Le stratagème de Hart échoua. Une résolution fut présentée à la Chambre affirmant qu'un Juif qui prêtait serment « sur les Saints Evangiles, qui ne pouvaient le lier [...] profanait ainsi [la religion chrétienne] ». On débattit beaucoup de la question des serments jusqu'à ce que l'Assemblée, par un vote de 18 contre 8, décidât enfin que quiconque « professe la religion juive [...] ne peut siéger ni voter dans cette Chambre ».

Le 8 mai 1809, Hart était informé que son siège était officiellement libre. Une semaine plus tard, Craig, qui en avait contre la Chambre pour diverses raisons, la dissolut et demanda à Londres de statuer sur le cas de Hart. Près d'un an plus tard, le gouvernement britannique l'informa qu'« un vrai Juif ne pouvait siéger à l'Assemblée puisqu'il ne pouvait prêter serment sur les Evangiles ».

Que conclure de cette affaire? Que nous apprend-elle sur le rôle des Juifs dans la société canadienne au début du dix-neuvième siècle? Des historiens prétendent que la religion de Hart n'était pas en cause. Il n'en reste pas moins les députés anglophones et francophones s'opposèrent à son élection. Il est également vrai, cependant, que ses électeurs – en majorité canadiens français – l'élirent deux fois, sachant qu'il était juif. En fin de compte, divers facteurs s'unirent pour provoquer sa défaite. Hart se retrouva au coeur d'une lutte pour le pouvoir politique entre l'exécutif et le législatif et entre les marchands anglais et les agriculteurs canadiens français. Si l'on ajoute l'antisémitisme propre à cette période, l'élection de Hart était semble-t-il vouée à l'échec dès le début.

En dépit des efforts déployés par les premiers Juifs canadiens, à partir des années 1760, les Juifs ne jouissaient toujours pas de tous les droits politiques au Canada. Il faudrait attendre la génération suivante.

Il est possible de romancer et d'exagérer les réalisations des premiers colons juifs du Canada, mais il est impossible de les ignorer. Et c'est ce que les historiens des générations passées ont fait. Comme ils étaient peu nombreux, leurs hauts faits n'ont guère été consignés.

Les Hart, Jacobs, Solomons, Abrahams et autres trouvèrent à leur arrivée au Canada une chancelante société féodale en faillite, et en une génération ils avaient contribué à la remettre sur pied. Ils fournirent les marchandises dont d'autres colons canadiens avaient besoin, créèrent de nouvelles structures et relations commerciales, aidèrent à élever le niveau de vie et donc à attirer de nouveaux immigrants. Bien sûr, ils n'étaient

Lettre d'Ezekiel Hart à James Phillips and Sons concernant l'opposition manifestée à l'élection de Hart comme député, 1808.

pas seuls – en fait, la classe marchande anglaise, plus nombreuse, joua un grand rôle –, mais ils jouèrent un rôle clé dans la constitution et l'extension de l'empire commercial du Saint-Laurent et contribuèrent à la lutte pour l'égalité et les droits politiques, et ce il y a plus de deux cents ans.

82   **C. 56-57.**   *Anno Primo Gulielmi IV.*   **A. D. 1831.**

Public Act .   VIII. And be it further enacted by the authority aforesaid, that this Act shall be taken and deemed to be a public Act, and as such shall be judicially taken notice of by all Judges, Justices of the Peace, and all others whom it shall concern without being specially pleaded.

CAP. LVII.

An Act to declare persons professing the Jewish Religion intitled to all the rights and privileges of the other subjects of His Majesty in this Province.

> 31st March, 1831 —Presented for His Majesty's Assent and reserved "for the 'signification of His Majesty's pleasure thereon."
> 12th April, 1832,—Assented to by His Majesty in His Council.
> 5th June, 1832,—The Royal Assent signified by the proclamation of His Excellency the Governor in Chief.

Preamble.   WHEREAS doubts have arisen whether persons professing the Jewish Religion are by law entitled to many of the privileges enjoyed by the other subjects of His Majesty within this Province : Be it therefore declared and enacted by the King's Most Excellent Majesty, by and with the advice and consent of the Legislative Council and Assembly of the Province of Lower Canada, constituted and assembled by virtue of and under the authority of an Act passed in the Parliament of Great Britain, intituled, "An Act to repeal certain parts of an Act passed in "the fourteenth year of His Majesty's Reign, intituled, "*An Act for making* "*more effectual provision for the Government of the Province of Quebec, in North* "*America,*" and to make further provision for the Government of the said "Province of Quebec in North America." And it is hereby declared and enacted by the authority aforesaid, that all persons professing the Jewish Religion

Persons professing the Jewish Religion to be entitled to all the civil rights of British Subjects. being natural born British subjects inhabiting and residing in this Province, are entitled and shall be deemed, adjudged and taken to be entitled to the full rights and privileges of the other subjects of His Majesty, his Heirs or Successors, to all intents, constructions and purposes whatsoever. and capable of taking, having or enjoying any office or place of trust whatsoever, within this Province.

CHAPITRE 2

La lutte pour l'égalité

1810 - 1837

Moses David, le fils de Lazarus David, de Montréal, était l'un des premiers enfants juifs nés au Canada. Déterminé dès le début de la vingtaine à voler de ses propres ailes, il se rendit dans les régions riches en fourrures et encore largement inexplorées qui s'étendaient autour de Michilimackinac et de Detroit, pour commercer avec les Indiens. Lorsque les Britanniques cédèrent Detroit aux Américains au début des années 1790, David, qui était profondément loyaliste, franchit la rivière et demanda une concession à Sandwich, là où s'élève maintenant la ville de Windsor.

Mais il n'était pas facile pour un Juif de s'établir dans le Haut-Canada. Certains avaient tenté leur chance, mais aucun n'y était encore parvenu. Au début des années 1790, Levy Solomon, également originaire de Montréal, avait fait une demande de concession aux environs de Cornwall. Le juge en chef de la province avait cependant informé le gouverneur que, selon lui, les « Juifs n'avaient pas le droit de posséder de terres dans la province ». Cela s'appliquait certainement aux Juifs pratiquants, mais pas aux Juifs convertis. Dans les années 1790, le fils de Samuel Jacob, John, avait obtenu une concession dans la région du Niagara, mais il était catholique. De même, John Lawe, dont la mère était juive, avait été élevé dans la religion anglicane. Lui aussi put obtenir des terres dans la région du Niagara.

Mais le cas de Moses David embarrassait les autorités. Comment pouvait-on le rejeter? Il était après tout une personnalité connue dans la région, et il avait servi dans la milice. Néanmoins, alors que d'autres soldats de son régiment obtenaient des terres, David dut attendre plusieurs années. Il écrivit inlassablement pour se plaindre du temps qu'on mettait à s'occuper de sa requête. Finalement, en 1803, environ six ans après sa première demande, David se vit accorder une terre et reçut la permission de s'établir définitivement. De toute évidence, les Juifs étaient désormais les bienvenus dans le Haut-Canada.

Il n'y eut pas de ruée des Juifs vers le Haut-Canada après le succès de David, mais quelques-uns vinrent s'y établir. La plupart des historiens sont persuadés qu'aucun Juif ne résida de façon permanente dans le Haut-Canada avant les années 1830, mais des indices sérieux donnent actuellement à croire que certains des marchands et des commerçants qui sillonnaient la province s'y sont parfois installés à demeure. Nous savons avec certitude qu'il y a eu des Juifs à Windsor, York, Kingston et Uxbridge ainsi que dans la région de Niagara-Hamilton. Il semble même qu'il y

À gauche: Le *Bill of Rights* de 1831, qui garantissait aux Juifs l'égalité juridique dans le Bas-Canada, tel que présenté à Sa Majesté Guillaume IV, roi d'Angleterre, pour être ratifié.

David David (en haut) et son frère Samuel (à droite).

ait eut un village nommé fort à propos Jewsberg et fondé par Samuel Liebshitz, un meunier juif d'origine allemande qui s'était établi dans les environs de la ville actuelle de Preston. Il est probable qu'il y a eu dans le Haut-Canada d'autres Juifs dont nous ne savons rien. Comme la plupart ont contracté des mariages chrétiens, se sont convertis et se sont intégrés à la collectivité chrétienne, ils n'ont guère laissé de traces de leur judaïcité.

Lors de la guerre de 1812, les Juifs ont donné la plus belle preuve de leur attachement à leur nouvelle patrie. Alors que beaucoup d'habitants du Haut- et du Bas-Canada semblaient indifférents à l'invasion américaine, la minuscule communauté juive réagit à cette situation critique avec une belle unanimité, même si beaucoup de ses membres s'étaient à l'origine établis dans les Treize Colonies. Bien que les statistiques que l'on possède soient incomplètes, il semble que presque tous les hommes juifs aptes à servir sous les drapeaux se soient enrôlés volontairement pour combattre du côté des Britanniques. On trouve sur la liste des officiers de la milice canadienne

des noms tels que Hart – au moins quatre – Franks, Joseph, Michaels, David et d'autres; David Davids, le frère de Moses, prit même le commandement d'un régiment posté sur la frontière américaine, tandis qu'Ezekiel Hart, faisant taire son ressentiment envers l'Assemblée, commença la guerre avec le grade de lieutenant et la termina capitaine.

Malheureusement, on ne permit pas à tous les Juifs de s'enrôler. Le frère d'Ezekiel, Benjamin – le Hart de Montréal –, voulut servir dans la milice, mais le commandant de son district rejeta sa demande et informa le gouverneur que les « soldats chrétiens ne toléreraient pas la présence d'un Juif parmi eux ». Hart, qui était d'un caractère combatif, finit tout de même par entrer dans la milice – comme lieutenant –, mais seulement en 1820. De toute façon, il était tellement déterminé à se battre qu'il se joignit à l'infanterie comme simple soldat et qu'il combattit les troupes américaines qui marchaient sur Montréal. En outre, à ses propres frais – et à la requête du gouverneur –, il paya l'équipement et la solde des volontaires qui défendirent le fort William Henry. Le bouillant Hart allait un jour faire partie de la milice, avec le grade de lieutenant, mais pas avant 1920, et pas avant qu'il ne se fût fixé à Montréal.

Malgré la rebuffade subie par Hart – sans doute due à l'animosité personnelle du commandant envers la famille Hart –, il est certain qu'il existait peu de restrictions empêchant les Juifs d'occuper des postes militaires – ce qui leur était encore interdit dans la mère patrie. Les Juifs d'Angleterre étaient étonnés de recevoir des lettres de leurs parents signées des titres de « capitaine » ou de « lieutenant ». Ils n'auraient pas dû l'être. Après tout, beaucoup des premiers colons juifs étaient arrivés au Canada avec les troupes britanniques. Leurs enfants connaissaient donc la vie militaire et beaucoup d'entre eux avaient également l'habitude de la vie rude de la frontière. La plupart avaient une formation militaire, savaient se servir d'armes et avaient passé des mois dans la nature.

Les Juifs du Canada célébrèrent la retraite des troupes américaines et la signature d'un traité de paix en 1815. Ils avaient prouvé leur loyauté et leur courage au combat. La contribution des Juifs, pourtant peu nombreux, avait été plus importante que celle de tout autre groupe. Pourtant, après la guerre, aucune communauté ne se sentit plus désespérée. Malgré les efforts des Juifs, leur religion ne fut pas reconnue officiellement. Juridiquement, les Juifs n'existaient pas. Les églises anglicanes étant les seules habilitées à enregistrer les naissances, les mariages et les décès – les droits des catholiques étaient protégés par l'Acte de Québec et d'autres textes –, les Juifs naissaient, se mariaient et mouraient sans que cela soit consigné officiellement. Pour l'Etat, aucun Juif n'était né ou n'était mort depuis 1759. C'était là une situation juridique très embarrassante, surtout dans le cas des testaments et des héritages, car si les Juifs ne mouraient pas, comment leurs enfants – qui n'étaient pas nés légalement – pouvaient-ils hériter de leurs biens?

Mais les Juifs n'étaient pas seuls dans ces limbes juridiques. Ils y côtoyaient les membres de l'Eglise d'Ecosse, les métho-

Pétition présentée par Samuel Hart à l'Assemblée du Bas-Canada le 31 janvier 1831; on y lit que « toutes les personnes de religion juive sont exclues des charges publiques d'une manière très visible et humiliante ».

distes, les wesleyens, les quakers et tous les protestants dissidents. Tout comme les Juifs, cependant, ceux-ci étaient peu nombreux et ne pouvaient pas grand-chose contre le monopole de l'Eglise d'Angleterre. Mais les Français, si. Eux aussi vivaient sous la férule de l'anglicanisme, ce qui ne leur plaisait pas du tout. Ils avaient le droit de pratiquer leur propre religion et de conserver leur culture et leur mode de vie, mais ils ne souhaitaient rien tant que porter un coup aux Anglais et amoindrir le monopole de l'Eglise. Les députés canadiens français à l'Assemblée, rongeant leur frein, et furieux de l'autorité qu'exerçait le gouverneur anglais et son conseil, n'attendaient qu'un bon motif et le moment propice pour agir.

Ce motif leur fut involontairement fourni par Benjamin Hart. Le jeune Hart avait pendant un certain temps tenté de redonner vie à la vieille synagogue Shearith Israel, qui était dans un tel état de décrépitude qu'il fallut se résoudre à la démolir. Hart offrit sa propre maison pour servir de lieu de culte en attendant qu'une nouvelle synagogue puisse être construite. Très religieux, Hart publia un « manifeste » demandant à tous les Juifs de Montréal – une cinquantaine d'hommes et de femmes – de s'unir pour appuyer financièrement le projet. Il leur rappelait qu'il était du devoir de tout Juif « de prier, de préserver le judaïsme et d'élever les enfants dans leur religion ». Ce qui n'était pas possible sans lieu de culte.

Le problème auquel devait faire face la communauté était que la vieille synagogue ainsi que tous ses objets de culte et ses livres sacrés étaient entre les mains des exécuteurs testamentaires de la famille David, qui avait fourni le terrain à l'origine. Et, bien sûr, les lois du pays rendaient extrêmement difficile d'exclure la synagogue de la succession. Les procédés ne donnèrent guère de résultats. Il fallait de nouvelles lois équitables. En conséquence, en décembre 1828, Hart et ses amis juifs présentèrent une requête à l'Assemblée pour que la loi soit modifiée. Ils demandaient que leur religion soit reconnue officiellement, que leur communauté soit autorisée à gérer ses propres affaires et qu'elle ait le droit de tenir un registre officiel des naissances, des mariages et des décès.

L'Assemblée – composée en majorité de Canadiens français – ne demandait qu'à leur donner satisfaction. Elle avait déjà, l'année précédente, régularisé la situation de l'Eglise d'Ecosse. Il semble qu'elle était prête à donner son aval à tout ce qui pouvait affaiblir le pouvoir de l'Eglise anglicane. L'Assemblée fit droit à la requête de Hart avec une incroyable célérité. Quelques mois après l'avoir reçue, elle adoptait un projet de loi accordant aux Juifs tout ce qu'ils avaient demandé. Deux ans plus tard, le projet de loi recevait l'assentiment royal, et à la fin de 1831 la communauté juive canadienne était enfin reconnue légalement. Les Juifs pouvaient désormais naître, se marier et mourir légalement; et ils pouvaient enfin édifier leur synagogue.

Mais il leur était toujours interdit, semble-t-il, de siéger à l'Assemblée ou d'accepter des postes exigeant qu'ils prêtent serment de servir « selon la véritable foi chrétienne ». Comme ce serment était exigé pour presque tous les postes – mais il avait parfois été omis ou négligé par le passé –, aucun Juif ne pouvait occuper de charge publique. Maintenant qu'ils avaient gagné la bataille des droits religieux, les Juifs se préparaient à livrer celle, tout aussi importante, des droits politiques. Et cette fois encore c'est Hart qui mena l'assaut.

Samuel Bécancour Hart était le fils aîné d'Ezekiel, et le neveu de Benjamin. Et qui était mieux placé que le fils du seul Canadien écarté de l'Assemblée législative parce qu'il était juif pour contester la loi frappant les Juifs d'incapacité?

La campagne débuta de façon assez innocente. Le 23 juillet 1830, le nouveau gouverneur du Bas-Canada, lord Aylmer, qui ignorait manifestement les règles en vigueur dans la province, offrit à Hart le poste de magistrat et de juge de paix à Montréal. Dans l'esprit d'Aylmer, il s'agissait là d'un honneur mérité et d'une reconnaissance tardive du rôle de Hart lors de la guerre de 1812, où il s'était illustré sur le champ de bataille de Lundy's Lane – où eut lieu un affrontement particulièrement sanglant. De plus, le nouveau seigneur de Bécancour était un homme d'affaires prospère et un lieutenant de la milice.

Aylmer ne consulta son procureur général qu'après en avoir parlé à Hart. La réponse de son principal bras droit en matière juridique fut glaciale : « Un Juif [...] ne pouvant prêter les serments requis d'un juge de paix [...] Hart ne peut par conséquent être nommé à ce poste. » Cette opinion était partagée par le conseil exécutif d'Aylmer, qui était composé presque exclusivement de Canadiens anglophones.

Malheureusement pour le gouvernement, il était trop tard. Tandis qu'ils en étaient encore à discuter du bien-fondé du choix d'Aylmer, l'acceptation de Hart leur parvint. Aylmer ne put que l'informer que son nom était retiré de la liste des nominations parce qu'il était juif. Cela mit l'irrascible Hart complètement hors de lui. La province avait déjà humilié son père; elle ne l'humilierait pas, lui.

Il fit immédiatement parvenir une requête – par l'entremise d'Aylmer – au roi Guillaume, où il se plaignait amèrement que les Juifs du Canada étaient « écartés des charges publiques de façon très ostensible et très mortifiante ». Il ajoutait que le roi ne pouvait « tolérer cela sans rien dire et sans renoncer à toute estime de lui-même et sans porter préjudice à la bonne opinion que ses sujets avaient de lui ». Il rappelait au roi qu'on était à une époque « de libéralisme et de tolérance universelle ». Il accusait les représentants du roi d'agir et de se comporter de façon illégale, et il suppliait le roi de venir à son aide et à celle de ses autres sujets juifs.

À la même époque, certains des « autres sujets juifs » envoyèrent une requête personnelle à l'Assemblée législative pour protester contre les lois iniques qui empêchaient les Juifs d'occuper des charges publiques. Leur pétition fut présentée à l'Assemblée par John Neilson, propriétaire de la *Quebec Gazette* et l'un des chefs des députés réformistes anglophones. Au même moment, Denis Viger, militant du parti francophone, présentait au Conseil législatif cette pétition ainsi que la lettre de Hart au roi.

Viger joua un rôle important. Après tout, en 1809, il s'était joint à la majorité des députés canadiens français qui avaient voté l'exclusion d'Ezekiel Hart. Il semblait maintenant avoir changé son fusil d'épaule. Plus important encore, il était très proche – en fait il lui était même apparenté – de l'éminent chef canadien français de l'époque, Louis Joseph Papineau, qui avait également voté contre Hart en 1809. En tant que président de l'Assemblée, Papineau jouissait d'une grande influence et pouvait toujours compter sur ses collègues francophones pour appuyer de leurs votes tout projet de loi qui avait sa faveur. Le soutien de Papineau était par conséquent absolument primordial.

Le projet de loi garantissant les droits politiques des Juifs franchit rapidement toutes les étapes. Il fut présenté le 16 mars 1831, par Neilson, et le 31 mars il avait franchi le cap de la dernière lecture. Le 5 juin 1832, il recevait la sanction royale et avait force de loi.

La nouvelle loi n'établissait pas parfaitement jusqu'à quel point les Juifs pouvaient jouer un rôle dans la vie canadienne – cela viendrait plus tard –, mais elle fut néanmoins un jalon important dans leur quête de l'égalité politique. Le titre du projet de loi l'explique clairement : « An act to declare persons professing the Jewish religion entitled to all the rights and privileges of the other subjects of His Majesty the King » (Loi reconnaissant à toutes les personnes de religion juive les mêmes droits et privilèges qu'aux autres sujets de Sa Majesté le Roi).

Malgré son titre, cette loi n'était pas tout à fait la « Grande Charte des Juifs canadiens » dont certains ont parlé. Mais elle a certainement beaucoup contribué à répondre aux doléances des Juifs du Canada – qui étaient une centaine. Le Canada fut la première colonie de l'empire britannique, à l'exception, peut-être, de la Jamaïque, à émanciper ses Juifs – ce que l'Angleterre elle-même ne ferait pas avant vingt-cinq ans. En fait, à peu près au moment où l'Assemblée législative du Bas-Canada décidait d'accorder tous les droits politiques aux Juifs canadiens, un projet de loi visant à donner aux Juifs britanniques les mêmes droits était rejeté par le parlement anglais.

C'était une loi capitale, presque révolutionnaire dans ses conséquences, un événement marquant dans la bataille pour l'obtention des droits civils. Pourtant, à l'époque, personne à part une poignée de Juifs n'y accorda d'importance. Peut-être que la plupart des Canadiens bien informés sentaient que la bataille n'était pas encore gagnée.

Ils avaient raison. Peu après l'adoption du projet de loi, on offrit de nouveau à

Samuel Hart ainsi qu'à deux autres éminents Juifs montréalais, son oncle Benjamin Hart, et l'ancien président de la synagogue de Montréal, Moses Judah Hays, un poste de magistrat.

Mais ceux qui s'opposaient à ce qu'on accorde l'égalité des droits aux Juifs – et certains d'entre eux appartenaient de toute évidence aux plus hautes sphères du gouvernement – n'avaient aucunement l'intention d'abandonner leur cause sans opposer de résistance. Le procureur général de la province conseilla à Benjamin Hart et à Hays de s'épargner une humiliation et de décliner l'offre qui leur était faite, puisqu'en tant que Juifs ils ne pouvaient pas prêter le serment requis. De même, le greffier du tribunal de Trois-Rivières fit savoir qu'il n'accepterait de faire prêter le serment à Samuel Hart que s'il jurait « par la vraie foi chrétienne ». De toute évidence, ils leur était encore interdit d'occuper une charge publique.

Les deux Hart choisirent des tactiques différentes pour vaincre l'obstacle que représentait le fameux serment.

Le Hart de Trois-Rivières choisit l'affrontement; celui de Montréal la soumission. Après consultation avec son fils, Aaron Philip Hart, avocat frais émoulu de l'école de droit, Benjamin Hart, de même que Hays, refusa la nomination. Le jeune Hart était d'avis que malgré la nouvelle loi les Juifs ne pouvaient toujours pas prêter le serment. Benjamin demanda donc au gouvernement de régler une fois pour toutes l'épineux problème du serment et pressa son neveu de faire de même.

Samuel Hart ne voulut rien entendre. Il avait dû une fois déjà renoncer à sa nomination; c'était une fois de trop. Une nouvelle stratégie s'imposait. Après avoir tenté sa chance auprès de tous les commissaires à l'assermentation de Trois-Rivières, il en trouva enfin un qui était prêt à lui faire prêter le serment, amputé de la « phrase litigieuse ». C'était un commissaire canadien français de l'endroit, ami de longue date de la famille Hart. En octobre 1833, Samuel B. Hart devenait donc juge à Trois-Rivières. Il semblait donc qu'un Juif pouvait occuper une fonction publique dans une partie de la province, mais non dans une autre. L'Assemblée – ou le gouvernement anglais – devrait donc se pencher à nouveau sur le problème.

En réponse à la demande d'aide de lord Aylmer, le Colonial Office répliqua que la question était du ressort de l'Assemblée du Bas-Canada. Celle-ci mit immédiatement sur pied une commission spéciale chargée de rendre compte des ramifications légales du problème du serment et nomma pour la présider un homme bien connu pour sa sympathie envers les Juifs, le docteur René Kimber, dont le propre gendre était juif.

L'Assemblée, qui considérait qu'elle avait déjà réglé la question précédemment, était déterminée à agir aussi rapidement et fermement que la loi le lui permettrait. Après quelques réunions, la commission Kimber déclarait à la Chambre qu'elle ne voyait pas comment la loi accordant aux Juifs toutes les libertés politiques pouvait poser problème. Selon elle, les Juifs n'avaient pas besoin de jurer « sur la vraie foi chrétienne ». N'importe quel serment personnel pouvait lui être substitué. Comme l'expliqua la commission, si Hart et Hays n'avaient pas « agi selon leur propre interprétation du règlement », ils seraient sans doute maintenant juges à Montréal. L'Assemblée considéra alors la question comme définitivement tranchée.

Il ne restait plus qu'à régler le cas de Benjamin Hart et de Moses Hays. Pour un motif obscur, ceux-ci préférèrent refuser leur nomination tant que Londres n'aurait pas signifié son accord. Finalement, le 5 août 1837, la reine Victoria apposa sa signature sur un document élevant Hart et Hayes à la magistrature. Quatre années s'étaient écoulées depuis leur nomination initiale, mais ils pouvaient désormais siéger au tribunal. Les Juifs de l'Amérique du Nord britannique étaient enfin totalement émancipés.

Les historiens ont débattu pendant des années pour savoir comment il avait été possible de faire adopter une loi aussi révolutionnaire au Canada. Après tout, la communauté juive était minuscule et avait si peu de poids politique que la plupart des Canadiens se souciaient bien peu de ses revendications. (Les Juives, comme toutes les Canadiennes de l'époque, n'avaient aucun droit politique.) Et pourquoi les projets de loi ont-ils été adoptés si vite et presque sans opposition?

Certains historiens croient que cette loi reflétait la mentalité de l'époque. Les années 1830 furent une période de réforme dans tout le monde occidental. La conception de la démocratie telle que prônée par Jackson se répandait partout aux Etats-Unis et eut sans doute une certaine influence au nord de la frontière. En Europe, révolution et libéralisme étaient à l'ordre du jour. C'est pourquoi certains voient dans ces projets de loi émancipant les Juifs ainsi que dans la Rébellion de 1837 le résultat de l'influence au Canada des nouvelles idées qui circulaient dans le monde occidental.

Pour d'autres, cette loi n'est qu'un des chapitres de la lutte incessante que se livraient francophones et anglophones pour le pouvoir politique au Québec. Selon cette interprétation, le clan francophone se servait de la question juive pour saper le pouvoir des anglophones. Après tout, tout ce qui pouvait affaiblir la puissance de l'Eglise anglicane et rabattre le caquet de l'arrogant Conseil exécutif à dominante anglaise était bon. Et si d'un même élan on pouvait faire avancer la cause des droits des minorités, par exemple des Juifs, ce n'était que tant mieux.

Certains historiens prétendent que l'Eglise catholique appuya les Juifs dans leur lutte pour la liberté religieuse parce qu'elle croyait qu'elle bénéficierait par ricochet de toute concession qui leur serait faite.

Mais ce qui joua le plus en faveur de l'adoption de ces lois fut le soutien de Papineau. Force est d'admettre que sans lui, il n'y aurait pas eu de loi. De tous les meneurs canadiens français du dix-neuvième siècle, il fut véritablement le plus charismatique – et aussi le plus égalitariste. Bien qu'il eût pris parti contre Hart en

Louis-Joseph Papineau.

1809, il s'était complètement déjugé dans les années 1820. Promouvoir les droits des minorités devint la passion de sa vie. Dans un discours prononcé en 1827 il affirmait : « Les différences de religion qui n'engendrent pas de résistance aux lois ne devraient pas être réprimées par des lois qui n'ont pour but que de les interdire et de les punir; cette même liberté [...] que je réclame pour moi-même et pour mes compatriotes [...] je la reconnais à ceux dont les croyances sont différentes. » Nul n'a traité avec autant d'éloquence de cette question; et même rares furent ceux qui, au cours du siècle suivant, en parleraient avec autant de conviction.

En fin de compte, c'est parce que Papineau avait pris fait et cause pour les Juifs que ceux-ci réussirent. Certains Anglais furent déçus – surtout ceux qui voulaient préserver les prérogatives de leur Eglise –, mais la question n'était pas assez importante à leurs yeux pour qu'ils s'opposent à la majorité francophone de l'Assemblée.

La famille Hart, v. 1880.

Des problèmes beaucoup plus graves pointaient à l'horizon.

La lutte menée par les deux Hart – Benjamin pour sa synagogue, et Samuel pour son poste de juge – arrivait au bon moment pour la communauté juive du Canada. Dix ou vingt ans plus tard, sans un Papineau pour parler en leur faveur, les projets de loi n'auraient pas été adoptés. Il ne fait guère de doute qu'aucun gouvernement du Québec ne les aurait approuvés au cours du siècle suivant. Malgré leur importante victoire politique, il est ironique qu'aucun Juif n'ait siégé à l'Assemblée de Québec au cours des 85 années suivantes, même si dans les années 1840, Henry Judah, le gendre du docteur Kimber, et Juif converti, succéda à son beau-père.

Quelques semaines seulement après la nomination de Hart et de Hays, la révolte éclata au Canada. La coupe des doléances des francophones contre les anglophones débordait. Depuis des années, ils luttaient contre le pouvoir de plus en plus despotique du gouverneur nommé par l'Angleterre et de son Conseil exécutif. L'Assemblée, contrôlée par les Canadiens français, beaucoup plus nombreux, n'avait aucun pouvoir sur le gouverneur. Et plus l'Assemblée était impuissante, plus ses députés canadiens français devenaient militants. La révolte éclata lorsque certains des Patriotes, les plus radicaux, prirent les armes contre le gouvernement.

Les Juifs furent inévitablement pris entre deux feux. Ils admiraient Papineau, le chef de la rébellion, et étaient reconnaissants de l'appui que les francophones avaient apporté à leur cause. Mais par ailleurs, ils étaient anglophones et profondément loyaux à la Couronne. Ils partageaient le désir de réforme des « patriotes », mais aucun n'appuya la rébellion. Les Hart de Trois-Rivières, surtout Ezekiel, entretenaient des liens étroits avec Papineau et certains de ses camarades; ce dernier dîna même chez lui avant que n'éclatent les troubles. Certains appuyèrent les rebelles, mais aucun ne combattit à leurs côtés – sauf un singulier personnage. Levi Koopman, un Juif énigmatique qui avait adopté un nom d'emprunt, Louis Marchand, peut-être pour marquer qu'il n'appartenait plus à la communauté juive, participa à l'attaque contre les troupes britanniques. Il devint plus tard un des chefs de la très antisémite Société Saint-Jean-Baptiste de Montréal.

Même si la rébellion du Bas-Canada ne se réduisit pas à un simple conflit entre francophones et anglophones – il y avait des membres des deux communautés des deux côtés –, lorsqu'on demanda des soldats pour combattre les rebelles, les Juifs s'enrôlèrent en masse. Des dizaines d'entre eux se portèrent volontaires. Parmi ceux qui combattirent du côté du gouvernement, on trouve des Juifs ayant rang de capitaine, de lieutenant et de major. Ils participèrent à la plupart des batailles importantes.

Même ceux qui n'étaient pas aptes au combat eurent leur rôle à jouer. Comme magistrat, Benjamin Hart passa le plus clair de son temps pendant la rébellion à établir des mandats d'arrestation contre les rebelles, à faire des discours patriotiques devant les troupes et à faire les sommations légales partout et chaque fois qu'il le pensait nécessaire. Il arrêta même à l'occasion lui-même des rebelles. Il est ironique de constater que son fils Aaron Philip Hart, qui combattit bravement dans la milice, fut, après la révolte, l'avocat de certains des rebelles. À n'en pas douter, les agissements du vieux Hart provoquèrent l'ire des rebelles. Ceux-ci étaient en fait tellement furieux qu'une organisation secrète de Patriotes, qui s'était donné le nom de « Chasseurs », avait échafaudé un plan pour l'assassiner. « Tous les Juifs, déclaraient-ils dans leurs tracts, et Benjamin Hart le premier, doivent être étranglés et leurs biens confisqués. » Il est impossible de savoir s'ils comptaient réellement mettre cette menace à exécution, ou même combien de membres comptait cette organisation. Il semble bien que les chefs de file des Patriotes ignoraient tout de l'existence de ce groupe ou de ses plans. Mais les journaux de Montréal étaient au fait de leurs singuliers projets et les dévoilèrent. Lorsque Benjamin Hart fut au courant de leurs menaces, il n'en servit qu'avec plus d'acharnement la Couronne, et lorsque la révolte fut matée il demanda au gouvernement britannique de l'anoblir en reconnaissance de ses services.

À la fin de la décennie, les ennemis des Juifs – et il n'y en avait pas beaucoup au Canada à cette époque –, durent admettre la défaite. Désormais, les Juifs étaient des citoyens à part entière et leurs droits politiques et religieux étaient totalement assurés. L'Assemblée du Bas-Canada avait accompli ceci avec une rare unanimité. Peu de voix s'étaient élevées pour contester la loi.

La reconnaissance légale de la liberté politique et religieuse ne fut pas une victoire seulement pour les Juifs, mais pour tous les Canadiens de toutes les générations à venir; elle fut à l'origine de toutes les libertés politiques et religieuses de ce pays. Elle fut la pierre angulaire de toute une série de lois, de jugements et d'amendements garantissant une entière liberté politique et religieuse à tous les futurs Canadiens. Et tout cela parce que Benjamin Hart voulait construire une synagogue et que Samuel Hart voulait devenir juge de paix.

CHAPITRE 3

L'âge d'or
1840 - 1860

S'il y eut jamais un âge d'or de la communauté juive du Canada, la période antérieure à la Confédération pourrait bien l'être, et surtout les années 1830 et 1840. Ce fut une époque plutôt exempte de l'antisémitisme et de l'hostilité aux immigrants qui allaient tant marquer le pays au cours des cent années suivantes. Ce fut une période où les Juifs canadiens se virent ouvrir d'innombrables portes, où il n'y avait presque plus d'obstacles et où il n'y avait ni restrictions ni quotas pour eux.

Bien que peu nombreux – en 1841 ils n'étaient que 200 –, les Juifs canadiens jouaient un rôle éminent dans la société. Il y avait des médecins juifs, des avocats, des officiers de l'armée et même des présidents de banque juifs. En 1835, Moses Hart fonda la Hart's Bank, qui émettait sa propre monnaie. David David fut un des fondateurs de la Banque de Montréal, dont il fut membre du conseil d'administration pendant des années. Il faudra attendre plus de cent ans avant qu'un Juif soit de nouveau membre du conseil.

Si une famille – les Hart mis à part – peut illustrer la situation des Juifs du Canada, c'est bien la famille Joseph. Et bien entendu, puisque tous les membres de la communauté étaient plus ou moins parents, ils étaient apparentés aux Hart. Le premier Joseph canadien, Henry, était le neveu d'Aaron Hart. Arrivé d'Angleterre quelques années après son oncle, il était devenu commerçant de fourrures et ravitailleur à Berthier, près de Montréal. Il fut bientôt propriétaire d'une des plus importantes chaînes de postes de traite de la colonie. Aventureux, particulièrement en affaires, il l'emportait nettement sur ses concurrents quand il s'agissait de fournir des marchandises et des services. Il fut même appelé le « père de la marine marchande canadienne », parce qu'il fut le premier hommme d'affaires à affréter des navires reliant directement le Canada à l'Angleterre, et en raison de l'important commerce maritime qu'il effectuait sur le Saint-Laurent et les Grands Lacs. On dit même que plus de cent bateaux firent partie d'une expédition au lac Huron.

Joseph, homme d'affaires prospère, voulait pourtant plus que tout conserver sa religion, que tant de Juifs autour de lui abandonnaient. Ce n'était pas une mince tâche. Comme toutes les jeunes sociétés, le Canada avait beaucoup plus d'hommes célibataires que de femmes disponibles – en particulier chez les Juifs. Et comme peu d'entre eux étaient prêts à retraverser l'Atlantique pour se marier, comme l'avait fait Aaron Hart, la plupart épousaient des Canadiennes françaises ou des autochtones. Joseph eut de la chance; il épousa la fille de Levy Solomon,

À gauche: Billets de banque émis par la Hart's Bank, fondée par Moses Hart à Trois-Rivières, 1835.

Les frères Joseph: (dans le sens des aiguilles d'une montre, à partir d'en haut à gauche) Jacob Henry, Abraham, Jesse, Gershom.

de Montréal. Mais même pour eux il était presque impossible de mener une vie judaïque.

Ils habitaient une petite ville, isolés des autres Juifs. Il n'y avait ni synagogue, ni rabbin, ni aliments kacher, ni amis ni parents juifs à aller voir – en fait, il n'y avait rien de juif à des lieues à la ronde. Et pourtant ils faisaient l'impossible pour élever leurs enfants dans le judaïsme. Joseph apprit les règles de l'abattage rituel pour que la famille puisse manger des aliments kacher. Il mit au point un calendrier leur permettant, à lui et à ses enfants, de savoir quand avaient lieu les fêtes juives. Lui et sa femme passaient beaucoup de temps à enseigner à leurs enfants tout ce qu'ils connaissaient du judaïsme. Et dans une certaine mesure leurs efforts produisirent des résultats; la plupart de leurs enfants se

marièrent dans la foi juive, et une fille épousa même un rabbin.

Bien que ce fût onéreux, il n'en était pas moins possible pour les Juifs canadiens, et la famille Joseph le prouva, d'être fidèles à leur foi. Il fut beaucoup moins difficile pour la génération suivante de la famille Joseph de jouer un rôle important dans la société. Un des fils, Abraham, fonda la Banque Nationale et fut président de la Stadacona Bank. Un autre fils, Jacob Henry, fut l'un des fondateurs de la Union Bank et de la Bank of British North America. Il contribua également à la création de la première compagnie télégraphique du Canada et fut un associé au sein de la Newfoundland Telegraph Company, qui participa à l'installation du premier câble transatlantique. Son frère Jesse fut président de la Montreal Gas Company ainsi que de la Street Railway Company de la ville, et avec Jacob, il fut l'un des instigateurs de la création de la première compagnie ferroviaire de la colonie, la St. Lawrence and Champlain. Enfin, le benjamin, Gershom, fut le premier Juif admis à l'Upper Canada College et le premier avocat de la Couronne juif.

Les réalisations des Joseph furent véritablement exceptionnelles, mais d'autres familles en firent autant. Les Hart, les Hays, et dans une moindre mesure les David et d'autres, furent fidèles à leur religion tout en faisant leur marque dans leur nouveau pays. Le fait d'être juif n'était pas un obstacle à la réussite. Ni, semble-t-il, à l'admission dans la haute société canadienne. Comme en font foi les journaux intimes et les carnets mondains de l'époque, beaucoup des Juifs du Québec menaient une vie sociale fort active. Ils ne rataient aucun bal, aucune soirée musicale, aucune pièce de théâtre. Et lorsque le duc de Kent, le père de la reine Victoria, fit une visite au Canada, il fut reçu par Aaron Hart. Les invitaions aux soirées données par les Hart – tous les Hart – ou les Joseph étaient en fait fort convoitées. Mme Henry Joseph donna un jour une fête, chez elle, pour plus de deux cents invités, dont le gouverneur général

À gauche: L'hôtel Hays, Montréal.
À droite: Moses Judah Hays.

et sa famille. Les documents de l'époque indiquent que les familles juives de Montréal et de Trois-Rivières recevaient régulièrement – et étaient reçues par d'autres, dont des fonctionnaires et les plus riches marchands anglais de la colonie. On retrouvait des Juifs dans tous les meilleurs clubs et certains appartenaient à la franc-maçonnerie. Ils faisaient partie des conseils d'administration d'associations et étaient d'actifs philanthropes.

Le fait d'être juif ne nuisait en rien à la capacité d'occuper une charge publique. En 1849, par exemple, deux des postes clés de Montréal étaient occupés par des Juifs; Moses Judah Hays était chef de la police et Samuel Benjamin était conseiller municipal. Abraham Joseph siégeait au conseil municipal de Québec. William Hyman fut élu en 1858 maire de la municipalité entièrement francophone de Cap-des-Rosiers, en Gaspésie, et il occupa ce poste jusqu'à sa mort, 30 ans plus tard. Ses fils seraient plus tard maires de villages avoisinants. Aaron Hart David fut doyen de la faculté de médecine du Bishop's College, médecin à l'Hôpital général de Montréal et secrétaire du Central Board of Health du Canada dans les années 1840, et il se dévoua sans relâche lors des terribles épidémies de choléra de cette décennie.

C'est aussi au cours de cette période que la première association charitable juive fut constituée, la Hebrew Philanthropic Society. Elle avait pour but de porter assistance aux « cas qui le méritaient », généralement des immigrants récents. Jusqu'à la fin des années 1840, une telle organisation ne fut pas nécessaire. Il ne semble pas qu'il y ait eu de pauvres chez les Juifs. L'arrivée d'immigrants juifs sans ressources, venus surtout d'Allemagne, était un phénomène nouveau, qui deviendrait de plus en plus familier au cours des deux générations suivantes. Mais même en 1849, le nombre d'immigrants juifs était extrêmement réduit – pas plus de 30. Mais ils avaient besoin d'aide, et la communauté juive se mobilisa pour faire ce qu'elle pouvait.

L'homme qui était à l'origine de cette première oeuvre est Moses Judah Hays, magistrat, propriétaire de la Montreal Water Works, actionnaire fondateur de la Banque de Montréal et président de la synagogue. Le dynamique Hays était partout à Montréal. Pendant 16 ans, il fut chef de la police municipale. Il fut également propriétaire d'un des hôtels les plus populaires de

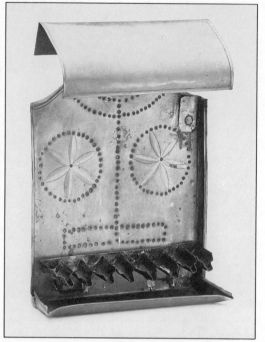

À gauche: Hanoukia en cuivre martelé, candélabre rituel utilisé à Hanouka, apporté à Québec en 1882 par Annette Pinto lorsqu'elle épousa Montefiore Joseph, membre d'une des plus anciennes familles juives du Canada.

À droite: Alexander Abraham de Sola.

la ville et il y annexa un théâtre qui joua un rôle inusité dans l'histoire du Canada. Quand des émeutiers, en colère contre le gouvernement, qui avait indemnisé les victimes de la Rébellion de 1837, incendièrent les édifices du parlement, tout près de là, en avril 1849, le gouvernement s'installa tout bonnement dans le théâtre Hays, square Dalhousie, et continua à gouverner comme si de rien n'était. Dans un journal on pouvait lire : « Les fonctionnaires installèrent leurs bureaux là où [...] plus tôt des danseuses viennoises donnaient un spectacle avec les violoncellistes de l'orchestre allemand. » Si Hays, en tant que chef de la police, n'avait pu empêcher l'incendie, il pouvait au moins, en tant que propriétaire – et patriote – accueillir les législateurs. Le théâtre Hays abrita le Parlement du Canada

jusqu'en juin 1849 – et Hays jouit sans doute de chaque instant de cette période.

En tant que chef de la police, il avait sans aucun doute beaucoup à faire. À cause non pas du crime, qui ne constituait pas encore un grave problème, mais du choléra. Des foules d'immigrants irlandais entassés à bord de fétides navires britanniques avaient introduit la maladie et l'avaient répandue à Montréal et à Québec. Il y eut des milliers de morts. Hays et ses hommes prirent soin du mieux qu'ils purent des victimes et imposèrent la quarantaine aux immigrants. Mais ce fut peine perdue. L'épidémie avait enlevé la vie de Henry Joseph et d'un de ses enfants et celle d'autres membres de la communauté.

Pour les Juifs de Montréal, l'événement le plus important de cette période fut la construction d'une nouvelle synagogue, en 1838 – évidemment organisée et supervisée par Hays. Pour la minuscule communauté juive, c'était là une monumentale entreprise exigeant beaucoup de fonds et de travail. Même sir Moses Montefiore, l'éminent financier britannique, apporta sa contribution. La quasi-totalité de la communauté était originaire d'Europe occidentale ou orientale et était donc ashkénaze, mais la synagogue

La rue King est, Toronto, 1856. La bijouterie et magasin d'instruments optiques de Judah George Joseph se trouve au milieu du pâté de maisons, à gauche de l'immeuble du *Colonist*.

Shearith Israel suivait le rite séfarade, ou d'Europe méridionale, peut-être surtout à l'imitation des grandes synagogues hispano-portugaises de New York et de Londres. Quoi qu'il en soit, l'appartenance à une congrégation séfarade procurait manifestement un certain prestige social. Ce que prouve le fait qu'aucun membre de la congrégation n'était d'origine séfarade.

Il semble en fait que le premier Séfarade membre de la synagogue, et peut-être même le premier à s'installer au Canada de façon permanente, fut Abraham de Sola, qui devint son rabbin à l'âge de 21 ans. Issu de longues lignées de spécialistes de la science rabbinique tant du côté paternel que maternel, de Sola fut le chef

spirituel de la communauté pendant 35 ans. Né à Londres, il était anglais jusqu'à la moelle et retournait souvent dans la mère patrie pour recharger ses piles intellectuelles. Il épousa la benjamine de Henry Joseph et fut immédiatement introduit dans les cercles les plus élevés de la société montréalaise.

On ne pouvait choisir un meilleur rabbin. La communauté avait désespérément besoin d'être guidée sur le plan spirituel et sur le plan intellectuel. De Sola fut ce guide. En fait, il exerça même une influence intellectuelle chez les non-Juifs. Il écrivit plusieurs ouvrages, fut professeur d'hébreu et de littérature rabbinique à l'Université McGill, et quand cet établissement lui octroya un diplôme honorifique, il était peut-être le premier Juif ainsi honoré dans un pays de langue anglaise. Le parachèvement de la synagogue et l'arrivée de de Sola à Montréal marquaient le passage de la communauté juive montréalaise à l'âge adulte.

Vers cette époque, une autre communauté juive commençait à se constituer à 350 milles à l'ouest. En 1834, la ville, qu'on venait de baptiser du nom de Toronto, avait une population d'environ 9000 personnes, dont un seul Juif connu. Il y en avait vraisemblablement d'autres, mais il n'en reste aucune trace. Arthur Wellington Hart, le fils de Benjamin et le petit-fils d'Aaron, était venu à Toronto en 1832 pour représenter les intérêts financiers de sa famille. La ville ne lui plut apparemment pas puisqu'en 1838 il s'en était déjà retourné. Mais à l'époque de son départ d'autres Juifs s'étaient installés dans la ville et avaient commencé à établir les bases de ce qui allait devenir la plus importante communauté juive du Canada.

En 1835, deux frères vinrent de Montréal afin de faire fortune. Goodman et Samuel Benjamin ouvrirent une mercerie, rue King, près du bureau de Hart. Il réussirent si bien qu'en 1837 on leur accordait le contrat d'approvisionnement en manteaux des troupes britanniques participant à la répression de la Rébellion menée par William Lyon Mackenzie. Mais eux non plus ne se plaisaient pas à Toronto et retournèrent au bout de quelques années à Montréal, où ils jouèrent un rôle important dans la communauté juive – en 1849 Samuel devint le premier conseiller municipal juif du Canada.

Enfin, en 1838, un Juif trouva Toronto tout à fait acceptable et devint le premier Juif à y habiter de façon permanente. Judah George Joseph – qui n'avait aucun lien de parenté avec les Joseph de Montréal –, venu en 1820 de son Angleterre natale, s'était établi à Cincinnati. À l'âge de 42 ans, pour des raisons inconnues, il s'installa avec sa famille à Hamilton, puis il se fixa à Toronto, où il créa une bijouterie et un magasin d'instruments optiques, également rue King. Juif orthodoxe, il allait être le pivot de la communauté naissante de Toronto.

Il fut bientôt rejoint par un certain nombre d'autres Juifs venus directement d'outremer, surtout d'Angleterre et d'Allemagne, où la situation des Juifs était de plus en plus précaire. On ne sait pas avec certitude pourquoi ils se sont fixés à Toronto. La plupart des immigrants juifs venus d'Europe choisissaient de se blottir entre les bras invitants des Etats-Unis. Mais une petite poignée aboutissait à Montréal, et un nombre encore plus faible à Toronto.

Dans les années 1840, la population de Toronto doubla. Des industries naissaient et de splendides opportunités s'offraient aux nouveaux venus entreprenants, surtout s'ils avaient de l'argent. Et pourtant, en ces dix années, moins de 30 familles juives s'établirent dans la ville. Heureusement, au sein de ce petit groupe se trouvaient quelques figures remarquables.

D'Allemagne vinrent Samuel et Marcus Rossin, qui créèrent une prospère bijouterie – à ce point profitable que dans les années 1850 ils construisirent la Rossin House, l'un des hôtels les plus grands et les plus somptueux du pays, où le prince de Galles logea lors de son séjour à Toronto en 1860.

Deux autres frères allemands s'établirent à Toronto, Abraham et Samuel Nordheimer. Le premier, pianiste à New York, avait été engagé par le gouverneur général du Canada, sir Charles Bagot, pour enseigner la musique à sa famille, à Kingston. Les deux frères ouvrirent dans cette ville un magasin de musique, qu'ils transférèrent à Toronto en 1844. Ils y prospérèrent et s'intégrèrent parfaitement dans la société torontoise, peut-être même trop, puisque Samuel épousa un membre de la famille Boulton, qui faisait partie du vieux *Family Compact* de la ville, et se convertit à l'anglicanisme. Il devint plus tard consul d'Allemagne à Toronto. Abraham, quant à lui, conserva sa foi juive et devint l'un des piliers de la communauté jusqu'à son retour en Allemagne dans les années 1860.

Le Juif le plus étrange qui arriva pendant cette période fut peut-être Jacob Maier Hirschfelder, qui, à partir de 1843, enseigna l'hébreu et les langues orientales à l'Université de Toronto pendant 45 ans. Un Juif ne pouvait bien sûr enseigner à l'université, mais Hirschfelder s'était converti à la religion anglicane – on ne sait ni quand ni comment –, ce qui lui permit de se joindre au corps professoral du King's College, dont est issue l'université. Il publia de nombreux ouvrages sur la Bible, mais en fait il n'eut aucun lien avec la minuscule communauté juive de Toronto. L'historien Stephen Speisman ajoute que le professeur « s'éleva jusqu'aux sphères les plus élevées de la société chrétienne ».

Ce n'est qu'en 1849 que la communauté juive de Toronto se constitua véritablement. Sous l'impulsion de Judah Joseph et d'Abraham Nordheimer, les Juifs de la ville formèrent la « Hebrew Congregation of Toronto » dans le but d'acheter un cimetière dans les faubourgs de l'est. Il s'agit là de la première reconnaissance juridique de l'existence d'une communauté juive à Toronto; mais celle-ci ne deviendrait réalité que quelques années plus tard.

Les immigrants juifs continuant d'arriver tout au long des années 1850 – il y avait environ 75 familles juives à Toronto à la fin de la décennie –, la création d'une synagogue s'imposait. Parmi les nouveaux venus se trouvait un jeune Anglais, Lewis Samuel, qui avait auparavant vécu dans le nord de l'État de New York et à Montréal. Après la mort de leurs deux enfants, victimes du choléra à Montréal, Samuel et sa femme décidèrent de commencer une nouvelle vie à Toronto. Ils établirent rue Yonge une entreprise métallurgique qui allait devenir une des plus importantes du Canada.

Mais pour Samuel la pratique religieuse était importante. Il ne pouvait vivre dans une ville sans synagogue. À son initiative, un groupe de chefs de la communauté se réunit et décida d'organiser une congrégation. C'est ainsi que fut fondée en juin 1856 la Toronto Hebrew Congregation, que ses membres connaissaient toutefois plutôt sous

le nom de synagogue Sons of Israel. Quelques années plus tard, elle adopta le nom qui est encore le sien aujourd'hui, Holy Blossom.

Jusque dans les années 1870, la congrégation se réunit au troisième étage d'une pharmacie sise à l'angle des rues Yonge et Richmond. Mais dans les années 1870 la congrégation, qui avait maintenant 250 membres, se trouva à l'étroit dans ces locaux. Encore une fois, c'est l'énergique Lewis Samuel qui mena campagne pour construire un nouvel édifice. En grande partie grâce à la générosité de chrétiens de la ville – qui fournirent plus du quart des fonds –, et de congrégations de Montréal, New York et Boston, on recueillit assez d'argent pour édifier une synagogue de quatre cents places rue Richmond.

L'inauguration officielle de la synagogue fut un événement singulier dans l'histoire de Toronto. Tôt, par un froid et venteux matin de janvier 1876, une foule de Torontois curieux regarda se former un étrange cortège à l'extérieur de la pharmacie, à l'angle des rues Yonge et Richmond. Se dirigeant vers l'est, la procession était conduite par plusieurs hommes vénérables portant les rouleaux de la Tora, surmontés d'un énorme dais tenu par plusieurs autres hommes. Derrière eux venait une longue file d'hommes et de femmes marchant vers la nouvelle synagogue.

Les journaux de cette ville orangiste qu'était Toronto en rendirent compte à la une de leurs éditions. Ils y louèrent la communauté juive pour sa loyauté et son ardeur au travail, et décrivirent par des illustrations presque tous les détails de la bizarre cérémonie – les prières en hébreu, le chant d'une chorale d'hommes et de femmes et en particulier l'étrange musique produite par un orgue loué pour l'occasion. Tout cela n'était évidemment pas très familier aux spectateurs chrétiens, mais c'était tout aussi étranger aux spectateurs orthodoxes, qui n'auraient su que faire d'un orgue et dont les femmes ne participaient pas aux offices. Il n'échappa cependant pas aux gens bien informés que les coutumes libéralisées du

En haut, à gauche: L'inauguration de la nouvelle synagogue Holy Blossom, rue Bond, en 1897, a fait la une des journaux de Toronto.

En bas, à gauche: La synagogue Holy Blossom, rue Bond.

À droite: Invitation à la dédicace de la synagogue Holy Blossom, rue Richmond, 1876.

judaïsme réformé se propageaient rapidement parmi les membres de la congrégation Holy Blossom.

Toronto n'est pas la seule localité du Haut-Canada qui accueillit l'avant-garde des immigrants juifs dans les années ayant précédé la Confédération. Dans les années 1850, Lancaster, juste à l'ouest de la frontière québécoise, sur le Saint-Laurent, était

un centre très actif. Tout près de là, des terres indiennes avaient été ouvertes à la colonisation par les blancs, et des agriculteurs, des spéculateurs et des marchands affluèrent. Parmi eux se trouvait une poignée de familles juives. Plusieurs familles juives s'établirent aussi à Cornwall, dans cette même région. Dans les années 1860, Hamilton comptait assez de Juifs pour qu'ils aient leur propre synagogue, la synagogue Anshe Sholom. Il y avait aussi des Juifs à London, à Windsor et dans de petites localités un peu partout dans la province.

L'un de ceux-ci était George Benjamin, de Montréal, qui occupa des terres dans l'est de la province, près de Belleville. Ses voisins l'estimaient à ce point qu'en vingt ans il fut élu pour occuper plusieurs charges

À gauche: *Chofar*, ou corne de bélier, dont on sonne à Roch Hachana et à la fin du Yom Kipour, apporté de Roumanie à New Glasgow, en Nouvelle-Écosse, au début du vingtième siècle.

À droite: Table utilisée pour préparer le corps à l'ensevelissement, New Glasgow, v. 1912.

municipales, et qu'en 1857 il fut élu député de North Hastings. Il est peut-être le premier Juif à avoir siégé dans une assemblée canadienne – peut-être, car il s'est converti au christianisme à un moment inconnu de sa vie, qui peut se situer avant son élection. En 1862, il fut brièvement ministre dans le cabinet de John A. Macdonald.

Les années 1850 et 1860 s'avérèrent une période assez propice pour que le judaïsme fleurisse à nouveau dans les provinces de l'Atlantique. Tout au long du dix-neuvième siècle, il y avait eu des Juifs dans ces provinces. Mais la plupart étaient des vendeurs itinérants et des agriculteurs vivant dans des régions isolées et qui épousaient des chrétiennes. Ce n'est qu'en 1867, au moment de la Confédération, que la communauté juive de Nouvelle-Ecosse, qui avait eu des débuts si prometteurs à Halifax, 115 ans auparavant, et qui s'était évanouie en quelques dizaines d'années, fut renouvelée par l'arrivée d'une poignée de Juifs. C'est cependant au Nouveau-Brunswick – tout particulièrement à Saint John – que la présence juive était la plus forte. Dans les années 1850, Solomon Hart et son beau-frère, Nathan Green, arrivèrent des Etats-Unis avec leurs familles. Ce dernier, qui était le seul agent au Canada de l'American Tobacco Company, eut tant de succès que quelques années après son arrivée la ville lui accorda sa plus haute distinction. Les quinze membres de cette famille étendue luttèrent avec courage pour préserver leur judéité. Il n'y avait guère de Juifs à des centaines de milles à la ronde – les communautés juives les plus rapprochées se trouvaient

à Montréal et à Boston. C'est dans cette dernière ville que les Juifs de Saint John cherchaient secours et appui. Ils devaient importer leur viande de Boston, et lorsqu'une épidémie de charbon se déclara aux Etats-Unis, obligeant les autorités canadiennes à interdire les importations de viande de ce pays, les Juifs de Saint John se firent végétariens.

En 1879, à Saint John, on a voulu célébrer le premier office de Yom Kipour dans les provinces de l'Atlantique. Pour qu'un office juif puisse être célébré, dix hommes doivent être présents, mais on n'en trouva que neuf. Hart se mit immédiatement à vérifier dans tous les hôtels et auberges de la ville et des environs si, par hasard, un Juif n'était pas de passage dans la région. Par bonheur – la communauté y vit la main de Dieu –, on put persuader un jeune vendeur juif en route pour Boston de demeurer en ville et d'accepter l'honneur, tant convoité chez les Juifs, d'être le « dixième homme ».

Hors de Saint John et d'Halifax, il n'y eut guère de Juifs dans les provinces de l'Atlantique avant les années 1870. Il n'y en avait aucun dans l'Ile-du-Prince-Edouard, et ce n'est que dans les années 1890 que les premiers Juifs s'établirent dans la colonie britannique de Terre-Neuve – où certains

Prières du Yom Kipour (Jour de l'Expiation) à la synagogue hispano-portugaise de Montréal, v. 1860.

indices donnent cependant à croire qu'il y en avait eu auparavant. Beaucoup croient que le premier maître de poste de la colonie, au début du siècle, Simon Solomon, était juif. Il y a également tout lieu de croire qu'au début et au milieu du dix-neuvième siècle des Juifs étaient très engagés dans la pêche à la morue ainsi que dans le commerce des peaux de phoque et le cabotage. Dans les années 1830, un certain Levi fut par exemple le premier commerçant de peaux de phoque à Carbonear.

Dans les années 1860, c'est à Montréal que vivait le plus grand nombre de Juifs canadiens – environ 500 sur une population juive totale d'un peu plus de 1100 personnes. Et vers 1870 ils avaient construit une autre synagogue. Depuis un certain temps, un bon nombre des Juifs de la ville étaient rebutés par le rite séfarade de la synagogue hispano-portugaise. Un groupe fit scission en 1846 et fonda sa propre congrégation de « Juifs anglais, allemands et polonais ». Sans argent ni ressources ni chefs spirituels, la congrégation se réunit pendant dix ans dans de minuscules locaux loués et ne fit guère de progrès. Mais l'arrivée de nouveaux immigrants allait accroître leurs effectifs. En 1859, un nouvel édifice put ainsi être construit rue Saint-Constant (l'actuelle rue de Bullion). Il pouvait accueillir environ deux cents fidèles. Malheureusement, aucun représentant de la synagogue Shearith Israel n'accepta de participer à la dédicace de la nouvelle synagogue Shaar Hashomayim en juillet 1859, malgré des invitations répétées et une rencontre entre une délégation et le rabbin de Sola. Pendant des années, les relations entre les deux synagogues seraient tendues.

Au milieu du XIXe siècle, les Juifs de Montréal, s'ils se remémoraient les cent ans, ou presque, de présence juive dans cette ville, ne pouvaient que se réjouir. La communauté croissait; ses membres étaient présents dans presque tous les secteurs de l'économie et de la société, et son chef spirituel, le rabbin de Sola, était devenu un des grands penseurs et auteurs d'Amérique du Nord. Il avait publié d'innombrables articles dans les principales revues. Les Juifs étaient bien représentés au conseil municipal et au sein des instances judiciaires et de toutes les institutions financières. C'est donc dans un esprit de fête, et avec une pointe de condescendance, que les Juifs de Montréal se rassemblèrent le 1er novembre 1855 pour célébrer l'élection de David Solomons à la mairie de Londres.

Pour la communauté juive de Grande-Bretagne, c'était là un événement considérable. Après des siècles de lutte, les Juifs britanniques avaient enfin obtenu certaines libertés politiques. L'un après l'autre, les orateurs prenant la parole à ce joyeux rassemblement rappelèrent à leur public à quel point la communauté juive du Canada était plus émancipée. Ils se félicitèrent, et félicitèrent les autorités canadiennes pour les énormes pas en avant faits par les Juifs de la colonie au fil des ans.

La communauté juive montréalaise en particulier avait toutes les raisons d'être fière de ses réalisations et de sa situation. La célébration du 1er novembre 1855 serait unique dans l'histoire des Juifs canadiens. Rares seraient, désormais, les occasions où les Juifs du Canada se réuniraient uniquement pour se féliciter et se tourner vers un avenir sans nuages.

CHAPITRE 4

Les pionniers du Pacifique

1858 - 1900

Tandis que les Juifs de Montréal célébraient leurs bonnes fortunes, à quelque 3000 milles à l'ouest une autre communauté juive était à la veille de naître. En 1858, Victoria abriterait la deuxième plus importante communauté juive de l'Amérique du Nord britannique, suivant Montréal de très près et, du moins jusque dans les années 1870, loin devant celle de Toronto.

Pendant des années, la Compagnie de la baie d'Hudson avait eu le monopole absolu du commerce et de la colonisation sur la côte du Pacifique. Elle conservait un petit comptoir de traite dans le léthargique village de Victoria, dans l'île de Vancouver, et un comptoir plus important, au sud, sur les rives du fleuve Columbia. Toutefois, devant la menace d'une guerre avec les États-Unis, à la fin des années 1840, les Britanniques cédèrent à ce pays le Columbia et tout le territoire situé entre le fleuve et le 49e parallèle. Ainsi dépouillée de la majeure partie de ses meilleures terres, la Compagnie de la baie d'Hudson se replia sur Victoria, qui était son centre, et tenta de tirer le meilleur parti d'une situation peu réjouissante.

Désireuse de conserver sa mainmise sur la traite des fourrures dans la région, la Compagnie découragea la colonisation pendant les dix années suivantes. Exception faite de quelques mineurs écossais qui vinrent travailler dans des mines de charbon nouvellement découvertes, presque personne ne vint s'installer dans l'île. Soudain, la nouvelle parvint de l'intérieur du continent vers la fin de 1857 qu'un intrépide prospecteur avait trouvé des pépites d'or dans sa batée alors qu'il travaillait sur les bords de la rivière Thompson. Cette découverte fut bientôt suivie d'une autre dans le Fraser, tout près de là.

Les nouvelles mirent Victoria au comble de l'excitation. En l'espace d'un mois, presque tous ceux qui le purent franchirent le détroit de Géorgie pour tenter leur chance. Mais Victoria n'allait pas longtemps demeurer un village dépeuplé. Lorsque la nouvelle fut connue dans le reste du monde, des milliers d'aventuriers envahirent le minuscule village. Au milieu de 1859, Victoria était devenue une ville florissante où s'élevaient une quantité de nouveaux magasins, de saloons et de banques. Des dizaines de milliers de prospecteurs et d'entrepreneurs prirent la ville d'assaut, traînant dans leur sillage le cortège habituel des camps – prostituées, tenanciers de bars, joueurs et criminels. La plupart ne restaient que le temps de trouver un moyen de transport vers le continent. Mais certains décidèrent de s'établir à Victoria.

Parmi eux se trouvaient une centaine de Juifs, la plupart vétérans de la ruée vers l'or qu'avait connue la Californie au cours

À gauche: Rue principale, Barkerville (Colombie-Britannique), 1868. (British Columbia Archives and Records Service HP10110).

de la décennie précédente. Tout comme les Juifs qui étaient arrivés au Québec avec les Britanniques un siècle auparavant, ceux de Victoria formaient un groupe haut en couleur – ils étaient audacieux, courageux, entreprenants et dynamiques. La plupart de ces pionniers étaient originaires d'Allemagne et d'Europe centrale, où le sort des Juifs était devenu précaire à cause de l'échec des révolutions de 1848. Plusieurs milliers d'entre eux – San Francisco en comptait à elle seule mille dans les années 1850 – se rendirent en Californie par voie de terre, ou par mer, par les eaux dangereuses du cap Horn, au bout de l'Amérique du Sud. Ils y formèrent l'une des plus vastes communautés juives hors d'Europe.

Certains étaient des mineurs et des prospecteurs venus chercher fortune comme tous les autres. D'autres étaient des commerçants qui ouvraient des magasins pour les mineurs dans presque toutes les localités minières de l'Etat. Il semble bien que la plupart réussirent et devinrent des chefs de file dans leurs villes et leurs camps. La plupart étaient également fidèles à leur religion et fondèrent des synagogues, établirent des cimetières et même des organismes de bienfaisance. Voici la description qu'en fait un spécialiste américain : « Le colon juif type était un jeune homme qui, n'ayant aucune perspective d'avenir dans sa patrie, n'avait d'autre choix que de partir à la recherche d'une nouvelle vie plus prospère. » Ils prouvèrent à tous les sceptiques que les Juifs étaient tout aussi capables que n'importe qui d'autre de s'établir et de réussir dans une région qui était, naguère encore, totalement sauvage.

Lorsque la nouvelle de la découverte d'or dans le Fraser atteignit la Californie, des milliers de personnes montèrent vers le nord. Les quais de San Francisco grouillaient de mineurs qui essayaient de trouver une place pour Victoria. La fortune les ayant boudés en Californie, la plupart espéraient qu'elle se montrerait plus conciliante en Colombie-Britannique. Mais certains, qui avaient réussi en Californie, étaient également attirés par ces nouvelles perspectives. Bon nombre des citoyens les plus utiles de l'Etat – beaucoup trop selon les journaux – partaient pour le nord. Un journal de la petite ville de Jackson déplorait par exemple le départ du président de la synagogue de la ville : « Parti pour le Fraser – John Levinsky est parti pour le Fraser hier matin. M. Levinsky [...] était un de nos marchands les plus éminents et un citoyen des plus estimés. Nous lui souhaitons santé et prospérité. »

Le premier Juif dont l'arrivée à Victoria est officiellement attestée est Frank Silvester, un jeune homme de 21 ans qui avait voyagé sur le S.S. *Pacific*, navire entré au port le 17 juillet 1858 six jours après son départ de San Francisco. Mais au moins un Juif l'a précédé en Colombie-Britannique. Adolph Friedman, un Letton établi en 1845 sur une terre de la Compagnie de la baie d'Hudson, près de l'actuelle ville de Tacoma, dans l'Etat de Washington. À peine âgé de 19 ans à son arrivée, il fut pendant toute sa vie un marchand prospère, qui approvisionna beaucoup des premiers colons, pêcheurs et mineurs de Colombie-Britannique, au-delà de la frontière. Il épousa sa cousine, dont la famille avait émigré à Victoria.

Il est possible – mais ce n'est là qu'une conjecture – que des Juifs se soient établis en Colombie-Britannique bien avant cette époque. Certains indices – pas très convaincants mais néanmoins séduisants – permettent de supposer que des commerçants juifs venus de Chine furent parmi les premiers blancs en Amérique du Nord. Certains des premiers explorateurs qui ont connu les Indiens de la côte ont noté des similitudes entre leurs coutumes religieuses et celles des Juifs. Un missionnaire catholique auprès des Indiens de la côte « découvrait » avec excitation des mots hébreux dans tous les dialectes autochtones du nord-ouest du Pacifique. Certains ont même cru à l'époque que les Indiens d'Amérique du Nord étaient les descendants des dix tribus perdues d'Israël.

De chacun des bateaux qui abordèrent à Victoria après le S.S. *Pacific* débarquaient un ou deux Juifs prêts à tout pour réussir. Sylvester, par exemple, se fit construire un magasin sur la rue principale de Victoria, mais il ne put résister à la concurrence féroce et remonta le Fraser. Après toute une série de pénibles mésaventures dans les monts Cariboo, il revint à Victoria sans le sou et en peu de temps il devint un marchand prospère et une des figures de proue de la jeune ville.

En septembre 1858, les Juifs de Victoria étaient même assez nombreux pour célébrer les offices des grandes fêtes. Deux ans plus tard, ils achetèrent un cimetière et en 1863 construisirent une synagogue. Mais beaucoup des nouveaux venus ne restaient pas très longtemps. Ils partaient pour les mines ou les nouvelles villes de la vallée du Fraser et des monts Cariboo. Ils y devenaient mineurs ou plus souvent marchands ou fournisseurs. Ils formaient un groupe tout à fait remarquable. Cyril Leonoff, l'historien de la communauté juive de Colombie-Britannique, les décrit en ces termes : « Ils s'adaptèrent remarquablement bien à la vie de la frontière [...] ils n'hésitaient pas à franchir de grandes distances sur des routes tortueuses, à vivre dans des conditions extrêmement rudimentaires, dans un climat inhospitalier, et à accepter des risques physiques pour s'assurer des marchés et des profits. Dans ce pays en plein essor et aux multiples possibilités, les marchands juifs réussirent souvent là où d'autres, moins avertis et moins motivés, se décourageaient. »

En 1861, cette communauté juive très particulière attira un visiteur non moins particulier. Benjamin II – de son vrai nom Joseph Israel Benjamin – était un Juif originaire de Roumanie qui avait consacré sa vie à la recherche des dix tribus perdues d'Israël. Il avait pris le nom de Benjamin de Tudèle, célèbre voyageur juif du douzième siècle, et avait pris la route. Après avoir publié un livre racontant sa traversée de l'Asie, du Proche-Orient et de l'Afrique du Nord, il poursuivit à la fin des années 1850 ses recherches en Amérique du Nord. Il fut particulièrement impressionné par la communauté juive de Victoria. Il affirma que, bien que les Juifs n'y fussent établis que depuis deux ans, ils étaient « les véritables fondateurs de la ville de Victoria », puisque, seuls des milliers de nouveaux arrivants, ils « demeuraient, plantaient leur tente et construisaient des cabanes parce qu'ils [...] se rendaient compte que [Victoria] avait un brillant avenir commercial ». Mais il fut surtout impressionné, ainsi qu'il le raconte dans le récit de ses expériences intitulé *Three Years in America*, par leur attachement à leur foi. Il décrivit avec émotion les efforts qu'ils déployèrent pour créer une société de bienfaisance, pour observer les fêtes et pour construire une synagogue.

Les journaux personnels de Benjamin II nous donnent une description instructive des activités de la communauté juive naissante de Victoria, mais le rôle de ses membres y est exagéré. Les Juifs n'ont pas vraiment fondé Victoria. Ils n'étaient pas assez nombreux pour cela. Mais pour ce qui est de l'instruction, du talent, et de l'esprit d'initiative et d'entreprise, la communauté occupait une place privilégiée au sein de la colonie. L'expérience acquise en Californie et leurs liens commerciaux avec San Francisco leur furent très utiles. Ils connaissaient tout de l'exploitation des mines, savaient ce dont les mineurs avaient besoin et où se le procurer.

Les Oppenheimer possédaient au plus haut degré ces qualités. Les cinq frères, David, Charles, Meyer, Isaac et Godfrey, nés en Bavière, avaient émigré en Amérique en 1848 et s'étaient établis dans les années 1850 à San Francisco, où ils avaient fondé une prospère entreprise d'approvisionnement des mines. Dès qu'ils entendirent parler de l'or du Fraser, Charles fut envoyé en éclaireur dans le nord. De toute évidence, les rapports qu'il fit devaient être optimistes, car moins d'un an après toute la tribu Oppenheimer prenait le chemin de la Colombie-Britannique.

Charles fonda une compagnie de commerce à Victoria et à Point Roberts, sur le continent. Les Oppenheimer établirent des

À gauche: David Oppenheimer (1832-1897).

À droite: Route des Cariboo, v. 1880. (British Columbia Archives and Records Service HP4350).

succursales à Yale, au départ de la navigation sur le Fraser, et à Fort Hope et Lytton, dans l'intérieur. Et lorsqu'on découvrit de l'or dans les monts Cariboo en 1862, ils ouvrirent également un poste de traite à Barkerville, localité baptisée en l'honneur du premier prospecteur à y avoir fait fortune. Cette ville devint bientôt la plus grande d'Amérique du Nord britannique à l'ouest de Toronto, et le magasin des Oppenheimer en était le principal établissement commercial.

Mais les monts Cariboo étaient cependant extrêmement difficiles d'accès. Sans routes, sans rivières navigables, les Cariboo étaient un défi pour les prospecteurs qui ne transportaient que leurs effets. Mais comment allaient-on pouvoir les approvisionner? De quelle façon allait-on rapporter l'or? Une route était indispensable au développement économique de la région.

La campagne en faveur de la construction de la route fut menée par les Oppenheimer. Plus que quiconque dans les Cariboo, ils avaient besoin d'une voie de transport pour leurs diverses entreprises. Ils firent pression sur le gouverneur de la Colombie-Britannique, James Douglas, et firent circuler des pétitions parmi tous les habitants de la région. Douglas donna finalement son accord, et en 1862 débutait la construction de la route des Cariboo, le fameux Cariboo Trail. Cette piste pour chariots, dont le tracé avait été établi par les Royal Engineers, longeait le Fraser et la Thompson. Les Oppenheimer obtinrent naturellement le contrat de construction des premiers tronçons de la route.

En 1868, l'un des nombreux incendies qui dévastèrent les villes et les camps miniers de la région rasa Barkerville. On dit que les Oppenheimer perdirent plus de 100 000 $ en immeubles et en marchandises. Insoucieux de leurs pertes, ils construisirent un magasin plus grand et plus spacieux. Et afin d'éviter une autre catastrophe du genre – et probablement surtout pour se rendre populaire –, David Oppenheimer fit venir de San Francisco une nouvelle voiture de pompiers rutilante et son frère Isaac fut nommé capitaine des pompiers.

Les Oppenheimer n'étaient pas les seuls Juifs des Cariboo. À Cayoosh, Soda Creek, Williams Creek et dans les autres villes qui s'élevaient près des gisements aurifères, des marchands juifs tels que Carl Strouss, Felix Neufelder, Abraham Hoffman et d'autres ouvraient des postes de traite et des magasins généraux. Certains de leurs

Le Colonial Hotel sur la route des Cariboo, Soda Creek (C.-B.), v. 1868.

clients étaient également juifs. L'un d'eux, Morriss Moss, était un jeune Juif originaire de Londres qui avait fait des études universitaires.

Moss, qui fut véritablement l'un des personnages les plus pittoresques de l'histoire du Canada, arriva à Victoria en 1862, venu de San Francisco où il avait travaillé quelques années pour un fourreur. Tout juste âgé de 21 ans, instruit, beau, cultivé, il fut immédiatement la coqueluche des habitants les plus distingués de la ville. Il n'avait certainement rien en commun avec les mineurs grossiers et buvant sec dont il arrivait des spécimens presque tous les

jours. Il était prédestiné à faire bonne figure dans les réunions littéraires, les concerts, les bals et même dans les chasses au renard si prisées de la haute société de la ville.

Mais Moss avait bien autre chose en tête. Victoria, qui se donnait des airs, lui paraissait trop décadente et trop urbaine. S'il avait recherché ce genre de vie, il aurait certainement habité San Francisco ou Londres. Il était en quête d'émotions fortes. Il était déjà un excellent cavalier, un excellent fusil et un marin passionné. Quand on découvrit de l'or dans les Cariboo, Moss y vit sa chance. Il voulait ouvrir une nouvelle route vers l'or par le bras

Bentinck, l'un des nombreux bras de mer de la côte de Colombie-Britannique. C'était une voie dangereuse, en grande partie inexplorée et en plein territoire indien, mais après une série d'aventures terrifiantes il arriva à bon port. Convaincu qu'il avait trouvé un itinéraire meilleur et donc plus profitable, Moss établit un comptoir de traite près du village indien de Bella Coola. Il réussit effectivement à faire passer plusieurs caravanes transportant des marchandises destinées aux mineurs des Cariboo, mais le comptoir de traite fut pour sa part un échec à cause de l'épidémie de petite vérole qui décima les tribus indiennes des environs. Néanmoins, en reconnaissance de ses services, le gouverneur Douglas le nomma juge de paix, et il lui demanda d'accepter le poste d'agent du gouvernement pour la côte nord-ouest.

L'expédition suivante de Moss, en décembre 1862, fut désastreuse. Sa goélette, la *Rose Newman*, chargée de provisions pour les mineurs, fut coulée par une violente tempête hivernale. Moss et ses deux hommes d'équipage parvinrent, en nageant dans les eaux glacées, à gagner le rivage, mais l'île qu'ils atteignirent était déserte. Ils vécurent trois mois, tels des Robinson Crusoë, sur cet amas de pierres battu des vents. Ils avaient heureusement réussi à récupérer sur le bateau une partie des vivres, de la farine, de la mélasse, un mousquet et un baril de poudre. Grâce à cette poudre, ils réussirent à allumer un feu qu'ils entretinrent pendant les trois mois suivants. Moss et ses compagnons furent finalement découverts par une tribu indienne hostile, dont ils furent délivrés par un groupe amical d'Indiens Bella Coola – mais seulement après avoir passé un autre mois en captivité. Quatre mois après avoir quitté Victoria, Moss y revenait plus pauvre, mais aussi plus sage, et vivant.

Malgré ces revers, Moss n'était pas encore prêt à se ranger. À la demande de Frederick Simpson, le nouveau gouverneur de la Colombie-Britannique – il y avait maintenant deux colonies sur la côte du Pacifique depuis que le continent était deve-

nu indépendant de l'île de Vancouver en 1866 –, Moss prit la tête d'une expédition punitive pour réprimer un soulèvement indien dans la région nord-ouest de la colonie. En sa qualité d'agent du gouvernement auprès des Indiens et de receveur adjoint des douanes de 1864 à 1867, Moss sillonna toute la Colombie-Britannique. Il tâta à nouveau de la prospection et découvrit un gisement prometteur qu'il baptisa la « Mine hébraïque », mais il n'en tira pas grand-chose – si tant est qu'il en tira quelque chose. Il se rendit même faire de la prospection près de l'Alaska, mais il arrivait trente ans trop tôt. La découverte d'or au Klondike dans les années 1890 prouva que l'instinct de Moss ne l'avait pas trompé, bien qu'il n'eût pas choisi le moment propice.

Moss revint à Victoria, prêt en apparence à se fixer. Il mit sur pied la plus vaste entreprise de chasse au phoque de Colombie-Britannique, qui prospéra jusqu'à ce que les gardes-côtes américains s'emparent de ses navires sous prétexte que les Etats-Unis avaient le monopole de cette industrie. Il fut également président de la synagogue de Victoria et de sa loge des Bnai-Brith. Il épousa la fille d'un commerçant juif bien en vue, mais il ne réussit pas à s'adapter aux contraintes de la vie domestique. Peu après la naissance de leur fils, Moss disparut et on n'en entendit plus jamais parler. Il serait mort quelques années plus tard dans le Colorado.

Moss ne fut pas le seul Juif à tenter sa chance dans la ruée vers l'or des Cariboo, et à s'y ruiner. Humphrey Abraham Belasco, un acteur raté de San Francisco, s'installa à Victoria en 1858. Il semble que sa carrière ne fut pas plus brillante avec la Royal Theater Company de Victoria, et il décida donc d'ouvrir une fruiterie. Ce fut aussi un échec. Belasco laissa donc sa femme et son fils à Victoria et partit chercher fortune dans les Cariboo – là non plus sans grand succès. Pendant ce temps, son fils David, à qui il avait transmis sa passion pour le théâtre, commença à jouer des rôles de figurants – pour la première fois à l'âge de cinq ans – pour diverses troupes de Victoria. Belasco

Morris Moss (assis) avec sa femme et leur fils, v. 1885.

père aurait voulu que son fils soit rabbin, mais il fut incapable de l'éloigner du théâtre. Alors qu'il portait encore des culottes courtes, il fit plusieurs fugues pour se joindre à un cirque ou à une troupe de théâtre ambulant. David Belasco devint finalement un des plus grands auteurs dramatiques – il écrivit la pièce *Madame Butterfly* –, producteurs et impresarios du monde, et il construisit le théâtre Belasco, un des plus beaux théâtres de New York.

Deux autres fournisseurs juifs, « Dutchy » Harris Lewin et David Sokolski, eurent moins de chance que Moss et Belasco, qui du moins revinrent vivants des Cariboo. Au retour d'un voyage d'affaires fructueux dans cette région, ils tombèrent dans une embuscade. En plus de leur voler plus de 12 000 $, leurs bijoux, leurs montres et même leurs chapeaux, les bandits, qui étaient plusieurs, tirèrent trois fois à bout

portant sur chacun d'eux. Ce crime fut appelé dans la région le « massacre des Juifs ». Bien qu'une petite troupe eût été formée pour pourchasser les meurtriers et que les mineurs des Cariboo se fussent cotisés pour offrir une récompense de 3000 $, les responsables de cet acte crapuleux échappèrent pendant des années à la justice. On finit par les retrouver au Montana, où ils furent pendus pour des meurtres qu'ils avaient commis aux Etats-Unis.

Ni Morris, ni Humphrey Belasco, ni bien sûr les malheureux Lewin et Sokolski n'étaient représentatifs de la communauté juive de Victoria. La plupart eurent beaucoup plus de succès dans leurs entreprises et eurent certainement une vie privée plus stable. L'historien David Rome décrit les Juifs de cette époque comme « un groupe d'hommes remarquables composé de futurs maires de grandes villes [...] de députés à

Victoria (C.-B.), v. 1862; on voit à gauche la mercerie Gambitz.

l'Assemblée législative, de fondateurs d'industries et de compagnies de navigation, de manufacturiers, de pionniers, de mineurs, d'agents d'immeuble et d'acteurs. On se rend parfaitement compte de l'exceptionnelle qualité du groupe lorsqu'on en compare les réalisations et l'histoire avec celles de tout autre groupe similaire [...] de quelque autre communauté juive que ce soit au Canada. »

La famille la plus représentative de la communauté est peut-être celle des Boscowitz, qui ouvrit son premier magasin en 1858, lequel devint l'une des plus importantes entreprises de fourrure et de chasse au phoque du Canada. Ils exploitèrent également l'immense mine de cuivre Brittania. La famille Sutro, originaire d'Allemagne, régna sur l'industrie du tabac et les banques de la province. La petite épicerie de Simon Leiser devint l'une des plus importantes entreprises de gros de Colombie-Britannique. Les réussites du genre n'étaient pas rares chez les Juifs de Victoria.

L'attachement de ces hommes et de ces femmes à leur foi et leur solidarité avec leurs coreligionnaires des autres parties du pays étaient également remarquables. La première réunion de la communauté eut lieu en 1858, quelques jours seulement après l'arrivée des premiers Juifs à Victoria. Elle avait pour but d'envoyer de l'argent pour aider les Juifs marocains. On ramassa près de 185 $. En août 1858, six semaines exactement après l'arrivée de Frank Sylvester, une autre réunion eut lieu chez Kady Gambitz, fondateur de la Hebrew Sick and Burial Society de Shasta, en Californie, qui venait tout juste d'ouvrir la première mercerie de Victoria. Cette réunion avait pour but d'organiser les offices des grandes fêtes.

Un an plus tard, une annonce publiée dans les journaux de Victoria demandait aux « israélites » de la ville de se réunir « dans le but de trouver un endroit approprié pour un cimetière ». Grâce à l'argent fourni par Lewis Lewis, un marchand juif de la ville minière de Yale, on put acheter un petit terrain, qui fut consacré en février 1860. Un an plus tard, le cimetière recevait son premier occupant, un Juif allemand du nom de Morris Price, dont les Indiens avaient « tranché la gorge d'une oreille à l'autre » dans son magasin de Cayoosh Flats (aujourd'hui Lillooet), sur les bords du Fraser.

La fondation en 1859 de la première organisation juive de l'ouest du Canada, la Victoria Hebrew Benevolent Society, fut largement l'oeuvre d'Abraham Blackman, qui avait été très actif au sein de la communauté de Stockton, en Californie, avant son arrivée à Victoria. Professeur dans une synagogue de San Francisco, Julius Silversmith, qui s'établit à Victoria en 1858 pour fonder une école privée, fut chargé de distribuer les fonds de la société aux Juifs dans le besoin. Il fut en réalité le premier travailleur social professionnel de l'ouest du pays, et peut-être même du Canada.

Dépourvue de synagogue, la communauté célébrait ses offices religieux dans des pièces louées, notamment au bien nommé Star and Garter Hotel (Hôtel de l'étoile et de la jarretière), qui appartenait à un membre de la communauté, Lewis Davis. Lors d'une réunion tenue à l'hôtel en août 1862, les chefs de la communauté décidèrent qu'il était temps de bâtir un lieu de culte. Mais pas une synagogue ordinaire! Ce devait être un splendide édifice conçu par l'architecte qui avait dessiné beaucoup des plus belles maisons de Nob Hill, à San Francisco.

La synagogue fut un chef-d'oeuvre, « un petit édifice religieux presque parfait », au dire d'un connaisseur. Ce fut l'une des premières constructions en briques de Victoria, et on venait de très loin pour la voir. La cérémonie au cours de laquelle on posa la première pierre de la synagogue, le 2 juin 1863, fut également impressionnante. Beaucoup de magasins de Victoria fermèrent ce jour-là afin que leurs propriétaires puissent y assister. Une longue procession, précédée par la fanfare d'un navire britannique en visite et dans laquelle défilaient des membres de la St. Andrew's Society, d'associations allemandes et françaises, de loges maçonniques, le juge en chef de la colonie, le maire et des centaines d'autres personnes, dont la majorité des quelque deux cents Juifs de la ville, se rendit jusqu'à la synagogue. La communauté juive distribua même des cigares aux musiciens de la fanfare. Le

Selim Franklin (à gauche), député de l'île de Vancouver à l'Assemblée législative, et Lumley Franklin, maire de Victoria.

British Colonist, un journal de la ville, rapportait que l'événement « devait être une source de profonde fierté » pour la communauté juive de Victoria, car il prouvait « en termes plus éloquents que les mots en quelle haute estime il sont tenus par leurs concitoyens de Victoria ».

La meilleure preuve de cette « haute estime » était peut-être la réussite individuelle des Juifs dans la vie politique de la colonie. Dans la première vague — il s'agissait plutôt d'une vaguelette — d'immigrants juifs, on compte un député à l'Assemblée législative de la colonie, un député au Parlement du Canada, ainsi que des maires de Victoria et de Vancouver, et deux d'entre eux étaient issus d'une famille remarquable, les Franklin.

Nés à Liverpool, Selim et Lumley Franklin arrivèrent à Victoria en 1858 après avoir résidé à San Francisco, où ils avaient été de prospères marchands jusqu'à ce qu'un incendie ne détruise leur magasin. Très peu de temps après son arrivée, Selim devint le premier commissaire-priseur du gouvernement en Colombie-Britannique. Les deux frères furent très actifs au sein du monde théâtral de Victoria, participèrent à la fondation de la Philarmonic Society, et si l'on en croit le *British Colonist* ils donnèrent tous les deux individuellement d'honorables récitals de chant. Mais les Franklin s'intéressaient surtout à la politique.

En janvier 1860, un Selim Franklin à la tenue et au verbe élégants annonça son intention d'être candidat pour un des deux sièges de Victoria à l'Assemblée législative. Personne ne prit sa candidature au sérieux, car son principal adversaire était Amor de Cosmos, le rédacteur en chef bien connu du *Colonist* et futur premier ministre de Colombie-Britannique. Néanmoins, Franklin l'emporta par quinze voix. De Cosmos essaya bien de faire annuler l'élection en prétendant que Franklin avait « frauduleusement » acheté les votes de la petite population noire de la ville, mais il ne semble pas qu'on lui ait reproché d'être juif. En vérité, on n'a guère mentionné le fait pendant la campagne électorale.

Ce n'est qu'après son élection, lorque Franklin voulut siéger à l'Assemblée, que la question se posa. Franklin se retrouva confronté au problème qui avait été un tel obstacle pour Ezekiel Hart une quarantaine d'années auparavant : l'embarrassant serment. En 1859, lorsque le gouverneur Douglas présenta un projet de loi pour naturaliser le nombre croissant d'étrangers qui vivaient dans la colonie, le serment d'allégeance comportait les mots fatidiques « sur la vraie foi chrétienne ». Le *British Colonist* partit immédiatement en guerre. Son rédacteur en chef, de Cosmos, méprisait Douglas et voyait dans le projet de loi une occasion de le mettre dans l'embarras. Un éditorial du *Colonist* accusait Douglas de ne pas « vivre avec son temps » et d'avoir édicté une proclamation « d'une intolérance digne d'un bigot », qui empêchait tous les Juifs de devenir des citoyens. La colonie,

avertissait-il, ne devait pas se laisser aller à la bigoterie religieuse et à la persécution.

Cependant, avant même d'être attaqué par le *Colonist*, Douglas commençait à avoir des doutes à propos du projet de loi. Sur le conseil de Matthew Ballie Begbie, premier juge de Colombie-Britannique, une nouvelle loi sur les serments fut présentée qui exemptait les quakers et les Juifs du serment chrétien. Le problème semblait alors résolu, mais il ressurgit lorsque l'Assemblée législative de l'île de Vancouver se réunit en mars 1860.

Le 3 mars, Selim Franklin fut assermenté comme député de l'Assemblée. Un autre député objecta aussitôt que Franklin n'avait pas prêté le serment requis. Lorsque Franklin refusa d'ajouter, à la demande du président, « sur la vraie foi chrétienne » à son serment, on lui refusa pendant deux semaines le droit de siéger. Ce n'est que lorsque le juge en chef David Cameron trancha en faveur de Franklin que la question sembla réglée. Mais il fallut présenter un nouveau projet de loi, plus tard au cours de la session, afin de faire disparaître pour de bon l'épée de Damoclès que représentait le serment pour les citoyens juifs de l'île de Vancouver. Mais les Juifs de la communauté de l'île se réjouirent surtout du fait que pendant toute cette histoire, à une ou deux exceptions près, il n'y eut aucune explosion d'antisémitisme à l'Assemblée ou dans la presse. En fait, les députés stigmatisèrent même toute intolérance.

En 1866, après une inégale carrière législative, Franklin démissionna de l'Assemblée pour protester contre l'annexion forcée de l'île au continent. L'année précédente, son frère Lumley avait été élu maire de Victoria, devenant par le fait même le premier Juif maire d'une grande ville de l'Amérique du Nord britannique. Il fut un ardent avocat de l'entrée de la Colombie-Britannique dans la Confédération.

Mais Henry Nathan, un marchand aisé de Victoria qui s'était établi dans l'île en 1862, fut peut-être encore plus actif au sein du mouvement en faveur de la Confédé-

En haut: Vue de « Gastown », où Louis Gold créa la première entreprise juive de Vancouver, en 1872.

À droite: Oppenheimer Bros., épiciers grossistes à Vancouver, 1889.

ration. En 1870, après le rattachement de l'île au continent, il fut élu député à la dernière Assemblée législative de Colombie-Britannique avant que la colonie ne soit intégrée au Canada. Après l'adhésion à la Confédération, en 1871, il fut élu premier député de Victoria à la Chambre des Communes, dont il était par ailleurs le premier député juif. Bien qu'il fût libéral, il entretint d'excellents rapports avec le premier ministre, John A. Macdonald, et fut un défenseur actif de la création d'un chemin de fer transcontinental – il fut en fait directeur de ce qui allait devenir le Canadien Pacifique.

C'est le chemin de fer qui ruina les prétentions de Victoria à devenir la ville la plus importante du Canada sur la côte du Pacifique. Déjà gravement éprouvée par la fin de la ruée vers l'or – celui-ci avait disparu aussi vite qu'il avait été découvert –, l'économie de Victoria ne pouvait se relever du coup fatal que lui portait le choix de sa

ville-sœur, Vancouver, de l'autre côté du détroit, comme terminus du chemin de fer transcontinental. Quoi qu'il en soit, Victoria ne pouvait en aucune façon rivaliser avec le magnifique port en eau profonde et les immenses ressources forestières de l'anse Burrard, qui seraient à l'origine de l'expansion de Vancouver. Lorsqu'arriva à Vancouver, en mai 1887, le premier train de voyageurs direct du CP, la défaite de Victoria était consommée. La plupart des intérêts commerciaux et financiers de la ville franchirent le détroit de Géorgie pour s'installer à Vancouver – et avec eux évidemment de nombreux Juifs, dont les frères Oppenheimer.

Plus que toute autre famille, les Oppenheimer jouèrent un rôle prépondérant dans les débuts de la croissance de Vancouver. Possédant d'immenses terrains dans la ville, ils créèrent une ligne de traversiers ainsi que la première ligne de tramway de la ville, et ils convainquirent

En haut: Prières du matin à la synagogue
Schara Tzedeck de Vancouver, v. 1927.

À gauche: Le premier mariage à avoir eu lieu dans une
synagogue à Vancouver, 1914.

À droite: Zebulon Franks (à gauche) dans sa
quincaillerie de Vancouver, 1902.

les autres grands propriétaires fonciers
de la ville de faire don d'une partie de
leurs terrains au CP pour inciter la compagnie de chemin de fer à choisir Vancouver
comme terminus sur le Pacifique. Les

Oppenheimer ont eux-mêmes donné un
tiers de leurs propriétés foncières pour
que le CP s'établisse à Vancouver.

Deux des frères, David et Isaac,
étaient membres du conseil municipal

Le maire David Oppenheimer (troisième à partir de la droite) avec des dignitaires gouvernementaux lors d'une excursion au détroit Howe, 1889.

de Vancouver, et en 1888 David fut élu maire, poste qu'il occupa pendant quatre ans. Il construisit les ponts qui relient les différents points de la ville, installa des trottoirs, étendit le réseau d'approvisionnement en eau, organisa le réseau de transport, fonda le YMCA et eut l'habileté de fournir le terrain où serait créé le trésor du centre-ville de Vancouver, le parc Stanley. Rien d'étonnant à ce qu'on l'ait surnommé le « père de Vancouver ».

Bien que moins dynamique que celle de Victoria, la communauté juive de Vancouver avait acheté en 1887 un cimetière, et au début des années 1890 deux communautés existaient, les réformés, dirigés par le rabbin Solomon Philo, qui avait participé à l'exode des Juifs de Victoria, et un groupe d'orthodoxes, sous l'égide de Zebulon Franks, un quincailler dont le père avait été rabbin en Ukraine. Le premier groupe se composait principalement de Juifs qui avaient déjà vécu aux Etats-Unis, le deuxième, de ces immigrants originaires d'Europe de l'est qui commençaient à arriver en grand nombre.

Ainsi, tout au début du siècle, deux communautés juives étaient établies sur la côte du Pacifique. Mais il y avait également des Juifs ailleurs en Colombie-Britannique. Frederick Heinze, un immigrant d'origine allemande qui avait habité au Montana, construisit le haut fourneau de Trail, qui allait donner naissance à l'énorme empire minier de Cominco. Il y avait des Juifs à Chilliwack, Prince Rupert et Prince George. Des personnages comme le trappeur « Johnny the Jew » et le mineur « Silver King Mike » ont certainement contribué à donner à la communauté juive de Colombie-Britannique un caractère différent de celui des autres communautés du Canada, caractère qu'elle allait conserver pendant tout le siècle suivant.

Bien que peu nombreux, les Juifs de la côte du Pacifique ont contribué tout autant à l'essor de leur région en gestation à la fin du dix-neuvième siècle que les pères fondateurs de la communauté juive canadienne à celui de leur propre région un siècle auparavant.

CHAPITRE 5

La conquête des Prairies

1880 - 1910

Le 2 juin 1882, un des premiers colons juifs de Winnipeg reçut une lettre d'un parent de Russie. Celle-ci, aux détails terrifiants, décrivait la condition des Juifs à la suite de l'assassinat du tsar Alexandre II en mars 1881 : « Notre vie et nos biens sont perpétuellement menacés [...]. De telles persécutions et cruautés ne s'étaient jamais produites à notre époque civilisée. Des hommes et des femmes ont été massacrés; des femmes ont été brutalisées dans les rues [...]. Des enfants ont été jetés dans des puits et des rivières, et noyés; des nourrissons vivants ont été mis en pièces et jetés dans les rues. Beaucoup de femmes malades et alitées ont été abusées à mort [...]. On ne peut remédier à ces maux qu'en fuyant... »

La lettre circula parmi la poignée de Juifs de Winnipeg. Tous furent épouvantés et se sentirent impuissants face à cette horreur. Naturellement, personne ne pouvait prévoir à quel point les pogroms survenus à une dizaine de milliers de milles de distance les traumatiseraient, eux et l'entière communauté juive du Canada.

Le premier colon juif du Manitoba n'était arrivé que quatre ou cinq ans auparavant. Edmond Coblenz, un Juif alsacien, était venu de Pennsylvanie en 1877. Il avait peut-être entendu parler de la nouvelle colonie auprès de ses voisins mennonites, qui parlaient des nouveaux établissements de leurs coreligionnaires dans l'ouest du

Canada. Quoi qu'il en soit, ce qu'il vit dut lui plaire, car ses deux frères et leurs familles vinrent le rejoindre au bout de quelques mois. À la même époque, un des nombreux colporteurs qui parcouraient l'ouest du Canada, Reuben Goldstein, décida aussi de se fixer à Winnipeg.

Bien que les Coblenz et les Goldstein fussent les premiers Juifs à s'installer au Manitoba, ils ne furent certainement les premiers à y passer. Au dire de certains historiens, Ferdinande Jacobs, apprenti à la Compagnie de la baie d'Hudson, qui passa 27 ans sur le fleuve Churchill de 1732 à 1759 et revint en 1760 pour être agent principal de la compagnie pendant 15 ans, était juif. Son nom mis à part, et hormis une référence anecdotique dans le journal d'un voyageur, en 1815, qui affirmait qu'une Indienne qu'il avait rencontrée était « la fille d'un gouverneur du nom de Jacobs (un Juif) », rien n'atteste que Jacobs était juif. En fait, il existe de nombreux témoignages du contraire. Mais beaucoup de documents attestent que des commerçants juifs traversèrent régulièrement le Manitoba dans toute la période antérieure à 1880, dont un grand nombre descendaient la rivière Rouge avec leurs marchandises depuis Saint-Paul, au Minnesota, et retournaient avec des fourrures.

Vers 1880, les commerçants de fourrures, les autochtones et les Métis se

À gauche: La famille de John et Rachel Heppner, Wapella (Saskatchewan), v. 1896.

Rue principale, Winnipeg, 1874.

trouvèrent graduellement repoussés vers l'ouest par des vagues de mennonites, d'Islandais et d'autres colons. Parmi ces derniers, d'après le recensement de 1881, figuraient 33 Juifs et leurs familles. Presque tous étaient d'origine allemande ou anglaise. Ils s'établirent immédiatement à Winnipeg pour être marchands, vendeurs, hôteliers, colporteurs et négociants en terrains. Ils réussirent si bien qu'un an ou deux après leur arrivée le *Winnipeg Sun*, le journal de l'endroit, les décrivait comme étant « habiles, clairvoyants [et] prospères [...] réussissant non seulement à gagner leur vie, mais à épargner ». La communauté avait un rabbin à temps partiel, Abraham Benjamin, mais les grandes fêtes mises à part, l'activité religieuse était réduite.

C'est alors qu'arrivèrent les Juifs russes.

Il est évident qu'à l'été 1882 les Juifs restaient en Russie à leurs risques. Les trop célèbres « lois de mai » du tsar chassaient les Juifs de leurs demeures et de leurs villages. Beaucoup n'étaient que trop heureux de partir; déjà, en raison de la misère noire et des omniprésentes restrictions, des milliers avaient fui vers les pays voisins. Et les massacres des Juifs de Kharkov, de Bialystok, d'Odessa, de Kiev et d'autres villes et villages étaient de douloureux rappels du danger de rester. Des dizaines de milliers étaient partis; des milliers d'autres les suivaient bientôt. Sans le sou, affamés, sans abri, ils affluèrent en Autriche, ignorant où le sort les conduirait.

Le monde occidental tarda à réagir, mais quand il le fit, ce fut avec une grande colère. De grands rassemblements eurent lieu en Europe et en Amérique du Nord. Pour les Juifs canadiens, le plus important eut lieu sous les auspices du lord-maire de Londres, à Mansion House. Devant une grande foule, des discours passionnés dénonçant l'inhumanité des Russes furent prononcés par d'influents chefs politiques et religieux britanniques. Ce fut un manifestation émouvante, et tous en sortirent déterminés à aider de toutes les manières possibles. L'un de ceux qui participaient au rassemblement était le premier haut-commissaire du Canada en Grande-Bretagne, Alexander Galt.

Les responsabilités de Galt consistaient en grande partie à favoriser l'immigration au Canada et à chercher des moyens d'assurer le développement économique du pays. Même avant le rassemblement de Mansion House, il avait informé lord Rothschild, un banquier, que le Canada aimerait « faire venir les agriculteurs juifs » au Canada. Il espérait ainsi non seulement trouver de bons immigrants, mais également pousser Rothschild et ses riches amis à investir au Canada. Les Juifs russes, dit-il au premier ministre du Canada, John A. Macdonald, étaient « une population supérieure », qui disposait de « moyens suffisants pour

Le S.S. *International* devant les bâtiments de l'immigration,
Winnipeg, v. 1870.

s'établir au Canada ». Quoi qu'il en soit, ajouta-t-il, comme les Juifs américains « favorisaient activement l'immigration aux Etats-Unis [...] ce qui était bon pour eux ne pourrait être mauvais pour nous ». Pour faire en sorte que le Canada joue son rôle dans ce déplacement de réfugiés, Galt accepta de faire partie du Mansion House Committee, comité créé afin de trouver des pays prêts à accueillir les Juifs de Russie. « Beaucoup d'entre eux pourraient être rejetés sur nos rivages sans que nous soyons prêts à les recevoir, expliqua Galt à Macdonald. En étant membre du comité, je peux empêcher cela. »

L'idée de faire venir des Juifs dans l'ouest plaisait au premier ministre, qui donna instruction aux agents d'immigration de mettre des terres à leur disposition. « C'est une bonne idée de faire venir des vieux colporteurs », dit-il, reprenant à son compte le cliché du vieux colporteur de vêtements juif. « Quelques Juifs ici et là dans le nord-ouest ne feraient pas de tort, ajoutait-il. Ils s'empresseraient de faire du colportage et de la politicaillerie, et seraient très utiles à leur nouveau pays en vendant de la camelote. » L'attitude méprisante de Macdonald n'est rien en comparaison de

celle du gouverneur général, le marquis de Lorne. Répondant à un appel en vue de soulager les Juifs de Russie, Lorne traita ceux-ci de « bande de salauds », mais il ajouta que si les Juifs britanniques « voulaient apporter une généreuse contribution pour établir leurs frères de Russie, pourquoi le gouvernement canadien n'accepterait-il pas d'en tirer profit? »

L'attitude de Macdonald et de Lorne reflétait celle d'une grande partie de la population. Le Canada, espéraient-ils, serait peuplé de colons d'origine anglo-saxonne ou nordique. Galt avait pour tâche d'attirer des Britanniques et des Européens du nord, et non des Juifs russes. Les Européens de l'est n'avaient pas précisément la faveur des dirigeants canadiens, mais comme la plupart des immigrants souhaités optaient pour les Etats-Unis, le Canada n'avait guère le choix. Quoi qu'il en soit, il ne déplairait pas à Rothschild et à d'autres riches investisseurs juifs qu'on accepte quelques réfugiés juifs. Déterminé à faire venir des Juifs russes au Canada, Galt assura le Mansion House Committee que, de l'avis du gouvernement, les terres vierges de l'ouest canadien conviendraient parfaitement aux réfugiés. Le comité accepta et, le 24 avril

H.L. Weidman et sa famille, qui figuraient parmi les premiers immigrants russes à Winnipeg, 1899.

1882, 240 réfugiés quittèrent Liverpool, tous munis de billets à destination de Winnipeg.

En dépit des assurances de Galt, rien ne fut fait pour préparer l'arrivée des Juifs russes. Après un horrible voyage de trois semaines sur une mer houleuse, des Juifs dépenaillés débarquèrent à Québec et passèrent tout engourdis entre les mains d'autoritaires agents d'immigration et furent entassés dans des trains à destination de l'ouest. À Montréal, la communauté juive, au dire d'un des réfugiés, alors âgé de neuf ans, leur offrit « un splendide dîner ». De même, à Toronto, ils furent accueillis par des représentants de la communauté juive, et nourris et vêtus. Séduits par cet accueil généreux, certains d'entre eux décidèrent de se fixer à Toronto ou à Montréal.

En mai 1882, une avant-garde de 24 intrépides Juifs russes arriva à Winnipeg. Eux aussi furent accueillis avec chaleur par leurs coreligionnaires. Mais en raison d'un affaiblissement de l'économie, les emplois étaient rares pour les nouveaux arrivés, et il n'y avait apparemment pas de terres. Malgré les promesses de Galt, aucune terre ne fut concédée; les Juifs russes furent logés dans de crasseuses cabanes, sans espoir de trouver mieux avant un certain temps. Aussitôt, les Juifs de Winnipeg télégraphièrent à leurs coreligionnaires de Toronto pour qu'on empêche les autres Juifs russes de poursuivre leur voyage.

Il était trop tard; le jour même, un autre télégramme était envoyé à Winnipeg. Mark Samuel, de Toronto, y avisait la communauté de Winnipeg que le dernier contingent venait de quitter Sarnia à bord du vapeur *Ontario* à destination de Duluth, au Minnesota, à l'extrémité ouest du lac Supérieur. Le 1er juin, les réfugiés arrivaient à Winnipeg à bord d'un train parti de Duluth.

La communauté juive de Winnipeg – qui comptait une trentaine de membres – fit ce qu'elle put pour aider, mais il n'y avait pas grand-chose à faire. Elle recueillit des fonds – près de 400 $ – auprès de ses membres et exerça de nombreuses pressions pour que les non-Juifs fournissent des emplois et de l'aide. On réussit à offrir quelques emplois, mais il en aurait fallu beaucoup plus. Rares étaient les Juifs russes qui parlaient anglais ou qui avaient les compétences requises pour la plupart des emplois disponibles. Ils ne pouvaient pas non plus attendre d'aide du gouvernement canadien. Ottawa fournit de la nourriture et des tentes, mais n'accepta autrement aucune responsabilité. Il incombait, selon ce que dit le gouvernement à des responsables inquiets de Winnipeg, à la communauté juive canadienne de « veiller à l'installation et à l'approvisionnement » de ces réfugiés.

Bien que la communauté juive de Winnipeg fît d'énormes sacrifices, il y avait déjà une tension croissante entre les deux groupes. Les Juifs russes étaient très pratiquants – par exemple, aussi affamés fussent-ils, ils n'acceptaient pas de manger la viande fournie par les « Deutsihe Yuden », ou Juifs allemands, du Manitoba, qui étaient plus libéraux et dont ils n'aimaient pas les pratiques religieuses. Lorsqu'un enfant mourait dans le hangar de l'immigration, ils ne permettaient pas qu'il soit enseveli dans le cimetière de la communauté, qu'ils ne jugeaient pas convenablement consacré.

Pour les réfugiés, chaque jour était un combat. N'eût été du Canadien Pacifique, la plupart n'auraient pu survivre. Recherchant désespérément des travailleurs, le CP était prêt à engager tout homme qui pouvait supporter le rude travail consistant à poser les rails, à creuser des tranchées et à construire des ponts sur toute l'étendue des prairies. Il fournissait même aux Juifs russes pieux des aliments kacher et des wagons-lits réservés à eux seuls, les exemptait du travail le jour du sabbat et leur permettait de retourner à Winnipeg pour les fêtes religieuses – mais, certains, préférant ne pas s'éloigner de leur travail, recueillirent de l'argent pour acheter une tora et un *chofar*, une corne de bélier, pour célébrer les grandes fêtes dans une tente fournie par le CP.

Non seulement ces travailleurs devaient subir d'horribles conditions de travail, mais ils devaient endurer des camarades de travail bagarreurs, dont beaucoup n'aimaient pas travailler avec des Juifs. Le premier détachement de Juifs fut attaqué par une bande de voyous armés de bâtons; leurs locaux furent saccagés, leur nourriture volée, et beaucoup furent battus. C'était comme se retrouver à Bialystok.

Pourtant, les vétérans des pogroms de Russie n'avaient d'autre choix que de persévérer. Finalement, un Juif russe résolu, dont on avait frappé la tête d'un coup de bâton, intenta un procès à son agresseur. Un juge favorable réprimanda celui-ci et l'envoya en prison. Pour les Juifs du Manitoba, c'était là une vengeance; pour les Juifs russes, c'était la preuve que le Canada était très différent de leur patrie.

Néanmoins, beaucoup ne voyaient pas l'intérêt de rester au Manitoba. Un réfugié écrivit avec émotion dans un journal de langues russe et hébraïque : « Je ne sais pas où tremper ma plume, dans l'encrier qui est devant moi, ou dans les larmes qui coulent des yeux des malheureux qui sont venus ici avec moi, pour décrire leur condition lamentable. On n'entend plus que des pleurs et des lamentations à la perspective de perdre sa jeunesse et de la gaspiller en vain dans ce trou désolé du nom de Winnipeg. Nous sommes exilés dans le désert. » Bien qu'il se fût rétracté et eût dit quelques mois plus tard à ses lecteurs qu'il avait « quelque peu exagéré » et qu'en fait la « situation [s'était] améliorée », il ne fait pas de doute que pour l'ensemble des réfugiés la vie était presque insupportable.

Rares étaient les immigrants qui étaient aussi peu préparés à leur nouvelle vie que les Juifs de Russie, auxquels on avait promis de grandes terres gratuites. L'agent fédéral de l'immigration supplia même Ottawa de renvoyer les réfugiés dans l'est avant qu'un autre hiver s'installe. Et les efforts des Juifs russes en vue d'acquérir des terres s'avérèrent futiles. Quand un emplacement acceptable fut enfin trouvé, les membres de la colonie méthodiste refusèrent de permettre aux réfugiés de s'installer, car, comme le dit l'agent chargé de la vente des terres, « ils ne voulaient pas de Juifs chez eux ».

En 1883, il semble que cette attitude ait prévalu. Les journaux qui s'étaient réjouis de l'arrivée des réfugiés juifs s'étaient maintenant retournés contre eux. Dans un éditorial, on dit même que « jamais créatures plus faibles et plus inutiles n'avaient traversé l'Atlantique ». Dans un autre, on pouvait lire que « bien que la rivière soit à leur porte, ils ne semblent pas savoir ce qu'est la propreté ». Et un troisième affirmait qu'« il serait criminel d'en envoyer d'autres ». Seule une aide massive de la minuscule communauté juive et de groupes de chrétiens permit aux nouveaux immigrants de survivre au terrible hiver de 1883.

Il devint vite évident que l'immigration de Juifs russes dans l'ouest du Canada n'avait pas été une réussite. Le gouvernement du Manitoba supplia Ottawa d'endiguer le flot. Galt demanda au Mansion House Committee de suspendre l'immigration. Même des leaders juifs canadiens tels que Mark Samuel, de Toronto, écrivirent à

NOTICE TO FARMERS.

A large number of the German Agricultural population of Russia are desirous of leaving their homes and finding a new field of occupation for themselves and their families, if they are assisted in their transportation.

The amount of passage to Winnipeg to be paid on arrival at that point will be as follows :—

For all from twelve years upwards   -   - $45.00
For those from five to twelve years of age   -   22.50
For those from one to five years of age   -   15 00

It is guaranteed that no Jews will be brought out under this scheme.

Parties wishing to take advantage of this opportunity should address themselves without delay to the

DOMINION GOVERNMENT IMMIGRATION AGENT, WINNIPEG.

or any other Government Immigration Agent,

Stating the number of families they want and when they will require them ; not less than a month's time to be reckoned for the voyage.

WINNIPEG, March 7th, 1892.

Programme gouvernemental visant à encourager la colonisation agricole de l'ouest, les Juifs étant exclus, 1892.

leurs homologues britanniques pour demander que les Juifs de Russie soient envoyés ailleurs.

Les Juifs canadiens étaient naturellement déconcertés par l'arrivée soudaine de leurs coreligionnaires d'Europe orientale. Leur aspect, leur mode de vie, leur pauvreté, leurs pratiques religieuses et même le fait qu'ils ne parlaient pas anglais embarrassaient une communauté qui luttait pour s'intégrer et être acceptée. Ils craignaient que leur respectabilité, si durement acquise, et leur nouvelle situation ne soient amoindries, sinon détruites, par la présence de ces Juifs russes. Plus tôt ceux-ci recevraient les terres qu'on leur avait promises et s'éloigneraient des villes, plus la communauté juive du Canada serait satisfaite. L'établissement

des Juifs d'Europe orientale à la campagne devint la priorité de la communauté.

Galt y attachait tout autant d'importance. Pendant deux ans, il avait supplié en vain les autorités fédérales de transférer aux Juifs une partie – inutilisée – des terres octroyées aux mennonites. Le gouvernement voulait à l'origine encourager l'agriculture en offrant des terres à des groupes tels que les mennonites, les Ecossais, les Islandais et d'autres. Dans les années 1880, l'immigration étant stoppée, on décida de donner les terres à des compagnies, qui feraient venir des colons. Mais en réalité il n'y avait pas tellement de terres à distribuer. On en avait tant octroyé au CP et à la Compagnie de la baie d'Hudson – environ 35 millions d'acres – qu'on se demandait s'il restait des terres arables dans les prairies. Plus de trois millions d'acres furent donnés à d'autres compagnies privées, qui n'en firent rien. Galt suggéra au premier ministre d'ordonner à ces firmes privées de vendre les terres à des « colons sérieux » ou de « les abandonner ». Au bout du compte, après n'avoir attiré qu'environ mille fermiers, les compagnies redonnèrent les terres à l'Etat.

Enfin, en 1883, un fonctionnaire parcourut une grande partie de l'ouest du Canada avec des représentants des nouveaux immigrants de Winnipeg, à la recherche d'un endroit pouvant convenir au premier établissement juif du Canada. Un emplacement situé près de Moosomin, en Saskatchewan, à quelque 220 milles à l'ouest de Winnipeg, fut choisi. On ne sait pas avec certitude pourquoi on fit ce choix alors que d'autres auraient été plus avantageux. Mais les 27 familles juives qui quittèrent Winnipeg au début de mai 1884 pour se lancer dans l'agriculture avaient de grands espoirs. Leur optimisme se reflète dans le nom qu'elles ont donné à leur établissement : New Jerusalem (Nouvelle-Jérusalem). Mais ce n'était en rien un pays où coulent le lait et le miel.

Chaque famille avait reçu de l'Etat 160 acres. Le Mansion House Committee leur avait donné 400 $. C'était loin d'être suffisant. Les terres étaient presque totalement improductives, et les quelques cultures qu'on parvenait à faire pousser étaient détruites par la grêle, le gel et la sécheresse. Les colons n'avaient pour la plupart aucune expérience de l'agriculture, et aucun n'avait jamais connu les températures glaciales et les blizzards paralysants de l'hiver des prairies. Et pourtant ils persévérèrent. Les cultures échouaient l'une après l'autre, mais ils continuaient à semer. Ils construisirent même une synagogue et une école, qui devinrent cependant inutiles lorsque le « rabbin » de la colonie, qui s'était nommé lui-même à ce poste, se fit amputer les pieds à cause de gelures et partit pour des cieux plus cléments. Ce n'est qu'en 1889, après la destruction de la récolte par le feu – les colons y ont vu un incendie criminel – que la colonie fut abandonnée. Un groupe, triste mais assagi, de Juifs retourna à Winnipeg.

L'échec de Moosomin a pu renforcer les préjugés de certains, qui croyaient que les Juifs ne pouvaient cultiver la terre – Galt traita les colons de « vagabonds » qui, à la première alerte, « sont retournés à leur métier naturel de colporteurs », mais, en réalité, beaucoup d'autres colonies agricoles s'effondrèrent à la même époque. Manquant d'expérience, de compétence, de soutien financier et, surtout, privés de la collaboration de Dame Nature, les colons de tout l'ouest du Canada avaient peu d'espoir de réussite à cette époque. Les prairies commençaient à être parsemées de villes fantômes et de fermes abandonnées.

Mais les colons juifs ne renoncèrent pas facilement. En 1888, à 50 milles au nord de Moosomin, une nouvelle colonie juive, Wapella, fut établie. Elle était la création d'un influent financier juif anglais, Herman Landau, qui était convaincu que le Canada, « où le climat était semblable à celui de leur pays, et où la tolérance religieuse était devenue la religion du pays », était la réponse à la situation difficile des Juifs de Russie. Landau envoya ainsi à Wapella, sous la conduite de John Heppner, un groupe de onze Juifs ayant une expérience de l'agriculture. Les colons de la région protestèrent –

la section régionale du parti conservateur se plaignit au gouvernement de ce que les Juifs étaient « une classe de citoyens des plus indésirables » –, mais un inspecteur des fermes rapporta que les Juifs de Landau étaient « travailleurs et durs à l'ouvrage » et que leur présence serait « bénéfique au pays ». En fait, la plupart de ceux qui étaient arrivés avec Heppner partirent bientôt, mais ils furent remplacés par d'autres Juifs, tout particulièrement Abraham Klenman et son gendre, Solomon Barish, qui étaient tous deux agriculteurs dans leur pays. Parmi les nouveaux arrivants figurait également Ekiel Bronfman, dont la famille ferait sa marque tant dans la communauté juive que dans le monde des affaires du pays.

Pour les Juifs canadiens, Wapella constitua une percée. Sa réussite démontra aux nombreux sceptiques que, si le sort ne s'acharnait pas contre eux, les Juifs pouvaient fort bien se débrouiller sur une terre. Pendant des années, Wapella fut une prospère communauté juive. Celle-ci avait sa propre congrégation, et un rabbin légitime en Edel Brotman, colon arrivé en 1889. Elle est la colonie agricole juive du Canada qui survécut le plus longtemps – le fils de Klenman y vécut jusqu'aux années 1960 –, et d'autres agriculteurs juifs y firent leur apprentissage.

Au début des années 1890, la persécution des Juifs de Russie s'était aggravée. Comme ils perdaient rapidement tous leurs droits, et que leurs demeures, leurs magasins, leurs fermes et leurs emplois leur étaient enlevés, que leurs écoles et leurs synagogues étaient détruites, des milliers d'entre eux fuirent la Russie à la recherche d'un refuge. Des milliers d'autres Juifs opprimés de Roumanie, de Galicie, de Pologne et d'autres États d'Europe orientale se joignirent à eux. Le Canada n'était pas leur premier choix; beaucoup d'entre eux n'en connaissaient même pas l'existence. Mais ils n'étaient pas maîtres de leur destin. En route vers l'ouest, ils furent entraînés d'un comité d'immigration à l'autre, chacun essayant de les envoyer plus à l'ouest.

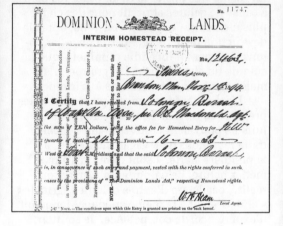

En haut: lutte à la corde, ferme Barish, Wapella, 1912.

En bas à gauche: M. et Mme Solomon Barish dans leur maison à Wapella.

En bas à droite: Reçu pour la terre de Solomon Barish, Wapella, 1894.

De Vienne à Varsovie, à Hambourg et à Londres, puis à New York ou à Montréal, et enfin jusqu'à une localité de l'ouest où on les accepterait, ou jusqu'à des terres inoccupées.

La plupart souhaitaient bien sûr aller aux Etats-Unis, pays qui était pour eux synonyme de liberté, d'opulence et, surtout, de sécurité. Ceux qui aboutissaient sans l'avoir voulu à Halifax, à Québec ou à Montréal étaient confondus. D'une façon ou d'une autre, ils avaient été trompés. Les organisations de secours juives du Canada se plaignirent à leurs équivalents en Europe que « des agents sans scrupule de compagnies navigation [... disent] à l'émigrant qui souhaite aller à Chicago [...] que le bateau va le débarquer à Montréal et que le tarif pour aller de Montréal à Chicago n'est que de 60 ¢ ». Beaucoup de ces immigrants ne restèrent que le temps de trouver le moyen de franchir la frontière. Mais d'autres commencèrent une nouvelle vie au Canada; souvent ils n'avaient pas le choix. En 1891, les Etats-Unis avaient limité l'immigration de façon rigoureuse, et bon nombre des Juifs qui

étaient refoulés dans les ports américains se
retrouvaient au Canada.

La situation des Juifs de Russie se
détériorant, Herman Landau se remit à
la tâche. Il persuada le baron Maurice de
Hirsch, l'éminent financier et philanthrope,
de financer l'établissement de réfugiés
juifs dans le Nouveau Monde. En 1891,
de Hirsch fonda la Jewish Colonization
Association (JCA) pour favoriser l'établissement de Juifs russes dans des colonies
agricoles d'Amérique du Nord et du Sud.
Le baron s'intéressait surtout à l'Argentine,
mais il accepta la proposition de Landau
de financer également de grands établissements au Canada.

L'appui du baron de Hirsch fut une
bénédiction pour la communauté juive de
Montréal. Celle-ci devait assumer presque
seule les frais de logement, d'alimentation
et d'établissement des milliers d'immigrants
juifs qui arrivaient au Canada. La Young
Men's Hebrew Benevolent Society (YMHBS)
avait été fondée en 1863 par un groupe de
jeunes hommes juifs célibataires afin d'aider
leurs « coreligionnaires nécessiteux ou frap-
pés par le malheur [...] et de soulager les
aînés des familles de la tâche onéreuse de
subvenir aux besoins des pauvres ». Les
pressions de l'immigration s'accentuant, les
hommes mariés purent cependant devenir
membres, et une section d'auxiliaires féminines fut formée en 1877. Mais la société
était constamment à court d'argent. L'arrivée de petits nombres de Juifs indigents
dans les années 1870 greva même à ce point
ses ressources que la société supplia des
organisations juives de Londres de cesser
d'envoyer des Juifs d'Europe orientale. Le
rabbin de Sola intercéda personnellement
auprès de responsables d'associations carita-
tives juives de Londres pour qu'on cesse de
faire venir des immigrants juifs pauvres au
Canada.

Tout changea, cependant, à la suite
du déclenchement des pogroms en Russie.
La communauté juive de Montréal réalisa
qu'il lui faudrait accepter tous les Juifs qui
seraient envoyés au Canada. La YMHBS
créa un fonds non confessionnel de secours

En haut à gauche: Le baron Maurice de Hirsch.

En haut à droite: La baronne Clara de Hirsch.

En bas: Le Baron de Hirsch Institute, Montréal.

(Jewish Relief Fund) et recueillit rapidement plus de 5000 $. Toutes les organisa-
tions juives de Montréal (dont la toute
nouvelle Anglo-Jewish Association) s'unirent pour former la Jewish Emigration Aid
Society sous la direction de la YMHBS.
Cette nouvelle société fut également sub-
mergée par l'afflux de tant de réfugiés. En
dépit de tous ses efforts, la JEAS ne disposait tout simplement pas des ressources
suffisantes pour nourrir, abriter et vêtir
tous les nouveaux immigrants, et pour veiller à leur réadaptation et s'occuper d'eux.
Cette organisation n'en eut pas moins une
grande importance pour les Juifs canadiens —
elle fut la première de nombreuses organisations coordonnant toutes les activités juives
en temps de crise.

פאר די וועלכע דענקען
צו בעזעצען זיך
אויף לאנד
אין קאנאדא

וויכטיגע פראגען

J. C. A.

J. C. A.

אראפגענומען
פון דעם
קאנאדישען קאמיטעט
J. C. A. "י. ק. א."

JEWISH COLONIZATION ASSOCIATION
114 BON ACCORD BLOCK
WINNIPEG, CANADA.

THE ISRAELITE PUB. & PRTG. CO. 216 DUFFERIN AVE.

En haut: Brochure publiée dans les années 1910 par la Jewish Colonization Association: "Questions importantes et réponses justes à l'intention de ceux qui souhaitent s'établir sur des terres au Canada."

En bas: Poteau indicateur de la colonie Hirsch.

Les leaders juifs de Montréal étaient on ne peut plus conscients que de concentrer tous les réfugiés à Montréal créerait de graves problèmes à la communauté juive de cette ville. Ils ne voulaient pas d'un ghetto à Montréal et craignaient une poussée d'antisémitisme dans la population. Leur but était de fournir un refuge temporaire aux nou-

veaux immigrants pour qu'ils aient le temps de surmonter les horreurs des pogroms, le voyage en mer et le traumatisme de l'arrivée, seuls et sans abri, dans une société tout à fait étrangère. Une fois remis sur pied, ils seraient envoyés dans l'ouest. Le fait que certains de ces immigrants ne voulaient pas abandonner le confort relatif de Montréal pour les rigueurs des grands espaces canadiens causa des conflits avec leurs bienfaiteurs canadiens.

Néanmoins, les leaders juifs de Montréal persévérèrent. En 1882, ils déléguèrent un homme d'affaires respecté, Lazarus Cohen, pour rencontrer le ministre fédéral de l'agriculture, John Henry Pope, afin d'obtenir son appui à un programme d'établissement de réfugiés juifs dans le nord-ouest. Pope ne s'engagea à rien. Au cours des dix années suivantes, il y eut une série de rencontres entre des responsables gouvernementaux et des représentants de la communauté juive. Enfin, en 1892, la situation en Russie s'étant aggravée, une importante délégation de leaders de la YMHBS rencontra le premier ministre John Abbott — qui occupa ce poste pendant une brève période après le décès de John A. Macdonald. Ils lui présentèrent une requête en vue de la création d'une colonie de quelque dix mille Juifs dans les prairies canadiennes. Abbott fut apparemment séduit par l'idée, promettant même des « concessions spéciales », mais, comme tant d'autres propositions, celle-ci demeura lettre morte — tout au moins jusqu'à ce que les activistes juifs de Montréal décident de faire appel au baron de Hirsch.

Le baron était évidemment au fait des problèmes du Canada. Déjà, en réponse à une supplication de la YMHBS, qui était acculée à la faillite, il avait envoyé 20 000 $ pour créer une école juive et un asile. Pour le baron, cette somme était dérisoire — on estime que pendant sa vie Hirsch donna plus cent millions de dollars à des oeuvres —, mais pour les Juifs de Montréal c'était une bénédiction. Malheureusement, la construction d'abris pour les immigrants juifs ne constituait pas une solution au problème de la communauté montréalaise. En septembre 1891, ils supplièrent de nouveau le baron de soutenir financièrement les établissements juifs du nord-ouest canadien, et envoyèrent une petite délégation le rencontrer.

Leurs arguments portèrent. En 1892, la Jewish Colonization Association du baron donna 35 000 $ à la YMHBS pour établir une colonie agricole dans l'ouest du Canada. La société engagea immédiatement deux experts non juifs pour choisir dans l'ouest un secteur approprié. Ils préféraient les terres entourant Regina et Prince Albert, mais en fin de compte ils choisirent une région du sud-est de la Saskatchewan, près d'Oxbow, où des colons juifs conduits par Asher et Jacob Pierce s'étaient déjà installés pour cultiver la terre et fonder des magasins pour desservir une nouvelle ligne secondaire du CP. Les experts étaient d'avis qu'il serait « plus profitable » d'être proche d'une localité juive existante ainsi que du chemin de fer. C'est ainsi qu'en mai 1892 la nouvelle colonie de Hirsch fut officiellement fondée.

Les quatre premières années de la colonie furent exceptionnellement difficiles. Une cinquantaine de familles d'immigrants arrivèrent de Montréal et Winnipeg pour cultiver la terre. La plupart n'avaient aucune expérience de l'agriculture, pas plus d'ailleurs que ceux que la JCA avait nommés pour administrer la colonie. En 1895, après une série d'échecs et de désastres naturels, une grande partie des colons abandonnèrent leurs demeures pour tenter leur chance ailleurs.

Ils avaient peut-être désespéré trop vite. En un an, la situation fut renversée. Plusieurs récoltes abondantes, la hausse des prix des produits agricoles et le retour d'un temps clément rendirent la colonie attrayante pour les nouveaux immigrants. En 1899, un certain nombre de nouveaux colons arrivèrent, et avec eux, via la Colombie-Britannique, un Juif anglais, Sim Alfred Goldston, venu créer la première école juive de l'ouest du Canada, où seraient dispensés une éducation normale et un enseignement religieux. À l'aube du nouveau siècle, Hirsch était une florissante colonie – elle avait encore cinquante ans devant elle – dotée d'une synagogue, de deux écoles judaïques, et bien sûr d'un cimetière, le premier cimetière juif de Saskatchewan.

Malgré leurs réalisations, les relations entre les colons de Hirsch et la JCA n'étaient en rien faciles. Non sans raison, les colons affirmaient que les affaires de la colonie ne pouvaient être administrées depuis Montréal, comme l'exigeaient les responsables de la JCA. Les décisions touchant la colonie, prétendaient-ils, ne pouvaient être prises à Montréal par des gens qui n'avaient aucune idée des conditions de vie dans l'ouest du Canada. En outre, les fonds promis par cette dernière se faisaient rares. En dépit des tentatives de médiation de quelques Juifs influents, les relations entre la JCA et ses divers établissements demeureraient tendues.

Au début du siècle, l'afflux de Juifs de Russie était devenu une véritable marée. Et des milliers d'autres s'y ajoutaient. Des Juifs lituaniens, galiciens et polonais débarquaient en nombre croissant dans les ports canadiens. À la même époque, des Juifs roumains quittaient en masse leur pays, la pression exercée sur la communauté se faisant plus forte. De nouvelles restrictions empêchaient les Juifs de détenir des emplois, d'étudier et même de posséder la terre.

Pour faire connaître leurs tribulations – et pour en fuir les conséquences –, un grand nombre de Juifs de Roumanie se mit en 1899 à traverser l'Europe à pied en direction des ports de l'Atlantique. Ces *fussgeyers*, c'est-à-dire ces voyageurs à pied, devinrent une cause célèbre, pays après pays les obligeant à poursuivre leur route ailleurs. L'arrivée en Angleterre de milliers de Juifs roumains poussa les leaders juifs de ce pays à demander instamment à la JCA de les aider à s'établir outre-mer. Et comme les États-Unis avaient adopté une réglementation plus restrictive sur l'immigration, le Canada semblait bien être leur dernier espoir.

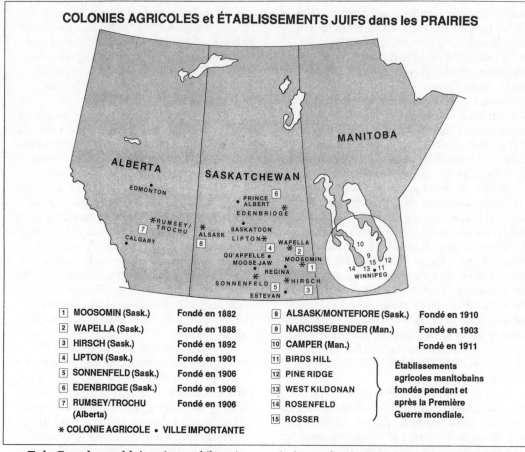

COLONIES AGRICOLES et ÉTABLISSEMENTS JUIFS dans les PRAIRIES

1	MOOSOMIN (Sask.)	Fondé en 1882	8	ALSASK/MONTEFIORE (Sask.)	Fondé en 1910
2	WAPELLA (Sask.)	Fondé en 1888	9	NARCISSE/BENDER (Man.)	Fondé en 1903
3	HIRSCH (Sask.)	Fondé en 1892	10	CAMPER (Man.)	Fondé en 1911
4	LIPTON (Sask.)	Fondé en 1901	11	BIRDS HILL	
5	SONNENFELD (Sask.)	Fondé en 1906	12	PINE RIDGE	Établissements
6	EDENBRIDGE (Sask.)	Fondé en 1906	13	WEST KILDONAN	agricoles manitobains
7	RUMSEY/TROCHU (Alberta)	Fondé en 1906	14	ROSENFELD	fondés pendant et après la Première
			15	ROSSER	Guerre mondiale.

* COLONIE AGRICOLE • VILLE IMPORTANTE

Et le Canada semblait prêt, au début, à les accueillir. Un nouveau gouvernement, formé en 1896, par Wilfrid Laurier, avait adopté une dynamique politique de l'immigration. Le ministre de l'Intérieur, Clifford Sifton, était déterminé à peupler l'ouest et à attirer le plus possible de paysans européens – pourvu qu'ils ne soient pas juifs. Il dit au premier ministre : « L'expérience démontre [... que] les Juifs ne deviennent pas agriculteurs. » Mais Laurier, dans une rencontre privée à Londres, avait assuré Herman Landau que le Canada accueillerait volontiers des colons juifs.

Aux yeux de nombreux leaders juifs européens, le Canada et ses vastes plaines inoccupées semblait la panacée du « problème juif » de l'Europe. Où les Juifs sans abri et misérables d'Europe orientale pourraient-ils trouver pareil cadre? Le climat était proche du leur, la terre paraissait productive, les possibilités semblaient infinies et, surtout, le gouvernement canadien paraissait prêt à les accueillir. Le Canada souhaitait ardemment des immigrants; les Juifs d'Europe orientale étaient impatients d'immigrer. Que demander de mieux?

C'était du moins ce que se disaient d'éminents financiers juifs d'Europe qui cherchaient désespérément un refuge pour les centaines de milliers de Juifs qui quittaient en masse la Russie, la Roumanie, la Galicie et la Pologne. Beaucoup d'entre eux n'étaient pas simplement victimes de pogroms, mais fuyaient aussi la pauvreté et la faim. Et, les États-Unis fermant leurs portes, le Canada demeurait le seul espoir d'une vie où ne règnent pas la faim, la crainte et l'oppression. C'est ainsi que, conduits par Israel Zangwill, un éminent leader juif, des financiers juifs de Grande-Bretagne, de France et d'Allemagne créèrent l'Organisation territoriale juive. Au début du siècle, ils offrirent au gouvernement canadien d'acheter de vastes étendues de terres dans l'ouest du Canada et d'y établir le plus grand nombre possible de Juifs d'Europe orientale. L'Organisation assumerait tous les frais de transport et d'établissement, et financerait la construction d'un chemin de fer menant aux colonies, ainsi que d'écoles, de routes et de fermes.

C'était un projet de plusieurs millions de dollars – une première au Canada. On faisait ainsi entrevoir au gouvernement la possibilité de peupler une grande partie des prairies, et à peu de frais. C'était une proposition intrigante, mais qui comportait un problème : tous les éventuels immigrants seraient juifs. Aucun fonctionnaire n'était évidemment prêt à recommander l'approbation de ce plan. Mais comment dire non sans offenser les banquiers juifs, dont on voulait conserver les bonnes grâces? En fin de compte, on ne dit pas non; on ne dit rien. On laissa simplement les négociations avec l'Organisation traîner en longueur, et au bout de quelques années, le projet fut abandonné, victime de la lassitude et de l'hostilité d'Ottawa.

Dans l'intervalle, des responsables de l'immigration – tout particulièrment Sifton –, consternés par l'offre généreuse du premier ministre à Herman Landau, ordonnèrent qu'elle soit annulée. Mais auparavant, le chef du bureau de l'immigration de Londres, W.R.T. Preston, avait dit aux autorités de la JCA que le Canada accepterait volontiers « des immigrants robustes et en bonne santé physique et morale [... à condition qu'ils ne] s'infiltrent pas dans les villes pour grossir la population déjà excessive des villes canadiennes ». C'était là précisément le sentiment de la YMHBS, qui supplia les responsables de la JCA de ne pas envoyer d'autres immigrants roumains à Montréal – en 1899 et 1900, il en était arrivé plus de quatre mille –, mais de les envoyer dans l'ouest du Canada.

Agriculteurs de Lipton (Saskatchewan), v. 1890.

Profitant de l'invitation de Laurier et de Preston, la JCA accepta d'assumer intégralement les frais de transport et d'établissement de quatre cents réfugiés roumains. En retour, le gouvernement canadien acceptait de fournir les terres, mais il insistait pour choisir l'emplacement aussi bien que les immigrants. Et, au moins dans le premier cas, il n'aurait pu agir de façon plus irresponsable. La personne désignée pour déterminer l'emplacement de la colonie était un certain D.H. Macdonald, homme d'affaires de Fort Qu'Appelle, en Saskatchewan. Par malhonnêteté ou incompétence – ou peut-être les deux –, il choisit ce qui était peut-être le pire endroit possible, un secteur de la vallée de la rivière Qu'Appelle, à 45 milles au nord-est de Regina, à 25 milles de la voie ferrée la plus rapprochée, une zone réputée pour la pauvreté de ses sols et ses gelées hâtives.

En dépit des fonds généreux fournis par la JCA, les responsables de l'endroit ne construisirent aucun abri pour les nouveaux immigrants et ne leur fournirent ni semences, ni outils, ni équipement. En fait, les colons durent être pris en charge par des Indiens d'une réserve située non loin de là et apprendre d'eux à construire des maisons et à labourer la terre. La colonie juive de Lipton aurait autrement été mort-née.

En haut à gauche: Enfants dansant sur le terrain de l'école Tiferes Israel, à Lipton, 1916.

En haut à droite: Intérieur de l'école Tiferes Israel, 1915.

En bas : École et synagogue Tiferes Israel, 1915.

Et au début, beaucoup l'auraient souhaité. La terre était impropre à la culture du blé, les superviseurs et les inspecteurs des terres ne pouvaient converser avec les immigrants, qui ne parlaient pas anglais, et ils étaient, ainsi que la population environnante, antisémites et ne voulaient avoir aucun lien avec le nouvel établissement.

Mais au cours des années suivantes, plus de la moitié d'entre eux avaient quitté, remplacés par d'autres Juifs de Roumanie et de Russie. Et lorsque la JCA réalisa à quel point les personnes nommées par le gouvernement faisaient tort à la colonie, ils rompirent les relations, nommèrent un nouvel administrateur et réorganisèrent la colonie pour en accroître la productivité.

En 1904, il y avait au moins 375 colons juifs et plus de 19 500 acres étaient cultivés. Au cours des années suivantes, on édifia une synagogue, on engagea des enseignants, on consacra un cimetière et on construisit trois écoles publiques, Herzl, Yeshurun et Tiferes Israel, cette dernière étant connue de ses nombreux élèves non juifs sous le nom de Typhus Israel.

Lipton fut le dernier établissement juif fondé au Canada par la JCA. Étant donné la naissance difficile et les terribles douleurs de croissance de Hirsch et Lipton, la JCA jugea préférable d'appuyer des fermiers individuels plutôt que des établissements entiers. Et d'ailleurs, la plupart des colons juifs acquirent leurs propres terres, sans l'aide de la JCA, tout comme les autres immigrants. Toutes les fois que des responsables fédéraux offraient de nouvelles terres aux agriculteurs, des groupes de jeunes Juifs posaient leur candidature et créaient leurs propres communautés. Le meilleur exemple de ce type d'établissement est peut-être celui de Sonnenfeld. En 1905, un groupe de jeunes Juifs, diplômés d'une école d'agriculture de la JCA en Galicie, arrive dans l'ouest du Canada. La plupart s'installent à Hirsch. Au bout d'un an, cependant, trois d'entre eux, Israel Hoffer, Philip Berger et Majer Feldman, sollicitent des terres dans une région située à 50 milles à l'ouest d'Estevan. Tout d'abord, ils nomment la colonie New Herman, vraisemblablement en souvenir

Colons juifs arrivant à la colonie de Sonnenfeld, 1928.

d'un ancien colon dont les jambes avaient été amputées à la suite d'un accident, mais ils choisissent ensuite de la baptiser en l'honneur du directeur de la JCA, Sigismund Sonnenfeld.

Il est difficile d'imaginer un emplacement plus rébarbatif pour y implanter un établissement agricole. Il n'y avait pas de routes et la halte de chemin de fer la plus rapprochée se trouvait à Estevan. La terre était rocheuse, il y avait peu d'eau potable et le climat était brutal. Et pourtant, en 1909, c'était une florissante communauté de quelque 55 Juifs exploitant 25 fermes. Sonnenfeld, qui ne compta jamais plus de 150 personnes, avait pourtant sa synagogue, deux écoles publiques et même un établissement de crédit, la Jewish Farmer's Co-operative Credit Union.

La première décennie de ce siècle vit naître quelques autres établissements juifs. En 1903, juste au nord de Winnipeg, un groupe d'immigrants russes fonda une nouvelle colonie, Bender Hamlet, ainsi nommée en l'honneur de son premier colon, un spéculateur foncier de Winnipeg, Jacob Bender. Ce fut là la seule tentative de créer au Canada un établissement juif sur le modèle des villages d'Europe orientale. Chaque colon recevait 160 acres de terre, mais vivait au village, à environ cinq milles de là. Comme la terre était très marécageuse et rocheuse, l'agriculture était extrêmement difficile. Et pourtant, la colonie compta jusqu'à 40 familles, qui ne réussirent pas trop mal, surtout après l'arrivée du chemin de fer en 1914. D'autres établissements juifs furent fondés à Camper – connu aussi sous le nom de New Hirsch –, au Manitoba, à Rumsey-Trochu, en Alberta, et à Alsask-Montefiore, en Saskatchewan.

Celui qui est peut-être le plus bizarre de ces établissements juifs fut fondé en 1906. Un groupe composé d'une vingtaine de Juifs lituaniens immigrés en Afrique du Sud fut attiré par l'offre du gouvernement canadien de donner à chaque immigrant s'installant dans les prairies 160 acres de terre. Sans le soutien d'une organisation juive, certainement sans l'appui de la JCA, le groupe se rendit dans le nord de la Saskatchewan, où ses membres construisirent leurs maisons sur les rives de la rivière Carrot.

Sholom Friedel Levitt, colonie de Narcisse, 1920.

Les Lituaniens, dont faisaient partie les frères Vickar, Sam, David et Louis, furent bientôt rejoints par un groupe déterminé d'immigrants, réfugiés des ateliers de Londres où ils étaient exploités, qui arrivèrent débordant d'idées radicales. Ces colons, parmi lesquels figuraient Mike et Dave Usiskin, Alex Springman et d'autres, avaient été attirés par une annonce publiée par les colons de la rivière Carrot dans la presse juive de Londres. Pour eux, le travail de la terre avec leurs propres mains était une expérience libératrice. Plutôt laïcs que religieux, ils étaient des socialistes et des « yiddishistes » passionnés, qui tenaient à donner un nom juif à la colonie. Ils suggérèrent Jew Town, puis Israel Villa. Mais ces deux noms furent rejetés par les autorités fédérales, qui leur trouvaient une couleur trop ethnique. Finalement, lorsque les imaginatifs colons proposèrent l'euphonique Edenbridge, apparemment dépourvu de signification, les autorités acceptèrent sur-le-champ. Mais les fermiers juifs eurent le dernier mot. Les responsables gouvernementaux ne savaient pas qu'Edenbridge

n'était qu'une transformation de « Yidden Bridge », ou « Pont des Juifs », rappelant l'étroit pont d'acier qui franchissait la rivière Carrot au milieu de l'établissement.

La végétation était si dense autour d'Edenbridge qu'on dit qu'un des premiers colons s'est même perdu sur ses propres terres. Et pourtant c'était aussi un établissement actif et relativement prospère. Il a attiré un groupe inusité de colons – des gens prêts à travailler tout le jour, et à discuter et étudier toute la nuit. Avec sa société théâtrale, sa grande bibliothèque, son club d'idées, son centre communautaire, il est devenu, au dire d'un des historiens de la communauté, « un microcosme, une communauté juive intégrale comme on n'en trouve que dans les grands centres ».

Il n'était pas inhabituel qu'on y reçoive un rabbin un soir, et le lendemain un homme de gauche bien en vue. Edenbridge, qui, à son apogée, ne compta jamais plus de cent familles, n'en produisit pas moins des maires, des magistrats, un député, des juges de paix, et un nombre impressionnant d'auteurs, de marchands et d'enseignants.

Pique-nique à la colonie d'Edenbridge.

L'agriculture n'était évidemment pas la seule occupation des Juifs à l'ouest de Winnipeg. Ce n'était peut-être même pas la principale. Bon nombre des immigrants juifs venus dans la région étaient colporteurs. Ce travail exigeait énormément d'énergie et de temps, mais peu d'argent et d'expérience. Tout au long des années 1880 et 1890, on trouvait des Juifs, sac au dos, sur tous les chemins et dans toutes les localités agricoles de l'ouest. Comme ils parlaient plusieurs langues, ils n'avaient aucune difficulté à communiquer avec les colons, dont la plupart étaient aussi des nouveaux venus d'Europe orientale. Même pour ceux qui avaient un cheval et une voiture, le travail était exténuant et peu rémunérateur. Les agriculteurs, qui étaient endettés, ne disposaient tout simplement pas de l'argent nécessaire pour payer les marchandises. Le troc était souvent le seul moyen d'échange possible.

La plupart des historiens s'entendent pour dire que les villes et villages des prairies canadiennes, très dispersés, avaient

désespérément besoin des services de l'omniprésent colporteur, mais celui-ci n'en était pas moins un paria. Un survol des journaux des petites villes de cette période nous permet d'y lire les plus violents propos antisémites sur la moralité et l'honnêteté douteuses du colporteur. Un journal pressait ses lecteurs de « recevoir les colporteurs froidement [... parce qu'ils] n'ont pas de réputation à maintenir [... et sont] plutôt susceptibles de vous dépouiller ». Même le *Manitoba Free Press*, généralement plus ouvert, se plaignait de ce que « les Canadiens n'avaient jamais entendu parler de colportage avant l'arrivée des Juifs ». Un député de Winnipeg à la Chambre des Communes, Joseph Martin, fustigea à diverses reprises en Chambre les « colporteurs juifs » et leurs ravages.

Dès qu'ils avaient amassé assez d'argent, beaucoup de colporteurs ouvraient un magasin général. Comme le colporteur, le marchand de campagne juif devint une institution, beaucoup plus acceptée celle-là. Arthur Chiel, chroniqueur de la communau-

té juive manitobaine, disait justement :
« Ces marchands de campagne étaient beaucoup plus que des marchands. Ils faisaient
office d'interprètes, de conseillers, ils
étaient des amis écoutés, et leurs magasins
étaient des lieux de rencontre sans préten-
tion – des institutions d'amitié. » Rares
étaient les villes, les villages, les hameaux
ou même les carrefours stratégiques ou les
haltes de chemin de fer où il n'y eût pas
un marchand juif. Et celui-ci offrait tout ce
dont le colon avait besoin, des semences
aux outils de jardinage, des médicaments
au mazout. En retour, il acceptait tous les
produits végétaux, animaux ou laitiers que
l'agriculteur lui donnait en échange. Le
magasin de campagne juif servait de centre
d'échange non seulement des marchandises,
mais également des potins et de l'information. Comme la plupart des marchands
envoyaient leurs enfants étudier dans les
villes les plus proches – où ils pouvaient
aussi conserver leur judéité – et que ces
enfants revenaient rarement reprendre les
affaires de leur père, le magasin de campagne juif était un phénomène d'une seule
génération. Ce qui ne lui enlève rien de
son importance dans le développement de
l'ouest du Canada.

Ceux qui s'établirent dans l'ouest de
1880 à 1914 étaient des hommes et des
femmes vraiment remarquables. Bon nombre des colons juifs étaient poussés par le
mouvement de retour à la terre qu'avaient
connu les communautés juives d'Europe
dans les années 1870 et 1880. Comme ils
n'avaient pas le droit de cultiver la terre
dans leur patrie d'origine, ils voulurent
vivre pleinement leur émancipation de la
sorte dans leur nouveau pays. Certains le
firent en Palestine, réalisant leur rêve sioniste; la plupart le firent en Amérique du
Nord. Au Canada, ces colons juifs furent
parmi les premiers à créer des centres
agricoles, bien avant les Ukrainiens, les
Polonais, les doukhobors, les Russes et
d'autres, et précédés seulement de Britanniques, de mennonites et d'Islandais.

Pour la plupart des colons, la vie d'agriculteur s'avéra bien sûr impossible. Année

Leonoff Boot and Shoe, Winnipeg, v. 1920.

après année, les agriculteurs optimistes
voyaient leurs espoirs détruits par des
chaleurs étouffantes, des averses de grêle
dévastatrices, des nuées de sauterelles ou,
le plus souvent, la sécheresse. Le travail –
et les profits – de toute une année pouvaient
être anéantis en un instant par un orage.
L'exténuant labeur du défrichage, de l'enlè-
vement des pierres et des souches et du
drainage des marécages tout en supportant
des multitudes d'insectes assoiffés de sang;
les jours passés à faire l'aller et retour à pied
jusqu'à la gare la plus proche, ou à la ville
pour s'approvisionner, les milles à parcourir
jusqu'aux hôpitaux; autant de raisons suffisantes pour partir.

Et pourtant beaucoup sont restés et ont
prospéré. Comme dans les centres urbains,
il y avait des thés de charité organisés par
les femmes, des conférences sur divers
sujets judaïques données par des experts
de l'extérieur, et, à certains endroits, une
troupe de théâtre yiddish. Ils ont appris à
construire maisons et granges avec du plâtre
fait à partir de fumier, de paille et d'eau
mélangés avec les pieds. Ils ont confection-
né leurs propres chandelles et leur savon;
ils ont fait des chaussures avec de la peau
de vache tannée, et des vêtements avec des
sacs de farine.

Et la plus grande partie de ce travail
incombait aux femmes, qui devaient en
outre élever et nourrir les enfants, travailler
aux champs, nourrir et soigner les bestiaux,
apporter le bois et l'eau et garder la famille

unie. Souvent, quand l'homme était absent de la ferme pendant des jours ou des semaines, sa femme et ses filles devaient accomplir ses tâches en plus des leurs. C'est à elles, autant qu'à leur mari ou à leur père, que revient le mérite des réussites.

Ces Juifs intrépides qui se sont aventurés dans l'intérieur du Canada aux alentours de 1900 étaient un groupe unique. Certains étaient allés dans l'ouest parce qu'ils n'avaient pas le choix; d'autres y avaient été poussés par un rêve, par une mission de colonisation. Bien entendu, beaucoup échouèrent, mais leur courage, leur dévouement et leur esprit de sacrifice furent une inspiration pour la génération suivante.

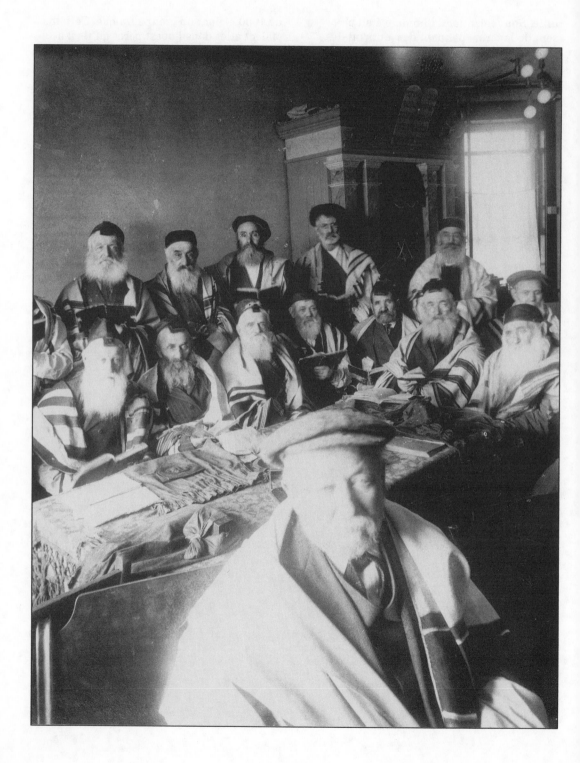

CHAPITRE 6

La création d'une communauté

1880 - 1914

À mesure que le nombre de Juifs au pays augmentait, l'opposition à leur présence s'accroissait. Pour les Juifs du Canada, aucune période ne fut plus dramatique que les trente-quatre années allant de 1880 à 1914. En 1880, il n'existait que quelques communautés juives établies dans quelques rares endroits du Canada; en 1914, il y en avait dans les grandes villes, les petites villes et les villages, d'un océan à l'autre. Si en 1880 on ne dénombrait qu'une demi-douzaine de synagogues, il y en avait plus de cent en 1914. Mais, et c'est le plus important, le visage de la communauté juive avait changé. En 1914, ce n'était plus la communauté anglicisée, bien nantie et intégrée de 30 ans auparavant. La majorité des Juifs canadiens étaient alors des immigrants de langue yiddish, orthodoxes et démunis.

Par ailleurs, au début de cette période, les Juifs n'intéressaient et ne préoccupaient guère les Canadiens. En fait, leur religion mise à part, les Juifs ne se différenciaient pas des autres. Ils jouissaient d'une assez grande liberté. Ils pouvaient vivre où bon leur semblait, se porter candidats à n'importe quelle fonction politique et postuler n'importe quel emploi. Les origines juives de Henry Nathan ne furent jamais mentionnées pendant la campagne à l'issue de laquelle il fut élu député au Parlement de Victoria en 1871. La foi de Newman Leopold Steiner ne l'empêcha pas non plus de remplir cinq mandats consécutifs de conseiller municipal à Toronto entre 1880 et 1885. Au Manitoba, le docteur Hiram Vineberg fut nommé au Board of Health de Brandon en 1882, quelques années seulement après son arrivée au Canada, tandis qu'au Québec Jules Heilbronner, un Juif alsacien, devenait rédacteur en chef d'un journal de langue française, *La Presse*, ce qui n'est arrivé à aucun Juif depuis.

Et être juif n'a certainement pas empêché une multitude de marchands et d'hommes d'affaires de se faire un nom. Jesse Joseph fut nommé président de la Montréal Gaz Company en 1887. À peu près à la même époque, Sigismund Mohr, un Juif d'origine allemande qui fut un des pionniers de l'hydro-électricité au Canada, était à la tête de la Quebec Electric Company et de la City Telegraph Company. En fait, beaucoup considéraient que la présence des Juifs dans le domaine des affaires était un atout pour la société canadienne. Les journaux des années 1870 et 1880 publiaient souvent des articles louant les Juifs pour leur « ingéniosité » et leur « imagination en affaires ». « Si seulement davantage de nos citoyens étaient comme les Juifs, déplorait un journal de Montréal, nous serions une

À gauche: Office du matin dans la chapelle du Winnipeg Jewish Old Folks Home, v. 1920.

Goldwin Smith.

nation beaucoup plus travailleuse et progressiste. »

La presse canadienne pavoisa lorsque
le rabbin Abraham de Sola fut choisi pour
être le premier étranger à réciter la prière
lors de l'ouverture de la Chambre des
Représentants des Etats-Unis en 1872.
C'était peut-être un Juif, mais c'était avant
tout un Canadien, claironnait un journal de
Montréal. Les politiciens et les journalistes
canadiens accordaient en effet beaucoup
d'importance aux réalisations de la minuscule population juive du pays. Dans les
articles faisant l'éloge de la loyauté et du
courage d'un jeune Torontois, Lawrence
Miller, qui s'était porté volontaire pour aider à réprimer la révolte de Louis Riel en
1885, tous les journaux de Toronto mention-
nèrent ses antécédents « hébraïques ».

Mais sous la surface les tensions s'accu-
mulaient et des événements se liguaient, qui
donneraient naissance à une ignoble campagne antijuive. Cela n'a évidemment rien
de comparable à l'antisémitisme d'Europe
orientale; il n'y eut pas de pogroms, et

même pratiquement pas de véritable
violence. Et les Juifs ne furent pas le seul
groupe à être calomnié; on réservait bien
pire aux Chinois, aux Japonais et à d'autres
ethnies; les Canadiens réagissaient défavora-
blement à une politique d'immigration trop
libérale et s'inquiétaient de l'avenir de leur
pays.

Il y avait pourtant un nombre important
d'intellectuels et de responsables du gouvernement qui n'approuvaient pas l'immigration importante des Juifs au Canada, et
personne ne donna à l'antisémitisme au
Canada plus de respectabilité que le grand
intellectuel du Canada anglais, Goldwin
Smith. Élevé au sein d'une riche famille
britannique, Smith suivit le chemin de la
plupart des rejetons de la haute société
anglaise : études à Eton et Oxford, et carrière en politique, dans l'enseignement et
le journalisme. Auteur prolifique, Smith atteignit le sommet de sa profession lorsqu'il
fut choisi pour occuper la chaire d'histoire
moderne à Oxford.

Beaucoup s'en seraient contentés,
mais pas Smith. Insatisfait et malheureux,
Smith décida de couper tous les liens
avec le vieux monde et accepta en 1866
un poste à l'Université Cornell, dans le nord
de l'Etat de New York, où il fut le premier
professeur d'histoire de l'Angleterre. Cinq
ans plus tard, il se fixa à Toronto, épousa
une riche veuve appartenant à l'ancien
Family Compact et s'installa dans la maison
de celle-ci, *The Grange*, le célèbre manoir
qui fait maintenant partie de l'Art Gallery
of Ontario, musée qui s'élève sur un terrain
dont Smith a fait don à la ville.

Pendant les trente années qui suivirent,
Smith donna de nombreux cours, écrivit
beaucoup et fut bientôt reconnu comme le
chef de file des intellectuels de sa nouvelle
patrie. Il n'existait pratiquement pas d'activité didactique, sociale ou politique où
Smith n'avait pas un rôle à jouer ou son
mot à dire. Il fut le chef du nationaliste
Canada First Party, fut le premier président
du National Club et participa à la fondation
de plusieurs journaux importants. Smith
écrivit sur de nombreux sujets, mais il eut

une prédilection pour les Juifs. Ses livres, ses études, ses articles et sa correspondance sont truffés d'attaques contre eux. Les Juifs, écrivait Smith, sont une « race de parasites » dont la « religion tribale est basée sur l'exclusivité ». Ils sont « dangereux » pour tout pays qui leur ouvre ses portes, et « il faut les surveiller très étroitement ». Ils sont incapables de faire de bons citoyens, avertissait-il, parce qu'ils constituent un « groupe fermé [...] une tribu dispersée et néanmoins unie, ne faisant que séjourner partout, ne s'intégrant nulle part et formant une nation au sein de la nation ». Les deux « plus grands fléaux à avoir jamais frappé l'humanité », écrivait-il, étaient « le transport des nègres dans cet hémisphère et la dispersion des Juifs ».

À une époque où les cosaques se déchaînaient contre les Juifs de Russie, tuant, blessant et violant des milliers d'entre eux et forçant des centaines de milliers d'autres à fuir, Smith exhortait ses compatriotes à ne pas leur donner refuge. Aussi, lorsque Smith apprit en 1891 que le premier ministre du Manitoba se trouvait en Europe pour tenter d'attirer des immigrants – même des Juifs –, cela le mit hors de lui. Il écrivit immédiatement au *Winnipeg Tribune* qu'il serait catastrophique de permettre aux Juifs de s'établir dans l'ouest du Canada. Ils ne possèdent aucune « aptitude à l'agriculture », alléguait-il, et ils « se nourrissent comme des parasites du produit du travail des habitants nés au pays ». Malheureusement, le *Winnipeg Tribune* et plusieurs autres journaux de l'ouest emboîtèrent le pas à Smith. Le *Tribune* clama : « Ce pays ne veut surtout pas de parasites. »

L'influence de Smith fut profonde. Il n'était ni un maniaque ni un fanatique, et il disposait d'une pléthore de tribunes pour prêcher ses convictions bilieuses. Non seulement ses idées sur les Juifs commencèrent à être favorablement accueillies par de nombreux journaux, professeurs et politiciens, mais des Juifs d'Europe qui songeaient à immigrer au Canada eurent vent de ses activités. Dès 1884, le *Jewish Chronicle* de Londres conseillait aux Juifs d'éviter le Canada, car il semblait y avoir trop d'antisémitisme, « même chez ceux [qui étaient] nés dans le nouveau monde ».

Smith ne fut évidemment pas le seul à parler contre les Juifs au Canada anglais. En 1901, le directeur du St. Michael's College de Toronto, le révérend Teefy, attaqua vigoureusement les Juifs à cause de leur « cupidité, de leur esprit antichrétien [et] de leur amour du plaisir ». Les paroles de Teefy durent sembler très étranges aux Juifs qui luttaient pour survivre dans des fermes isolées de l'ouest du Canada ou qui étaient exploités dans des ateliers de Montréal.

Mais Smith eut une influence encore plus malheureuse sur des événements qui eurent lieu longtemps après sa mort. Au nombre de ceux à qui il parla des Juifs, ou écrivit sur ce sujet, figure le jeune William Lyon Mackenzie King, dont l'antisémitisme joua un rôle prépondérant dans la terrible tragédie des années 1930 et 1940, lorsque le Canada ferma ses portes aux réfugiés juifs qui fuyaient désespérément les camps d'extermination nazis.

Smith exerça également une influence profonde sur un jeune député canadien français, Henri Bourassa, selon lequel Smith était « l'écrivain anglais le plus illustre » et « le penseur libéral le plus profond de son temps ». Passant outre à l'antipathie notoire de Smith pour les Canadiens français, Bourassa devint son principal disciple canadien. Le journal qu'il fonda, *Le Devoir*, se ferait pendant les cinquante années suivantes l'un des plus ardents opposants à l'immigration juive au Canada et serait une source d'irritation constante pour les Juifs du Québec.

Il existe encore quelques intellectuels qui affirment que Smith n'était pas antisémite, qu'il ne détestait ni les Juifs ni leur religion. Après tout, comme ils le soulignent avec justesse, il a contribué financièrement à la construction de la nouvelle synagogue Holy Blossom et a assisté à la cérémonie d'inauguration. Il voulait tout simplement, prétendent-ils, que les Juifs deviennent des Canadiens, c'est-à-dire qu'ils oublient leurs rites, leur mode de vie, leurs traditions et leur culture, en d'autres mots qu'ils ne soient plus juifs que de nom.

Étant l'intellectuel dont les écrits étaient le plus lus, les gens l'écoutaient quand il parlait, mais tous les Canadiens anglais n'étaient pas d'accord avec lui. George Grant, le directeur de l'Université Queen's, prit Smith à partie pour ses attaques chauvines contre les Juifs. C'est à tort, écrivait Grant en 1894, que Smith exige que les Juifs « cessent d'être des Juifs ». Smith et ses pareils devraient plutôt les respecter pour leur caractère distinctif et leurs traditions. C'est par le respect des différences, disait Grant, et non par la persécution religieuse que le Canada deviendrait une nation plus saine.

Il est certain que les idées de Goldwin Smith eurent une forte influence au Québec, – malgré son anticatholicisme, mais les sentiments antijuifs étaient déjà répandus dans la province. Dans les années 1870, le Québec bascula dans l'ultramontanisme, qui enseignait que le Vatican avait le droit absolu d'intervenir dans le monde laïc et que seule une société édifiée sur les enseignements de l'Eglise était une société saine. Si le Québec devait devenir une province canadienne française guidée uniquement par l'Eglise, tout non-catholique voulant jouer un rôle dans la vie publique de la province constituait un danger. Et ce sont les Juifs qui, selon les autorités ecclésiastiques, étaient les plus dangereux. La presse catholique du Québec lança une vigoureuse campagne contre les Juifs. Pendant les cinquante années suivantes, des journaux publiés par des prêtres ultramontains, notamment *La Vérité*, *La semaine religieuse*, et *L'action sociale catholique*, répandirent le message que les Juifs étaient les ennemis de l'Eglise. Pendant tout le dix-neuvième siècle, de nombreux intellectuels canadiens français éminents ont associé les Juifs aux forces de la modernité et de la révolution, en lesquelles ils voyaient une menace contre l'Eglise et le mode de vie canadien français. Bien que seulement un tout petit nombre de Juifs se fût établi au Québec, la province fut balayée dans les années 1890

par une vague de fond antisémite. Et l'arrivée de nouveaux immigrants juifs aviva rapidement les tensions. Sous l'égide de dirigeants cléricaux comme l'ultranationaliste Jules-Paul Tardivel, des écrits antisémites virulents furent diffusés dans tout le Québec.

Les écrits du célèbre antisémite français Edouard Drumont, dont les idées trouvèrent au Québec un sol fertile, donnèrent au mouvement une forte impulsion. *La France Juive*, de Drumont, peut-être l'ouvrage antisémite le plus insidieux publié au dix-neuvième siècle, figurait sur les rayons de presque toutes les bibliothèques et librairies du Québec et fut accueilli favorablement par la critique. Le portrait qu'il dressait des Juifs, un peuple qui spoliait la société, perpétrait des meurtres rituels, était allié au diable et ennemi du travail honnête, fut repris avec enthousiasme par plusieurs journaux et revues du Québec.

L'affaire Dreyfus, dans laquelle un officier français d'origine juive était reconnu injustement coupable de trahison, créa presque autant de remous au Québec qu'en France. Les journaux canadiens français s'en donnèrent à coeur joie; la plupart se rangèrent naturellement du côté de L'Eglise et des antidreyfusards. Les Juifs ainsi que ceux qui prenaient le parti de Dreyfus furent taxés par le haut clergé de comploteurs s'efforçant de miner l'Eglise catholique et les valeurs qu'elle prêchait. En fait le sentiment antijuif était tellement fort que la poignée de Juifs établis au Québec sentirent la nécessité de se regrouper pour créer des organisations de défense. De ces réunions naquit le premier journal anglo-juif du Canada, le *Jewish Times*. Son premier numéro comportait l'avertissement suivant : « Le mouvement antisémite européen n'est pas sans répercussions dans ce pays. On en trouve des exemples quotidiennement dans les journaux qui s'inspirent largement des organes d'information du vieux continent hostiles au peuple juif. Il faut réagir à cette influence injuste et dangereuse et la combattre de façon appropriée [...] se prémunir contre [...] la propagation du poison moral qui n'est pas seulement dangereux pour nous, les Juifs, mais également [...] pour ceux qui l'absorbent. »

En 1898, la Chambre de Commerce de Montréal refusa pour la première fois la candidature d'un membre simplement parce qu'il était juif. À la même époque, une organisation antisémite, l'Union des Franco-Canadiens, qui comptera jusqu'à vingt mille membres, était fondée par L.G. Robillard; le *Jewish Times* la surnommera l'« Aman du Canada ». S'inspirant du groupe de Robillard, un grand rassemblement de jeunes catholiques adopta en 1906 une résolution appuyant la création d'un organisme antijuif à l'échelle de la province.

La communauté juive fut également outragée par la répugnance de la province à accorder des subventions aux organismes de bienfaisance juifs sous le prétexte, comme l'indiqua un député à l'Assemblée législative du Québec, que « tous les Juifs sont riches, et s'il y a des Juifs pauvres, eux aussi seront bientôt riches ». Au même moment, l'Eglise et la presse partaient en croisade pour interdire à la célèbre comédienne Sarah Bernhardt de venir au Québec, car en tant que Juive elle corromprait moralement la société chrétienne. Les représentations qu'elle donna dans la province soulevèrent les passions et elle fut bombardée d'oeufs, de tomates et d'autres projectiles du genre par de jeunes gardiens de la foi.

Partout apparaissaient des signes d'antisémitisme. Le conseil municipal de Trois-Rivières expropria le vieux cimetière juif pour des « raisons d'ordre sanitaire » et réinhuma les quelques cadavres dans un endroit plus discret. Les conseillers municipaux de Montréal tentèrent à diverses reprises – et en recourant à différents subterfuges – de priver les Juifs de leurs droits d'électeurs. Et si l'on en croit la presse juive, les Juifs furent victimes d'innombrables agressions physiques – barbes tirées, enfants battus sur le chemin de l'école, vitrines de magasins brisées, synagogues dégradées – sans que la police intervienne. Et lorsqu'elle intervenait, au dire des journaux juifs, c'était habituellement les victimes qui étaient arrêtées.

La manifestation antijuive peut-être la plus flagrante s'est déroulée en mars 1910. Joseph Edouard Plamondon, journaliste et notaire bien connu pour son antisémitisme, fut invité à prendre la parole lors d'une réunion de l'Association canadienne de la jeunesse catholique tenue à Québec. Citant abondamment Drumont, et encore plus abondamment le Talmud, à tort et à travers, Plamondon prouva à la satisfaction de son auditoire enthousiaste que les Juifs pratiquaient couramment le meurtre rituel, qu'ils étaient des usuriers et des ennemis de l'Eglise. Après son discours, des membres de son auditoire, excités par ses propos, se répandirent dans les rues, où ils endommagèrent des magasins juifs. Lorsque le discours de Plamondon fut publié le lendemain, des foules déchaînées saccagèrent des entreprises juives et molestèrent des Juifs. Deux de ceux dont les entreprises avaient subi des déprédations engagèrent des poursuites contre Plamondon devant les tribunaux québécois. Le meilleur avocat juif de l'époque, Sam Jacobs, qui fut plus tard député, fut engagé pour défendre leur cause.

Le procès, qui ne débuta qu'en 1913, coïncida avec la flambée de colère soulevée dans le monde entier par l'accusation de meurtre rituel portée contre Mendel Beilis, en Russie tsariste. Alors que Jacobs et de nombreux autres témoins – dont des rabbins – affirmaient que les accusations de Plamondon étaient fausses, malveillantes et incendiaires, divers membres du clergé catholique et des journalistes étaient cités en tant qu'« experts » pour appuyer l'accusation de meurtre rituel portée contre les Juifs. La poursuite contre Plamondon fut abandonnée pour vice de forme, le juge alléguant que bien que la race juive eût effectivement été diffamée, les deux plaignants ne l'avaient pas été personnellement. Plus tard cette même année, la Cour d'appel du Québec renversa la décision, considérant que puisqu'il n'y avait que 75 familles

Moses Bilsky (assis), sa fille Lillian Freiman (assise), son mari, A.J. Freiman, et leurs enfants, Ottawa, v. 1914.

juives à Québec sur une population totale de 80 000 habitants, les plaignants constituaient une « collectivité restreinte » et pouvaient donc engager des poursuites contre Plamondon.

Tous les leaders canadiens français n'étaient pas antisémites. En 1897, lorsque la Central Conference of American Rabbis se réunit à Montréal, le lieutenant-gouverneur de la province, J.-A. Chapleau, et des représentants du gouvernement du Québec et du gouvernement fédéral, parlèrent en termes enthousiastes de l'apport des Juifs à la vie publique du Québec. Des religieux et des journalistes critiquaient également ouvertement la campagne ultramontaine menée contre les Juifs. Mais surtout l'attitude antijuive de l'Eglise et de la presse francophone n'arrêta pas l'afflux d'immigrants juifs au Québec.

Cette attitude antijuive ne semble pas non plus avoir eu de répercussions pour les Juifs d'ailleurs. Certains clubs et organismes fermèrent bien leurs portes aux Juifs, mais ceux-ci se heurtaient à peu de restrictions. Et même, lorsque le duc et la duchesse de Cornwall – qui allaient devenir le roi George V et la reine Marie – effectuèrent une visite

à Vancouver en 1901, une jeune fille juive, Norma Hamburger, fut choisie pour offrir des fleurs à la duchesse.

Dans l'ensemble, les Juifs étaient trop occupés pour prêter beaucoup d'attention aux éclats d'un Smith ou d'un Bourassa. Ils essayaient simplement de survivre, de se trouver une maison et un emploi et recommencer leur vie à neuf. Ils étaient trop préoccupés à l'époque par les problèmes de leur propre communauté pour se soucier des fanatiques qui les entouraient. Ils voulaient avant tout créer une communauté juive vivante et saine; pour y arriver, il leur fallait plus de synagogues, d'écoles juives, de maîtres et de rabbins. Ils se préoccupaient des pauvres et des malades et veillaient à ce qu'on s'en occupe; ils s'inquiétaient de la survie du yiddish, de leur culture et de leurs traditions. Face à ces problèmes, les gribouillages d'une poignée d'intellectuels n'avaient guère d'importance.

Les Juifs de Montréal, le 28 mai 1902, croyaient retrouver le bon vieux temps. Depuis un certain temps les dirigeants juifs de la ville étaient sur la défensive. L'assaut avait débuté dans les années 1880 quand arrivèrent d'importants contingents d'immigrants désespérés de langue yiddish, qui avaient besoin de nourriture, de vêtements, d'abris et d'emplois. Le supplice se poursuivit tout au long des années 1890, car des milliers d'autres arrivèrent dont la condition était pire encore. Vinrent ensuite les violents assauts menés par des journaux hostiles à l'immigration et des chefs religieux. Mais tout cela fut oublié lorsque d'éminents Montréalais se réunirent en ce matin ensoleillé de mai pour l'inauguration d'un tout nouvel édifice, rue Bleury, abritant le Baron de Hirsch Institute.

Les invitations étaient rares et très convoitées. Le gouverneur général lui-même, lord Minto, devait être présent, ainsi que des politiciens fédéraux et provinciaux, le maire de Montréal, le principal de l'Université McGill, le consul de France et la fine fleur de la société montréalaise. Ce fut une grande manifestation, la première organisée par la communauté depuis de nombreuses années. Personne ne remarqua – peut-être parce que personne ne s'en préoccupait – que ceux dont l'Institut devait s'occuper, les nouveaux immigrants juifs, n'étaient pas représentés.

Mais les immigrants s'en rendirent compte, eux. Ils appréciaient évidemment ce que faisaient les riches Juifs de la ville à leur intention, mais ils étaient très froissés de leur attitude condescendante. À la suite de la cérémonie, un petit groupe de ces immigrants se réunit avec les dirigeants du Baron de Hirsch Institute. Ils affirmèrent ne plus vouloir être traités comme de simples « objets de philanthropie ». Ils voulaient être les maîtres de leur propre vie et jouer un rôle dans les organes dirigeants des communautés juives. C'était en fin de compte, comme le dit plus tard un des participants à la réunion, une « déclaration de guerre » entre l'establishment et les nouveaux venus, entre ceux des beaux quartiers et ceux des quartiers pauvres, une guerre qui se préparait depuis le début de l'immigration de masse dans les années 1880, et dont personne n'était responsable.

Les dirigeants de la communauté juive du Canada étaient ouverts aux nouveaux immigrants yiddishophones, et généreux à leur égard. Il est évident qu'ils prenaient au sérieux un des préceptes les plus sacrés du judaïsme, celui de la *tsedaqa*, qui ordonne d'aider les moins fortunés, ceux qui sont dans le besoin. Philanthropie et charité furent une marque distinctive de la communauté juive du Canada dès ses origines. Par l'intermédiaire du Baron de Hirsch Institute, de la YMHBS et d'une foule d'autres organisations, les Juifs canadiens obéissaient à ce principe fondamental de leur religion.

Ils étaient certainement beaucoup plus généreux – de leur temps comme de leur argent – que l'élite juive d'origine allemande de New York, qu'effrayait l'arrivée de tant de leurs coreligionnaires parlant une langue différente, ayant des coutumes différentes et des opinions très différentes sur divers sujets religieux et sociaux, et qui leur était

Lazarus Cohen, venu au Canada de Pologne en 1869, est devenu un leader de la communauté juive montréalaise.

souvent hostile. À la fin du dix-neuvième siècle, les Juifs du Canada étaient beaucoup plus ouverts aux immigrants que ceux des Etats-Unis. Contrairement à ce qui était le cas aux Etats-Unis, où les *Yahudim*, les familles juives d'origine allemande, dominaient encore la vie judaïque, au Canada, les familles fondatrices avaient été supplantées dans une certaine mesure par l'arrivée au milieu du siècle de Juifs anglais, lituaniens et polonais, dont beaucoup étaient favorables aux nouveaux immigrants.

Les Juifs établis firent de nombreuses pressions en faveur de l'admission de nouveaux immigrants et grevèrent presque les ressources de la communauté pour leur venir en aide. Pourtant, tenant à conserver leur hégémonie sur la vie judaïque au Canada, ils craignaient tout mouvement visant à l'expression libre des masses d'immigrants.

Marché Byward, Ottawa, début du vingtième siècle.
(Ottawa Jewish Historical Society 2-018).

Les plus importants membres de l'establishment étaient les colons venus au Canada dans les années 1860 et 1870 et qui s'étaient établis dans les zones rurales proches du Saint-Laurent, dans des villes telles que Cornwall, Kingston, Lancaster et Maberly. Ces familles, les Jacobs, Cohen, Vineberg, Kellert, Friedman et d'autres, allaient se fixer plus tard à Montréal et s'emparer de la direction de la communauté. Par exemple, William Jacobs, père d'un futur député fédéral et président du Congrès juif canadien, Samuel, s'établit à Lancaster en 1864. Cinq ans plus tard, le dynamique Lazarus Cohen, père d'un autre futur président du Congrès, Lyon, s'établit tout près de là. Parmi les autres pionniers qui se fixèrent dans la région, figure Moses Bilsky, le premier Juif à s'établir à Ottawa et, pendant des années, le premier des leaders juifs de la ville.

Son itinéraire est fascinant. Né en Lituanie, il arrive au Canada dans son enfance, en 1845. Après avoir passé quelques années à New York, l'aventureux Bilsky décide de faire fortune dans les Cariboo. Mais, comme beaucoup d'autres participants à la ruée vers l'or des années 1860, il échoue. Au lieu de rester dans la communauté juive de Victoria, il se met en route à cheval pour San Francisco, à environ 1500 périlleux milles de là. Mais il n'y reste pas non plus très longtemps. Le grand et robuste Bilsky est immédiatement embauché pour faire de la prospection en Amérique centrale, mais à son arrivée à Panama, il découvre qu'on l'a trompé : ses employeurs n'étaient pas à la recherche de mineurs, mais de mercenaires pour lancer un assaut contre un Etat voisin. Bilsky s'embarque clandestinement à bord du premier bateau pour la Californie, s'enrôle dans l'année de l'Union et se retrouve à San Francisco pour réprimer une émeute à la suite de l'assassinat d'Abraham Lincoln.

À ce moment, Bilsky, vraisemblablement las de ses équipées, retourne au Canada, où il crée une entreprise dans la ville de Mattawa, à quelque 150 milles au nord-ouest d'Ottawa, où on fait de l'exploitation forestière. Au bout de quelques années, fortune faite, il se fixe à Ottawa, ouvre une prospère bijouterie, se marie et participe à la création de la communauté juive d'Ottawa, dont il s'occupe activement. Bien qu'il ait onze enfants à lui – et quatre de sa défunte sœur –, il ne refuse jamais d'aider une famille dans le besoin. Comme sa fille, Lillian Freiman, devait le rappeler plus tard, souvent, à son retour de l'école, elle trouvait sa chambre occupée par de nouveaux immigrants ou se rendait compte qu'un de ses vêtements était disparu, sans doute donné à un autre nouveau venu qui devait supporter les hivers glaciaux d'Ottawa. La générosité légendaire de Bilsky en fit une institution dans la société juive canadienne de l'époque. Mais il n'était pas le seul de son espèce. La plupart des « vieilles familles » étaient tout aussi munificentes à l'égard des nouveaux immigrants.

La communauté juive de Toronto changeait aussi, et de nouveaux leaders remplaçaient les premiers colons. Le plus influent de ce nouveau groupe était Edmund Scheuer, un Alsacien, qui s'était établi à l'origine à Hamilton. Cet homme infatigable s'occupa notamment de la synagogue Holy Blossom pour en faire une congrégation réformée épanouie. Deux frères anglais, Alfred et Frank Benjamin, qui furent également actifs au sein de la plupart des organisations charitables de la communauté, se joignirent à la famille Samuel et à son entreprise de travail du métal. Tout au long des années 1860 et 1870, des Juifs de Lituanie et de Galicie s'établirent à Toronto et commencèrent à occuper les postes de direction de cette communauté grandissante.

Jusqu'à la grande migration de la fin du dix-neuvième siècle, les Juifs de l'Ontario et du Québec formaient une communauté à l'aise, bien intégrée et tout à fait anglaise par la langue, la culture et la manière de penser. La synagogue Holy Blossom introduisit même un office spécial pour la fête de l'Action de grâces. Le grand spécialiste du yiddish, Alexander Harkavi, qui passa quelques années à Montréal dans les années 1880, se plaignit même de ce que les Juifs canadiens refusaient de parler yiddish même si leur anglais était mauvais. « Ils avaient honte de passer pour des Juifs », déplorait-il.

La migration de masse qui eut lieu des années 1880 à 1914 transforma radicalement le visage du Canada juif. La communauté n'était plus négligeable, elle était une minorité importante. Le nombre de ses membres est passé d'environ 2500 en 1882 à plus de 100 000 en 1914. Cette année-là, dans les trois plus grandes villes du pays, Toronto, Montréal et Winnipeg, ils représentaient plus de 6% de la population et constituaient la plus importante communauté d'immigrants de chacune de ces villes. La population juive d'Ottawa avait monté en flèche, passant de 20 à 3000; celle de Vancouver était passée de quelques dizaines à plus de 1000. D'autres villes connurent une semblable croissance.

Mais le changement de composition fut encore plus important que l'augmentation du nombre des membres de la communauté. En 1914, la communauté anglo-juive acculturée de la période antérieure avait pratiquement disparu; son monde stable, serein et agréable s'en était allé, remplacé par l'univers yiddish, bouillonnant, bondé, chaotique et bruyant, des nouveaux venus d'Europe orientale. La direction restait entre les mains de la vieille garde; sa richesse, son influence, ses contacts et sa connaissance de l'anglais lui assuraient cette prééminence. Mais elle commençait à perdre le contrôle.

Si les deux groupes se trouvaient dans des sphères différentes sur les plans spirituel et idéologique, ils se trouvaient également dans des milieux physiques distincts. Le monde de l'immigrant était le monde aux dimensions limitées des appartements et

En haut: Boulevard Saint-Laurent, la *Main*, Montréal, v. 1915.

En bas: Affiches « À louer » provenant de la Rubin's Stationery, boulevard Saint-Laurent, à Montréal.

des quartiers surpeuplés du St. John's Ward, dans le centre de Toronto, du boulevard St-Laurent à Montréal, et des secteurs longeant les voies ferrées du CP à Winnipeg. Son milieu était un milieu de rues congestionnées, de marchés bruyants, de petits logements, de lieux de travail inconfortables; un milieu de chiffonniers et de brocanteurs; de charrettes à bras et de colporteurs; de files de jeunes et de vieux attendant aux intersections, tous les matins avant l'aube, d'être ramassés par des employeurs qui offraient une journée de travail – peu payée. Deux ou trois familles partageaient souvent le même appartement, dix ou douze personnes la même petite maison, tous devant laisser un peu de place aux machines à coudre et autres instruments nécessaires pour le travail à la maison. C'était une véritable tour de Babel : on parlait surtout le yiddish, mais aussi le polonais, le lituanien, le russe, l'ukrainien, le roumain, toutes les langues, semblait-il, sauf l'anglais et le français.

C'était un monde tout à fait étranger aux citoyens juifs de longue date de Montréal et Toronto, qui étaient très troublés par le comportement et l'aspect des immigrants; ces derniers étaient trop « voyants », se plaignait le rabbin de la synagogue Holy Blossom, de Toronto, qui se demandait comment ils pourraient s'intégrer à la société canadienne. Et de l'avis de la communauté établie, les nouveaux venus

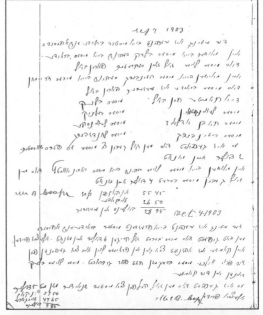

En haut à gauche: Camilla Levy, une des fondatrices de la Deborah Ladies' Aid Society, à Hamilton.

En haut à droite: Registre des délibérations de la Toronto Hebrew Ladies' Aid Society, écrit en yiddish, 1903. (Toronto Jewish Congress / CJC, Archives de la région de l'Ontario)

En bas à droite: La présidente et des responsables du National Council of Jewish Women, Toronto, 1928.

tardaient à se défaire de leurs vieilles coutumes européennes. Quant à leur langue, le yiddish, aux oreilles de beaucoup de membres de l'establishment, ce n'était qu'un « baragouin » aux sons durs et gutturaux « énervants ». Le journal des riches, le *Jewish Times*, supplia les immigrants de ne pas utiliser leur langue en public. Mais quelles que fussent leurs inquiétudes, les Juifs nantis créèrent une multitude d'organisations pour fournir une aide économique et un soutien matériel et moral aux immigrants.

Le Baron de Hirsch Institute était bien sûr la plus importante de ces organisations. Non seulement il assumait les frais de transport des nouveaux venus dans l'ouest du Canada, mais à Montréal il fournissait aux immigrants des logements, des prêts, des emplois et un service d'enseignement. Dans son splendide nouvel immeuble, l'Institut disposait d'une bibliothèque et de salles de réunion où les immigrants pouvaient apprendre l'anglais et ce qui pouvait les aider à survivre, et où ils pouvaient se réunir pour échanger. Sous la direction inspirée

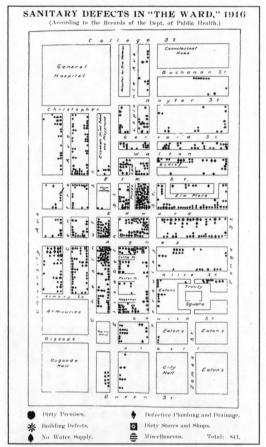

SANITARY DEFECTS IN "THE WARD," 1916
(According to the Records of the Dept. of Public Health.)

Plan publié par le Bureau of Municipal Research de Toronto, 1918, indiquant différentes particularités dans le *Ward*, par exemple le manque d'eau et des défectuosités dans les bâtiments.

d'hommes tels que Lyon Cohen et Sam Jacobs, l'institut fut un modèle pour des organisations philanthropiques et d'aide aux immigrants de la génération suivante.

L'aspect le plus étonnant de la philanthropie juive de cette période est peut-être le rôle joué par les femmes. La coutume – et parfois même la loi – leur interdisant de jouer un rôle plus actif dans les sphères politiques et économiques de la société, beaucoup de femmes trouvaient un exutoire dans le travail philanthropique. Les premières sociétés de bienfaisance de la communauté juive furent même fondées pour la plupart par des femmes. En 1878, la Ladies' Montefiore Benevolent Society fut l'une des premières organisations philanthropiques de Toronto. Et au début du vingtième siècle, une bonne partie du travail d'aide aux immigrants était le fait d'un nombre croissant de groupes féminins; Montréal avait notamment sa Ladies' Aid Society, la Ladies' Hebrew Benevolent Society, la Young Ladies' Work Society; à Toronto, à la Montefiore Society venaient s'ajouter l'Austrian Ladies' Aid Society, la Polish Ladies' Aid Society, l'Ezras Noshim Society, et les deux qui eurent le plus de succès, le National Council of Jewish Women (NCJW) et la Toronto Hebrew Ladies' Aid Society.

Aucune organisation féminine n'a peut-être été plus active – et plus créative – au cours du dernier siècle dans son travail avec les immigrants que le NCJW. Fondé aux États-Unis dans les années 1890, il arriva à Toronto en 1897. Attirant surtout les femmes de la communauté juive établie, il s'efforçait avant tout d'aider les nouveaux venus à Toronto à s'intégrer, à trouver des emplois et à étudier. Ce n'est cependant qu'après la Première Guerre mondiale que l'organisation s'établit dans tout le pays.

Vers 1900, donc, c'est la Toronto Hebrew Ladies' Aid Society qui dominait les autres groupes féminins. Elle avait pour but d'apporter une aide à tous ceux qui le demandaient; le demandeur n'avait pas à prouver qu'il était dans le besoin. Aucune enquête n'avait lieu; on n'exigeait le témoignage d'aucun répondant. La société tenait par-dessus tout à ce que les pauvres puissent conserver leur dignité – ce qui n'était pas courant dans les organisations de charité de l'époque.

Les Juives canadiennes dépassaient à bien des égards les hommes de leur communauté dans le domaine de la philanthropie, et elles furent de véritables pionnières dans ce domaine parmi les Canadiennes. Dès 1878, d'énergiques femmes de Hamilton avaient fondé la Deborah Ladies' Aid Society. Au cours des 25 années suivantes, des organisations

Enfants dans le *Ward*, 1911.

féminines d'aide aux immigrants pauvres furent fondées à Winnipeg, Calgary, Ottawa, Vancouver – en fait dans chaque ville où on trouvait des Juifs en nombre suffisant. Toutes ces sociétés fonctionnaient selon les mêmes principes. Seules les femmes pouvaient en faire partie, et chacune devait verser des droits mensuels allant de cinq cents à un dollar. Chaque société avait sa propre constitution, ses propres sphères d'intérêt et ses propres mécanismes de collecte de fonds, généralement au moyen de thés, de porte à porte, de danses de charité, de concerts et de pique-niques. Chaque société avait aussi des comités chargés de distribuer les secours et de travailler avec les indigents.

L'aide fournie par les organisations juives était essentielle pour que les nouveaux immigrants aient une vie communautaire. La plupart arrivaient sans le sou et sans compétences. Seulement deux types de travail s'offraient à ceux qui n'allaient pas cultiver la terre dans l'ouest, le travail en usine ou le colportage, qui n'étaient ni l'un ni l'autre très rémunérateurs.

Le boulevard Saint-Laurent (la *Main*) à Montréal, le Ward à Toronto et l'avenue Selkirk dans le nord de Winnipeg n'étaient pas des ghettos au sens européen; les gens étaient libres de partir et de vivre ailleurs, c'est du moins ce qu'on disait aux nouveaux venus. Mais en fait, en raison de l'hostilité croissante envers les immigrants, on s'attendait à ce que ceux-ci vivent dans les secteurs désignés. Et, bien sûr, c'est ce que la plupart souhaitaient. Ils y étaient au milieu d'amis, de parents et d'anciens concitoyens. La nourriture, les odeurs, la langue étaient familières; le quartier juif amortissait pour eux le choc de l'arrivée dans une société étrangère et leur donnait le temps de surmonter le traumatisme de l'immigration.

Ces ghettos donnaient, aux Juifs comme à d'autres groupes d'immigrants, un temps de répit avant de s'intégrer à la société canadienne. L'immigrant y trouvait une vie semblable à celle qu'il avait connue, il y avait des amis, il y était important. Au magasin du coin, à la synagogue, au marché, devant la maison, parents et amis originaires de la même ville se réunissaient pour se donner des conseils, pour potiner ou pour prendre des décisions collectives sur l'opportunité de faire venir quelqu'un du vieux pays. Ils y discutaient de la politique de leur nouveau pays, et de l'ancien, ils parlaient des conditions de travail, organisaient des syndicats. Le ghetto était donc pour l'immigrant son point d'ancrage dans le Nouveau Monde.

L'establishment juif découvrit à sa stupéfaction qu'il était impossible d'imposer quoi que ce soit aux gens du ghetto. A quelques rues à peine de chez eux, se trouvait un univers juif qu'ils avaient peine à reconnaître et qu'ils n'aimaient assurément pas. Ils ne se rendaient pas compte que, sous leurs yeux, une communauté se constituait, faite de Juifs de villes et de pays divers, originaires en particulier des *shtetels* d'Europe orientale, communauté divisée par une foule d'idées, de préoccupations et d'idéologies conflictuelles. Il y avait des sionistes, des antisionistes, des socialistes, des anarchistes, des « yiddishistes », des non-pratiquants et des orthodoxes, chacun ayant ses objectifs, son plan pour la survie du peuple juif au Canada. Les disputes, le bruit et les dissensions étaient souvent plus que ne pouvaient supporter les Juifs des beaux quartiers. Qu'allaient en penser leurs hôtes canadiens? La société juive disciplinée et pondérée qu'ils avaient eu tant de mal à créer volait soudainement en éclats.

Même aux yeux des leaders juifs, il était évident que dans les quartiers de langue yiddish de Winnipeg, Toronto et Montréal, il y avait une vitalité, un caractère unique, à la fois effrayants et inspirants;

effrayants parce qu'avec tant de voix conflictuelles, tant de disputes, beaucoup craignaient que la communauté ne s'autodétruise; inspirants en raison de la créativité et de l'énergie ainsi produites. En 1914, Reuben Brainin, un célèbre journaliste, écrivait, à propos de la communauté juive du Canada : « C'est maintenant la haute saison de notre vie collective; bouillonnement, fumée et poudre à canon; assemblées, concerts, cours de toutes sortes, banquets, résolutions, conférences, bals, ventes pour les oeuvres, suggestions, collectes, manifestations [...] disputes, intrigues, circulaires, prospectus [...] dissension. »

C'est cette génération d'immigrants qui allait créer les synagogues, sociétés, écoles, journaux, théâtres, syndicats et organisations de bienfaisance qui constitueraient les fondements de la vie de la communauté juive du Canada au vingtième siècle. Et ces produits des ghettos au tournant du siècle domineront la société juive du Canada jusqu'à aujourd'hui.

Les premiers immigrants d'Europe orientale voulaient avant tout avoir une vie religieuse qui leur convienne. La synagogue Holy Blossom et la synagogue hispano-portugaise n'étaient pas pour eux, non plus que les congrégations un peu moins chic Goel Tzedec, à Toronto, et Shaar Hashomayim, à Montréal. Presque dès leur arrivée, de minuscules nouvelles synagogues – *shtiblach* – furent fondées; elles reproduisaient par le menu leurs modèles d'Europe orientale. Chaque groupe ethnique, chaque groupe d'hommes originaires de la même ville voulait son propre lieu de culte afin de ne pas oublier leurs propres coutumes. En 1914, des dizaines de nouvelles *shtiblach*, à Montréal, Toronto et Winnipeg, desservaient leurs propres communautés. Il y avait des synagogues roumaines, polonaises, hongroises, ukrainiennes, russes et moldaves. Des Juifs d'Europe orientale ayant passé quelque temps en Grande-Bretagne fondèrent leur propre synagogue des « Hommes d'Angleterre ». Il existait des synagogues pour les hommes de Minsk, de Lagov, d'Apt, de Kiev, d'Ostrowiecz, véritable atlas des établissements juifs de Pologne ou de Russie. En 1912, dans la seule ville de Winnipeg, on trouvait douze synagogues, dont une réservée aux sionistes, et trois rabbins à temps plein.

Les synagogues n'étaient pas que des lieux de prière. Elles faisaient office de salles de rencontres, d'écoles et de centres culturels. Elles unissaient la vie religieuse et sociale du quartier et étaient intégrées à la carte psychologique de l'immigrant – elles étaient son filet de sécurité, sa couverture sécurisante. Lorsque tout le reste échouait, il savait qu'il serait compris – sinon secouru – par les autres fidèles. Et, devant la synagogue, l'allée ou la pelouse étaient un lieu de rencontre important où on pouvait frayer avec d'autres gens, discuter ou conter fleurette aux filles.

Les sociétés fraternelles et d'entraide qui surgissaient de toutes parts étaient presque aussi importantes que les synagogues – et, pour les non-pratiquants, plus importantes. Fondées sur la tradition juive séculaire de l'entraide communautaire, ces organisations faisaient partie intégrante de la communauté d'immigrants. Comment, sans elles, l'immigrant pouvait-il survivre s'il tombait malade ou avait un accident et ne pouvait plus travailler? Que serait-il arrivé à sa femme et à ses enfants s'il avait perdu son emploi? Il ne pouvait évidemment pas compter sur l'aide de l'État; l'État ne donnait aucune aide. Pire encore, il déportait sans ménagements ceux qui étaient sans ressources et sans appui. Il ne pouvait non plus se fier uniquement aux ressources, limitées, de la communauté juive établie. En dépit de tous leurs efforts, le Baron de Hirsch Institute et les diverses sociétés féminines de charité ne pouvaient répondre à tous les besoins d'une si grande population d'immigrants. Et, bien sûr, la plupart des nouveaux venus voulaient à tout prix éviter de porter les stigmates de l'indigence et de la dépendance.

Tous pouvaient être membres de la société d'entraide; tous les droits recueillis étaient mis dans un fonds commun dans lequel chacun pouvait puiser quand le besoin se présentait. Et comme la plupart des immigrants étaient jeunes et en santé, le système fonctionnait. Les membres de ces sociétés n'avaient aucune connaissance de l'actuariat. À quoi bon, puisque des jeunes Juifs d'Europe orientale débarquaient sans cesse sur les rivages du Canada. La société fournissait des assurances, des prêts pour l'achat de maisons ou d'entreprises, des lots de sépultures, des allocations d'enterrement et même, souvent, les services de médecins engagés expressément pour soigner les membres de la société. Comme les médecins juifs n'avaient pas le droit d'exercer dans la plupart des hôpitaux, certaines sociétés fondaient des lits dans divers établissements hospitaliers pour assurer une place à leurs membres le cas échéant. La plupart des sociétés étaient constituées d'hommes et de femmes originaires de la même ville ou région du vieux pays. Ces *landsmanschaften* étaient la clé de l'intégration du nouveau venu dans la société canadienne. Les anciens prenaient ainsi les jeunes sous leurs ailes et leurs trouvaient une demeure, un emploi, et parfois même une bonne épouse. C'était un endroit où se détendre, jouer aux cartes, rencontrer les filles. C'était un autre « sas » sur le chemin de l'intégration de l'immigrant.

Bien qu'isolés dans une grande mesure de la société hôte dans leurs ghettos, la plupart des immigrants avaient soif de nouvelles et d'information sur la vie dans leur nouveau pays et sur les communautés qu'ils avaient quittées en Europe. Répondant à ce besoin, le journal yiddish était ainsi un article essentiel pour toute famille d'immigrants. On recevait des journaux de New York, Varsovie ou Berlin, mais les plus populaires étaient ceux produits ici. La communauté juive anglophone avait déjà son journal, le *Jewish Times*, créé en 1899 par Lyon Cohen et Samuel Jacobs et édité par un non-Juif, Carrol Ryan. Il s'adressait à l'establishment juif de Montréal et parlait en son nom.

Ce n'est toutefois qu'en 1907 que les premiers quotidiens yiddish firent leur apparition – le *Kanader Adler* (l'Aigle canadien)

Le *Canadian Jewish Times*, 1912, numéro publié à l'occasion du 8ᵉ anniversaire de la mort de Theodor Herzl.

à Montréal, et le *Kanader Yid* (l'Israélite canadien) à Winnipeg. Quatre ans plus tard, le *Zhurnal* (le Journal) fit son apparition à Toronto. Ce n'étaient pas de simples journaux; ils introduisaient le nouveau venu au Nouveau Monde; ils étaient des forums de discussion, des véhicules d'expression. Les articles étaient tirés d'autres journaux yiddish du monde entier, ou étaient des traductions d'articles de la presse anglophone. Et certains des meilleurs journalistes yiddish du monde – Reuben Brainin, Israel Medres, Abraham Rhinewine, Mark Selchen et Leon Chazanovitch – écrivirent pour ces journaux canadiens. Ceux-ci présentaient aussi en feuilleton les derniers romans et parlaient abondamment de littérature et de culture. Ils étaient tout compte fait l'université du Juif ordinaire. On les lisait et relisait;

on les savourait et on les faisait lire; ils fournissaient des munitions pour les débats et discussions, car ils étaient le reflet de la cacophonie de voix et d'opinions de l'époque. Hirsh Wolofsky, le fondateur de l'*Adler*, écrivait : « Comme d'autres périodiques yiddish américains, l'*Adler* releva le défi de transformer les derniers immigrants de Russie [...] en citoyens progressistes du Nouveau Monde. Ce fut sa raison d'être. »

Les librairies juives étaient un autre phénomène des quartiers d'immigrants. Elles n'étaient pas que d'austères magasins vendant des livres et des journaux. Elles étaient plutôt des lieux de réunion, des lieux de rencontre pour les nouveaux venus, les étudiants, les organisateurs de syndicats et d'autres, où l'on pouvait feuilleter livres et journaux, boire des sodas, rencontrer des amis et discuter. Dworkin's, à Toronto, et Hershman's, à Montréal, étaient les plus renommés de ces établissements. David Rome disait : « Les librairies du ghetto étaient une scène intime [...]. Le libraire ne travaillait pas que pour gagner sa vie. Il diffusait sa philosophie en distribuant des brochures et des journaux dont il partageait l'opinion [...]. La librairie cristallisait les intérêts culturels et politiques de la société immigrante. » Souvent, les librairies faisaient aussi office de bibliothèques de prêt pour ceux qui n'avaient pas les moyens d'acheter. Ces établissements introduisirent un grand nombre au monde merveilleux de la littérature yiddish ainsi qu'à différentes idéologies dont on débattait devant un verre d'eau de Seltz ou une tasse de thé.

De la librairie, le nouveau venu passait plus tard à la bibliothèque, dont la plus remarquable était évidemment la Bibliothèque publique juive de Montréal, fondée en 1914 par Reuben Brainin et l'hébraïsant bien connu Yehuda Kaufman. La bibliothèque était le centre culturel de la communauté. Autour de ses tables, ouvriers, intellectuels, colporteurs, parfois un propriétaire, s'asseyaient, lisaient et discutaient – souvent jusque tard le soir, mis à la porte par des employés exténuées. La bibliothèque était

À gauche: Compagnie itinérante de Jack (Cohn) Berliner.

À droite: Affiche d'une pièce présentée au Queens Theatre.

l'université de l'immigrant; elle offrait des cours sur un vaste éventail de sujets, parrainait des conférences et faisait venir des auteurs de tout le monde yiddish.

L'agent de voyages juif était aussi très important dans la communauté. Il était davantage qu'un vendeur de billets. Il était un peu avocat, comptable, agent matrimonial, agent de placement et colporteur d'idées politiques. Son établissement était fort achalandé, puisque les travailleurs y venaient toutes les semaines déposer un peu d'argent pour acheter les billets permettant de faire venir une épouse, un enfant, une mère, un frère ou une soeur laissés là-bas. Ils en profitaient pour demander à l'agent d'intercéder auprès de la police ou de l'hôtel de ville pour l'obtention de leur permis de colportage ou pour régler leurs problèmes de logement.

Les ghettos produisirent aussi un dynamique théâtre yiddish. Au début du siècle, il y avait trois troupes de théâtre yiddish à Montréal, dont la plupart des pièces étaient ironiquement présentées au théâtre du Monument national, un édifice élevé par l'ultranationaliste Société Saint-Jean-Baptiste pour célébrer la nation canadienne-française. En fait, celui-ci a servi à accueillir les vedettes de la scène yiddish de New York et d'ailleurs, qui y jouaient régulièrement avec les comédiens montréalais. Les pièces étaient souvent écrites et mises en scène par des dramaturges de Montréal. Winnipeg avait également quelques troupes de théâtre. Le Queen's Theatre, une ancienne église, était le « Monument national » des Juifs de Winnipeg. Dès 1904, cette ville eut son propre théâtre lyrique juif et un club dramatique yiddish. La communauté de Toronto avait aussi son théâtre, le Lyric, qui était également une église rénovée.

L'historien Stephen Speisman a dit du théâtre yiddish que c'était « un endroit où il pouvait rire aux éclats après une journée à l'usine, où il pouvait se hausser au-dessus de sa petite existence de chiffonnier, jusqu'à des hauteurs que seule la fantaisie de la scène lui permettait, où la catharsis qui consiste à pleurer sur son propre sort en même temps que sur celui, tragique, du personnage fictif pouvait s'obtenir pour dix

אל תשליכנו לעת זקנה

אל אנאשי מעבר זקנים
TORONTO JEWISH OLD FOLKS HOME

Toronto Jewish Old Folks Home. (Toronto Jewish Congress / CJC, Archives de la région de l'Ont. 253)

cents. » Toutefois, la création d'un théâtre yiddish, au dire du *Jewish Times*, marquait « une renaissance de l'instinct de ghetto ».

La plupart des enfants fréquentaient l'école publique, mais leurs parents s'inquiétaient de leur éducation judaïque. Si leurs traditions et leur culture devaient survivre, si le yiddish voulait avoir une chance de résister à l'attrait irrésistible de l'anglais, il fallait que les enfants de la communauté jouissent d'une bonne éducation. Dans les quartiers juifs de la plupart des villes canadiennes, le système scolaire paraissait une reproduction de celui des *shtetels* d'Europe orientale. L'instruction était donnée aux enfants juifs dans des *chedarim*, des écoles d'une seule pièce. Les enseignants étaient pour la plupart des commerçants en faillite ou des hommes trop vieux ou trop malades pour travailler en usine. Parfois, ces hommes allaient de porte en porte pour vendre leurs talents d'enseignant. Ce n'est que quand divers groupes commencèrent à construire des écoles financées par la com-

munauté – les Talmud Torah – qu'on peut parler des débuts d'une véritable éducation.

Comme sur la plupart des sujets, la communauté juive était divisée à propos de la nature des écoles. Certains voulaient des écoles purement religieuses, d'autres des écoles laïques. Certains étaient d'avis que la langue d'enseignement devait être l'hébreu, d'autres préféraient le yiddish. Certains voulaient des écoles au credo tout à fait sioniste, d'autres des écoles socialistes. Au bout du compte, tous eurent gain de cause. À la suite de toutes ces pressions contradictoires, diverses écoles du soir furent fondées, chacune ayant sa propre tonalité idéologique ou religieuse.

La première école Talmud Torah de Montréal fut créée en 1896. Au moment de la Première Guerre mondiale, il y avait dans cette ville cinq écoles juives, religieuses ou laïques, dont deux socialistes – une sioniste et l'autre non sioniste. Toronto avait deux écoles Talmud Torah orthodoxes, une hébraïque, l'autre yiddish. Sa Jewish National Radical School était yiddish, laïque et socialiste. Si l'on en croit un journal juif américain, la meilleure école hébraïque du Canada – et l'une des trois meilleures d'Amérique du Nord – était la Hebrew Free School de Winnipeg. Cette ville était également fière de posséder une école sioniste travailliste, la Peretz School, et une école socialiste non sioniste, la Folks Shule. Elle avait aussi un chef spirituel dynamique, le rabbin Israel Isaac Kahanovich, un immigrant lituanien arrivé en 1907 qui, pendant les 38 années suivantes, fut la force dominante de la vie religieuse et éducative de la ville. Kahanovich contribua à la création de la plupart des établissements juifs de Winnipeg. Plus que quiconque, il est à l'origine du dynamisme presque légendaire de la communauté juive de cette ville.

Dès 1901, les Juifs de Saint John, au Nouveau-Brunswick – la totalité d'entre eux, ils étaient trois cents – construisirent une école Talmud Torah. Des écoles surgirent de terre à Glace Bay, Fort William, Calgary, London, Hamilton et des dizaines d'autres lieux, dont les minuscules établissements agricoles de l'ouest, qui se faisaient concurrence pour attirer les meilleurs maîtres.

La qualité de l'enseignement dans ces écoles reste discutable. Mais au moins chaque communauté avait montré qu'elle tenait à ce que ses jeunes reçoivent une éducation judaïque.

La communauté établie était plus nombreuse et mieux organisée que la communauté immigrante, et elle regardait avec beaucoup d'inquiétude les activités de celle-ci, mais elle n'était pas avare de ses deniers pour aider les nouveaux venus. Au cours des deux premières décennies du siècle, la communauté juive de Montréal, au dire de l'historien Gerald Tulchinsky, construisit et finança le Baron de Hirsch Institute, une clinique, un sanatorium, deux orphelinats, un foyer pour vieillards, un club sportif et culturel, une maison de redressement et une foule d'autres organisations s'occupant des besoins et des problèmes de la communauté immigrante.

Et les Juifs de Toronto et Winnipeg firent pour leurs nouveaux venus ce qu'avaient fait ceux de Montréal. Un journal de Toronto faisait remarquer avec envie en 1910 : « Il n'y a pas de personnes plus philanthropes que nos Juifs. Si seulement nos autres citoyens étaient comme eux. » Pareillement, le Winnipeg Free Press écrivait en éditorial en 1912 : « Les Juifs peuvent se vanter de ne pas laisser leurs pauvres à la merci d'étrangers. »

Mais la philanthropie juive ne se limitait pas aux pauvres de la communauté, loin de là. Dès le début du siècle, la communauté juive fit de généreux dons à des institutions non juives. En 1908, par exemple, lorsque le Winnipeg General Hospital était dans une situation finanière désespérée, des leaders juifs se réunirent et amassèrent une somme considérable. Les Juifs de Montréal occupaient bien sûr une place éminente dans les oeuvres charitables de la ville. Le fait qu'ils donnaient des sommes énormes à leur propre communauté ne les empêchait pas de faire aussi de grandes

Brochure électorale de Peter Bercovitch, 1916.

contributions à l'extérieur. Le lieutenant-gouverneur du Québec loua précisément la communauté juive de Montréal pour sa générosité.

Mais les Juifs ne donnaient pas que de l'argent à la collectivité canadienne, ils donnaient aussi de leur temps. Au cours des années qui précédèrent 1914, Samuel Rosenthal à Ottawa, Nathan Freed et Jacob Miller à Cornwall, Moses Finkelstein et Abraham Scoliter à Winnipeg, Samuel Shultz à Vancouver, Abraham Blumenthal et Louis Rubinstein à Montréal, Sam Minden à Webwood, en Ontario, et Louis Singer, à Toronto, furent tous élus conseillers municipaux. À Kenora, en Ontario, Simon Cobrin fut élu maire. Montefiore Joseph, de Québec, et Simon Leiser, de Victoria, furent nommés présidents de leurs

Chambres de Commerce respectives. Et en 1914 Samuel Shultz devint le premier juge juif du Canada. Mais, ce qui est peut-être plus important, S. Hart Green, un jeune avocat juif dont la famille s'était établie au Nouveau-Brunswick une cinquantaine d'années auparavant, fut élu député à l'Assemblée législative du Manitoba; il était le premier Juif à siéger dans une assemblée provinciale depuis la Confédération. Et en 1916, Peter Bercovitch, élu député à Québec, était le premier Juif à siéger dans cette assemblée depuis Ezekiel Hart.

Les nouveaux immigrants juifs commençaient également à faire leur marque, mais personne ne le fit avec davantage d'éclat que la famille Rubinstein de Montréal. Longtemps avant d'être élu conseiller municipal, Louis, qui était le fils d'immigrants polonais, avait été le meilleur patineur artistique du Canada. En 1890, il remporta même le championnat du monde en Russie. Pendant plus de dix ans, il fut le meilleur Canadien dans ce sport. Et quand il se retira, son frère cadet Moses devint le nouveau champion du Canada. Leur soeur Rachel ne fut pas en reste et remporta aussi deux titres. Une autre immigrante, Pauline Lightstone, connue sous le pseudonyme de Donalda, qui était la fille de Juifs lituaniens arrivés à Montréal dans les années 1880, devenait rapidement une des meilleures cantatrices du monde. Israel Rubinowitz, dont les parents s'établirent à Vancouver en 1892, fut le premier boursier Rhodes juif du Canada. Parmi les cinq diplômés du secondaire au Yukon en 1904, trois étaient juifs, et tous furent admis à l'Université de Toronto. Marcus Sperber, lui-même immigrant, fut en 1900 le premier de sa promotion à la faculté de droit de l'Université McGill. Mais alors que Max Lesses, un jeune Juif, obtenait son diplôme de médecine avec une médaille d'or à l'Université Queen's, cette même université faisait des pressions pour que soit adoptée une loi lui donnant un caractère entièrement chrétien et lui permettant donc de fermer ses portes aux Juifs. Après de vifs débats au Parlement, le projet de loi fut modifié et l'Université Queen's ne serait entiè-

rement chrétienne qu'en ce qui concernait son administration et son corps professoral. Les Juifs pouvaient donc y être étudiants, mais non professeurs ou administrateurs.

À Montréal, l'afflux de tant d'immigrants juifs fit dégénérer en crise le conflit qui couvait depuis longtemps sur l'éducation au Québec. En vertu des lois de la province, toutes les écoles devaient être soit catholiques soit protestantes. Aux fins de l'éducation, les Juifs n'avaient aucun droit; quand ils se trouvaient à l'école, les enfants juifs devaient être catholiques ou protestants. Les Juifs des beaux quartiers choisissaient tout simplement d'envoyer leurs enfants dans les écoles protestantes de langue anglaise. En retour, ils versaient leurs impôts scolaires à la commission scolaire protestante. Et comme la population juive était très réduite, et la communauté prospère, cela ne constituait pas un problème pour les protestants. Ils acceptaient simplement les quelques dizaines d'enfants juifs et recueillaient avec plaisir les impôts de leurs parents.

Mais au début du siècle, les protestants commencèrent à se sentir mal à l'aise. De quelques dizaines, le nombre d'enfants juifs était passé à plus de mille; ils représentaient maintenant plus de 17% de l'ensemble des élèves. Toutefois, comme leurs parents étaient pauvres et pour la plupart locataires, et qu'ils ne payaient donc pas d'impôts scolaires, la commission scolaire se voyait privée d'argent. Pire encore, les anglophones protestants étaient sur la défensive à Montréal. La ville était maintenant majoritairement francophone, et au sein de la population anglophone les Irlandais catholiques dominaient. Le nombre d'immigrants juifs augmentant chaque fois qu'un bateau accostait au port ou qu'un train arrivait d'Halifax, les anglophones protestants semblaient perdre rapidement leur influence. Il fallait faire quelque chose – et vite. La cible involontaire fut Jacob Pinsler, un studieux jeune immigrant de quinze ans qui était le premier de sa classe et avait donc droit à une bourse pour entrer à l'école secondaire.

Lorsque Pinsler arriva à sa nouvelle école, on lui interdit de s'y inscrire et on refusa de lui accorder une bourse parce que son père était locataire et ne payait donc pas d'impôts à la commission scolaire protestante. Sa famille intenta des poursuites, et Maxwell Goldstein, un diplômé de McGill, et Sam Jacobs se chargèrent de la cause. Mais en dépit de leurs efforts le tribunal trancha en faveur de la commission scolaire. Les Juifs du Québec, dit-il, étaient des citoyens de seconde classe qui n'avaient pas le droit – à moins d'être propriétaires – d'envoyer leurs enfants à l'école. Il ne fut pas tenu compte de l'argumentation de Goldstein, qui affirmait que cela enfreignait les célèbres lois des années 1830 donnant aux Juifs tous les droits et libertés en tant que citoyens du Québec.

La situation fut corrigée au bout de quelques mois par l'adoption par l'Assemblée législative d'une loi garantissant l'admission de tous les enfants juifs dans les écoles protestantes, mais la question n'était pas vraiment réglée. En fait, la situation s'aggrava, car de plus en plus d'élèves juifs s'inscrivaient. En 1914, les Juifs représentaient plus de 40% des élèves du réseau scolaire, et en 1916 il y avait plus de 10 000 Juifs parmi les 22 000 élèves inscrits dans les écoles protestantes. Mais, alors que leurs enfants étaient, aux fins de leur éducation, définis comme des protestants, les parents demeuraient juifs et ne pouvaient donc enseigner ni siéger à la commission. Même si de nombreuses écoles avaient maintenant une majorité d'élèves juifs – en fait, certaines étaient presque entièrement juives –, on interdisait expressément aux Juifs de jouer quelque rôle que ce soit dans le réseau scolaire. C'était manifestement, tonna le *Jewish Times*, un cas d'« imposition sans représentation ». Divers projets de loi présentés à l'Assemblée pour donner plus de droits aux Juifs en matière d'éducation furent rejetés. Les autorités du réseau scolaire protestant, soutenues par leurs collègues catholiques, qui s'inquiétaient des conséquences possibles pour leurs propres écoles, craignaient de perdre le contrôle si on accordait une représentation aux Juifs. Ceux-ci, fit observer un éminent ecclésiastique protestant, étaient simplement « tolérés » et devaient donc « ne pas oublier leur place ».

La commission ne s'objectait pas à la présence des enfants des Juifs riches, mais bien plutôt à celle des enfants des pauvres. Et c'est précisément de ces enfants que l'establishment juif s'inquiétait également. S'ils ne pouvaient fréquenter les écoles protestantes, qui pourrait les instruire? Les leaders juifs ne se rendait que trop compte que cette responsabilité leur incomberait. Ils craignaient surtout d'être en fin de compte obligés de créer et de financer un réseau d'enseignement distinct pour la communauté juive.

Les Juifs riches étaient bien déterminés à faire que cela ne se produise pas. Non seulement les frais seraient au-dessus de leurs moyens, mais le principe était en soi absolument inacceptable. Peter Bercovitch, leur porte-parole, dit à ce sujet : « [Il serait] erroné et destructeur [...] d'envoyer nos enfants [dans des écoles] à l'atmosphère juive [...]. Nous ne voulons pas créer un État juif au sein de la province de Québec [...]. Nous voulons que nos enfants soient des citoyens de la province et du Canada [...]. Les écoles [doivent être] le creuset où ils recevront leur instruction et se feront inculquer les idéaux de cette province. »

La communauté immigrante ne partageait pas du tout ce point de vue. En 1912, elle convoqua une « conférence populaire » sur la question scolaire et résolut de mettre fin à l'éducation protestante des enfants juifs et de créer une commission scolaire distincte pour ces enfants, où le yiddish et peut-être l'hébreu auraient le même statut que l'anglais et le français. Leur porte-parole affirma sans ambages que pour assurer la survie du peuple juif au Canada il fallait absolument créer un réseau scolaire juif autonome. Pendant combien de temps, se demandaient-ils, des enfants juifs éduqués dans des écoles relevant d'une commission protestante, où les maîtres sont protestants, et qui sont forcés de suivre des cours de religion, resteront-ils juifs?

Leurs inquiétudes se trouvèrent amplifiées à la suite d'une grève de quelque cinq cents enfants juifs de l'école Aberdeen, qui déposèrent livres et crayons pour protester contre les propos ouvertement antisémites d'un enseignant. Les élèves reprirent le chemin de l'école, mais les nerfs étaient à vif. Les communautés protestante et juive s'opposaient vigoureusement sur la question scolaire. D'après le surintendant de l'instruction publique, les écoles protestantes étaient ce que leur nom implique : des écoles où l'on enseigne aux enfants protestants les fondements de leur foi chrétienne. Les Juifs pouvaient fréquenter ces écoles, mais ils devaient en accepter les règles. Les leaders juifs, pour leur part, voulaient simplement l'égalité et la représentation. Si les écoles ne pouvaient être non confessionnelles, comme celles des autres provinces, la commission devait au moins ouvrir ses portes à des représentants et à des enseignants juifs. Le réseau scolaire public ne constituait pas un problème que pour les Juifs de Montréal. Ailleurs, des enfants formaient souvent des piquets de grève devant les écoles, qui insistaient pour donner un enseignement religieux chrétien à leurs nombreux élèves juifs. À Toronto, l'école Lansdowne fut fermée par les élèves après qu'on leur eut ordonné de chanter des chants de Noël. À l'école King Edward, à quelques rues de là, et dans cinq autres écoles, les élèves juifs séchèrent les cours, parce qu'on refusait de suspendre un drapeau juif dans les classes à côté des drapeaux des autres nationalités.

Malgré une loi de 1930 qui se voulait un compromis entre les besoins de la communauté juive et les craintes des protestants, le problème couverait pendant des années.

La communauté juive établie s'inquiétait peut-être surtout du fait que dans les nouveaux quartiers, se constituait non seulement une nouvelle société mais également une nouvelle classe – une classe aux idées étranges et exotiques ramenées du vieux pays avec son bagage culturel. Les Juifs arrivés après le terrible pogrom de Kichinev en 1903 et l'échec catastrophique de la révolution de 1905 contre le tsar étaient plus susceptibles d'être radicaux que ceux qui les avaient précédés au Canada. Beaucoup étaient membres du Bund, un mouvement laïc de gauche luttant pour l'autonomie des Juifs. Ils étaient imbus de l'idée que le socialisme, qui promettait une société juste, était la seule solution du « problème juif ». Ces immigrants se retrouvaient tout naturellement dans les syndicats, les mouvements de protestation et des organisations telles que l'Arbeiter Ring (le cercle des travailleurs), une société d'entraide pour la classe ouvrière juive. Mais l'Arbeiter Ring était beaucoup plus que cela. C'était une organisation américaine importée telle quelle au Canada, et qui se considérait comme faisant partie d'un mouvement visant à mettre fin à l'oppression des travailleurs et à renverser le système capitaliste. Elle donnait au travailleur une explication de ses souffrances et lui fournissait un remède. Le socialisme, les syndicats et un nouveau système économique étaient la seule solution, disaient à l'immigrant les divers conférenciers invités par l'organisation.

D'autres immigrants, influencés par des penseurs tels que Ber Borochov et A.D. Gordon, étaient tout aussi convaincus que le sionisme, la création d'un État juif, était la seule solution viable du problème juif. Bon nombre de ceux-ci, également socialistes, se retrouvèrent dans des organisations telles que les Labour Zionists et y combattirent non seulement les ploutocrates des quartiers riches, mais aussi leurs collègues travailleurs non sionistes de l'Arbeiter Ring. Le conflit sur une patrie juive occuperait une grande place dans la vie de la communauté juive du Canada pendant des années. Ces luttes bruyantes, spectaculaires, mais généralement non violentes, allaient diviser des familles, mettre fin à des amitiés et miner l'unité de la classe ouvrière pendant cinquante ans.

Toutefois, tous les immigrants étaient unis par un sentiment d'exploitation – particulièrement au travail. La plupart travaillaient évidemment dans l'industrie naissante du vêtement qui, en 1900, était devenue en grande partie juive. Pour la plupart des entrepreneurs juifs de la période antérieure, cette industrie était la plus accessible. Elle exigeait peu d'immobilisations – une machine à coudre ou deux, quelques rouleaux de tissu et le goût du travail. La concurrence était bien sûr féroce. Tout le monde pensait pouvoir réussir en affaires. La plupart de ces entrepreneurs optimistes se retrouvaient évidemment sur la paille au bout d'un an ou deux. Ceux qui survivaient le faisaient en réduisant leurs frais au minimum, surtout les frais de main-d'oeuvre.

Au début du siècle, certaines des firmes les plus prospères du pays appartenaient à des Juifs. Beaucoup de ces entrepreneurs avaient débuté en vendant des vêtements et de la mercerie. En raison de la nature irrégulière de leur approvisionnement, ils se lançaient dans la fabrication et engageaient quelques tailleurs en chômage ou des ménagères pour compléter leur stock. Solomon Levinson, par exemple, ouvrit un magasin de confection à Montréal en 1874. Insatisfait de la qualité de la marchandise qu'il vendait, il se mit à donner du travail en sous-traitance à des femmes du quartier. Il engagea bientôt des tailleurs expérimentés, des dessinateurs de patrons et des coupeurs. En 1900, la firme Solomon Levinson and Son était la plus importante compagnie canadienne de confection de vêtements pour hommes. Et à Winnipeg, le magasin de Moses Hadas devint la Western Shirt and Overall Company et celui de Ben Jacob la compagnie Jacob and Crawley; ces deux sociétés étaient deux des plus importants empires du vêtement de tout le Canada. Elles étaient suivies de près par les firmes de la « bande de Lancaster », les familles auxquelles appartenaient Lazarus et Lyon Cohen, Harris Kellert, Noah et David Friedman et Harris Vineberg, qui avaient à l'origine fondé des magasins dans la région de Lancaster, en Ontario, dans les années 1860 et 1870. Avec leurs fabriques modernes, leurs réseaux de distribution, leurs opérations de gros et leurs produits de qualité, ils dominaient à cette époque l'industrie du vêtement à Montréal. Mais

dans l'ensemble, l'industrie était constituée de petites compagnies, qui étaient exploitées dans des greniers, des cuisines ou des salles de séjour, qui employaient une poignée d'hommes et de femmes, et même des enfants, et faisaient de la sous-traitance pour des compagnies plus importantes.

Qu'il s'agisse de travail à la pièce fait chez soi ou à l'usine, les conditions de travail étaient abominables – à tel point que le gouvernement mit sur pied différentes commissions d'enquête. Les usines n'étaient pas ventilées – elles étaient terriblement surchauffées l'été, et glaciales l'hiver; les heures de travail étaient longues – certains travaillaient 12 heures par jour, 7 jours par semaine. Les semaines de 80 heures pour les femmes et les enfants n'étaient pas rares. Un journal de Toronto rapporta en 1908 que dans une maison du *Ward*, il y avait « dans le sous-sol une pièce d'environ 15 pieds carrés, [où] une famille de 6 ou 7 personnes était occupée à 11 heures du soir à confectionner des vêtements prêts à porter, tandis que dans la même pièce, qu'on utilisait aussi bien pour dormir, cuisiner et manger que pour travailler, une jeune fille était au lit, malade ».

Les conditions étaient encore pires à Montréal. Les immigrants devaient se disputer les emplois avec les innombrables Canadiens français fuyant la pauvreté du Québec rural. Les salaires étaient donc plus bas et les heures de travail plus longues que partout ailleurs au Canada, et la maladie et la faim étaient le lot de l'ouvrier. Lors de la crise économique de 1908, diverses organisations juives se réunirent pour fonder une « soupe populaire » et nourrir les pauvres. Un mois plus tard, celle-ci nourrissait des milliers de personnes. Quand les boulangers juifs de la ville demandèrent à leur syndicat international aux États-Unis de leur fournir une assurance-vie, près de la moitié d'entre eux furent rejetés parce qu'ils avaient la tuberculose.

Les immigrants se voyaient presque obligés de travailler dans l'industrie du vêtement. Souvent, il n'y avait pas d'autres emplois, et c'était aussi le seul travail pour

Premiers pionniers, Toronto Cloakmakers' Union, 1911.
(Toronto Jewish Congress / CJC, Archives de la région
de l'Ont. 13)

lequel ils étaient formés. Dans le vieux pays, chaque ville ou village avait ses tailleurs et ses couturières. Eux et leurs apprentis fournissaient ainsi la main-d'œuvre nécessaire pour faire fonctionner les machines de la *Main* ou du *Ward*. La plupart des immigrants étaient évidemment inexpérimentés. L'industrie offrait à l'ouvrier juif l'espoir d'une mobilité sociale ascendante. Après tout, beaucoup de patrons n'étaient eux-mêmes que d'anciens petits ouvriers.

Pour l'immigrant juif, l'industrie du vêtement était surtout un chez-moi. Ses patrons, tout comme les autres travailleurs, étaient juifs. Tout le monde parlait yiddish, et s'il était pratiquant, il pouvait sans doute s'absenter le jour du sabbat – à condition de compenser le samedi soir ou le dimanche. Et les pères hésitaient certainement moins à permettre à leurs filles de travailler dans des usines où des amis et des parents pouvaient veiller sur elles. Et comme rares étaient les

possibilités qui s'offraient aux Juives dans la société canadienne de ce temps, et comme leur revenu était essentiel au bien-être économique de leur famille, la plupart des immigrantes juives se voyaient forcées de travailler dans l'industrie. En 1911, 60% des employés de l'industrie à Toronto étaient de jeunes femmes célibataires.

Les femmes mariées devaient bien sûr rester à la maison et s'occuper de leur famille. Mais, souvent, cela ne les exemptait pas d'avoir à gagner de l'argent. Certaines familles d'immigrants étaient si près du dénuement total que les épouses et mères – sans parler des grand-mères – étaient obligées de faire du travail à la pièce chez elles, de travailler à l'usine à temps partiel ou d'accepter des pensionnaires. En Europe, la tradition juive exigeait évidemment que la femme travaille pour obtenir un revenu permettant à son mari de se plonger librement dans l'étude du Talmud. Le fait

Camp Yungvelt, parrainé par l'Arbeiter Ring.

d'exiger des femmes qu'elles travaillent en Amérique du Nord n'était donc pas le choc culturel dont certains historiens ont parlé.

Mais le type de travail qu'elles faisaient constituait, lui, un choc. Elles trimaient au-dessus d'une machine à coudre, piquaient des doublures dix heures par jour; on leur imposait des amendes si elles arrivaient en retard, si elles partaient trop tôt, si elles n'atteignaient pas leurs quotas; certaines devaient même louer les chaises sur les-quelles elles s'asseyaient et les machines qu'elles utilisaient; beaucoup étaient vic-times de harcèlement sexuel – ces femmes étaient parmi les travailleurs les plus exploi-tés du Canada. Il ne faut pas s'étonner qu'un bon nombre aient été parmi les plus mili-tants de leurs ateliers, hommes et femmes confondus. Et bien qu'aucune grève n'eût été possible sans leur soutien, on ne leur laissait jouer qu'un rôle mineur dans les syndicats juifs.

Hors du travail, des Juives de Montréal et Toronto organisèrent sans doute les pre-miers boycotts de consommateurs au pays. Face au prix élevé de la viande et du pain, ces Juives demandèrent dès 1908 à la com-munauté de n'acheter ni pain ni viande jusqu'à ce que les prix baissent. En 1910, à Montréal, des immigrantes juives organisè-rent un rassemblement d'un millier de personnes pour dénoncer le prix du pain. Certaines acceptèrent de cuire elles-mêmes du pain et de créer une boulangerie coopéra-tive. Lors de la célèbre « grève du pain » en 1917 à Toronto, des groupes féminins d'au-todéfense prirent d'assaut restaurants et épiceries pour y enlever le pain acheté dans les boulangeries incriminées. Dans les deux villes, les prix baissèrent.

En 1914, les immigrantes commencè-rent à se rebeller contre la situation domesti-que qui leur était imposée. Elles devaient se marier et avoir des enfants; mais pour

Comité de grève générale, International Ladies Garment Workers' Union, Toronto, 1919.

beaucoup – surtout celles qui avaient une certaine instruction – le mariage et la maternité ne suffisaient plus. Elles exigeaient une place plus importante dans la société juive; elles voulaient que soient reconnus non seulement leurs griefs mais aussi leurs contributions, qui étaient importantes. Les auxiliaires féminines de diverses synagogues, *landsmanshaftn* et syndicats stimulaient la communauté. Elles furent les premières à créer des organisations pour visiter et aider les malades, organisations qui allaient donner naissance à des cliniques, des hôpitaux, des orphelinats, des foyers pour vieillards et une foule d'autres établissements.

Il y faudrait du temps, mais en une ou deux générations des femmes telles que Lillian Freiman, la fondatrice de la Hadassah au Canada, Becky Buhay, une éminente syndicaliste de choc, et d'autres allaient sortir de l'ombre et occuper la place qui leur revenait au premier plan de la communauté.

Pour la plupart des immigrants, le Canada n'était manifestement pas la terre promise. Les ateliers où ils étaient exploités et leurs appartements à une seule pièce ne tardaient pas à devenir les cimetières où étaient ensevelis leurs rêves d'une *goldene meddina*, d'une « terre dorée », d'un Eldorado. La tyrannie du cosaque avait fait place à la tyrannie de l'atelier; ils avaient combattu celle-là, ils étaient maintenant prêts à combattre celle-ci. Enflammés par leurs idées socialistes ou sionistes, ou par leurs souvenirs d'oppression, ces nouveaux venus n'étaient pas prêts à accepter passivement leur sort. Même les apolitiques, les timides et les pratiquants étaient radicalisés pas leurs expériences de travail. Ce sont ces hommes et ces femmes qui donnèrent naissance au mouvement ouvrier juif.

Souvent, l'opposition la plus forte venait des Juifs propriétaires des ateliers. La plupart des patrons étaient eux-mêmes d'anciens ouvriers et d'anciens immigrants. Ils savaient ce que c'était que d'être pauvre, que d'être étranger dans un pays inconnu. Et pourtant ils s'en étaient sortis en travaillant fort, en économisant, et aussi – mais ils ne l'admettaient jamais – avec un peu de chance. Et s'ils avaient réussi, les autres le pouvaient aussi. Ils étaient donc déterminés à s'opposer au syndicat immigrant, quel qu'en soit le coût. Ils n'avaient pas le choix – du moins le croyaient-ils. Toute hausse des salaires, toute amélioration des conditions de travail, toute diminution des heures de travail pouvaient ruiner la compagnie. Certains, tel Lyon Cohen, ne voyaient pas d'un mauvais oeil la lutte des ouvriers, mais la plupart luttèrent jusqu'au bout contre les syndicats.

Mais en dépit du fossé entre les classes et des durs conflits industriels, un lien continuait d'unir le patron et ses ouvriers. Ils se rencontraient à la synagogue, aux réunions de *landsmanshaftn* ou aux manifestations communautaires. Le propriétaire prêtait souvent de l'argent à ses employés pour faire venir des parents d'Europe ou faire vivre sa famille. Toutefois, il était en même temps déterminé à ne pas admettre le syndicat chez lui et à payer de bas salaires. L'ouvrier, de son côté, était tout aussi déterminé à cesser le travail si son patron n'était pas plus ouvert à ses demandes.

Certaines des grèves les plus dures eurent effectivement lieu dans ces usines juives. En 1900, la United Garment Workers' Union fit grève contre Mark Workman, dont le mauvais traitement des ouvriers immigrants était notoire. Mais Workman remplaça simplement sur-le-champ les ouvriers en grève par des briseurs de grève, et la production ne marqua pas d'arrêt. En 1907, le syndicat tenta de nouveau sa chance, cette fois contre la compagnie S. Levinson and Son et d'autres firmes. La grève échoua encore une fois, car de nouveaux immigrants s'empressèrent de faire le travail des grévistes. En 1908, la compagnie de Noah Friedman résista victorieusement à une autre grève. Ce n'est qu'en 1912 que les ouvriers remportèrent une victoire importante.

Cette grève, qui eut lieu dans l'industrie du vêtement pour hommes à Montréal, fut en effet un tournant pour le mouvement ouvrier juif de la ville. Jusque-là, les travailleurs n'avaient atteint aucun de leurs objectifs – reconnaissance du syndicat, salaires plus élevés, meilleures conditions

de travail, heures de travail plus courtes, normes de santé et de sécurité, fin des systèmes de travail à la pièce et de sous-traitance, et salaire égal pour les hommes et les femmes. Cette grève violente dura plus de sept semaines, mais cette fois les ouvriers restèrent unis. Ils ne s'opposaient pas à une compagnie, mais bien à toute l'industrie du vêtement pour hommes. Sauf dans les petites firmes, les tailleurs, repasseurs, coupeurs et dessinateurs de patrons firent tous la grève. Il y eut de la violence lorsque les compagnies engagèrent des garde-chiourme pour brutaliser les organisateurs de la grève. Les manufacturiers essayèrent même de faire venir des briseurs de grève de Toronto et de New York. Mais les ouvriers n'acceptèrent pas. Soutenus par la communauté juive des quartiers pauvres, ils organisèrent de grands défilés et des manifestations devant les usines. Des fonds de grève furent créés, on fit des ventes, et des travailleurs d'autres industries donnèrent de l'argent de leur poche pour soutenir les grévistes. Un compromis fut finalement atteint; le syndicat n'avait rien obtenu d'important – il n'avait, par exemple, pas été reconnu –, mais il prétendait avoir remporté une importante victoire morale.

Les travailleurs juifs de l'industrie du vêtement des autres régions du pays se seraient certainement contentés de ce succès limité. À Hamilton et à Winnipeg, des ouvriers, qui avaient fait grève pour que leur syndicat soit reconnu et obtenir de meilleures conditions de travail, furent écrasés. À Winnipeg, Ben Jacob, qui mena la contre-attaque des manufacturiers, fut particulièrement cruel envers ses travailleurs. Les ouvriers de Toronto, beaucoup plus nombreux, n'eurent pas plus de succès. Un certain nombre de grèves violentes eurent lieu contre des employeurs juifs – l'une d'elles dura plus d'un an –, mais sans grand résultat. En dépit de l'attitude favorable aux travailleurs de la presse yiddish, de la plupart des organisations fraternelles et des autres organisations de quartier, et même des synagogues, les propriétaires ne voulaient pas reculer d'un pouce. On trouvait toujours des ouvriers désespérément pauvres et affamés pour remplacer les grévistes.

La grève qui fut peut-être la plus importante – et qui eut le moins de succès – eut lieu à Toronto, où les conditions de travail pour le travail à la pièce était particulièrement brutales. Dans une série d'articles rédigés pour un journal de Toronto, un jeune étudiant de l'Université de Toronto du nom de Mackenzie King alerta le public sur le sort horrible des travailleurs. Il écrivit ce qui suit dans son journal personnel à la suite d'une expérience particulièrement épouvantable dans un atelier : « Quelle journée j'ai passée. J'ai été témoin de l'oppression de l'homme par ses semblables. C'est l'enfer... . » Pour améliorer leur situation, des ouvriers de Toronto fondèrent des syndicats. Inspirés par la grève couronnée de succès de l'International Ladies Garment Worker's Union, à New York en 1910, les ouvriers du vêtement de Toronto affilièrent en 1911 leur syndicat à l'ILGWU et choisirent de s'attaquer surtout à la T. Eaton Company.

Ils n'auraient pu faire un pire choix. Non seulement la compagnie était le plus important détaillant du Canada, mais son complexe industriel de 12 étages au coeur du *Ward* était le plus gros employeur de la ville. La plupart de ses employés étaient juifs – tous dans les usines, car il n'y aurait pas de vendeurs juifs dans les magasins Eaton avant 30 ans –, mais il y avait aussi un nombre substantiel de membres d'autres minorités ethniques. Eaton employait environ 1200 Juifs, qui représentaient 75% des ouvriers juifs du vêtement à Toronto. De toute évidence, la compagnie n'était pas un vilain endroit où travailler, rien à comparer, en tout cas, avec les ateliers de Toronto, Montréal ou New York où la main-d'œuvre était exploitée. Mais le tout nouveau ILGWU n'attendait que l'occasion de se battre, et Eaton lui en fournit involontairement le prétexte.

En février 1912, la compagnie ordonna un changement de production sans en aviser les ouvriers. Environ 65 membres du syndicat cessèrent immédiatement le travail pour protester. Ils furent congédiés sans autre forme de procès. Bien qu'un faible pourcentage des ouvriers à l'emploi de la compagnie fussent membres du syndicat, presque tous firent grève pour soutenir les 65. Environ 1300 travailleurs furent mis en lock-out et avisés de ne pas revenir.

La grève fut longue – 18 douloureuses semaines. Le syndicat essaya toutes les tactiques possibles pour forcer la compagnie à négocier. Il y eut d'énormes manifestations, un piquet de grève fut maintenu 24 heures sur 24, les enfants des grévistes défilèrent dans les rues du centre-ville, on boycotta même le célèbre catalogue Eaton de vente par correspondance – des milliers furent retournés. Mais tout cela en pure perte. La compagnie était déterminée à ne pas céder. Elle avait le sentiment d'avoir été juste envers ses employés et d'avoir fait plus que tous les autres manufacturiers du pays. Les salaires étaient plus élevés, les conditions de travail plus saines et les heures de travail plus brèves. John Craig Eaton, le fils du fondateur de la compagnie, voyait même dans la grève une insulte à sa famille. Il était donc déterminé à utiliser toutes les méthodes nécessaires pour réprimer la grève. Il fit venir d'Angleterre un grand nombre de briseurs de grève – cent filles du seul Yorkshire; d'autres furent engagés aux États-Unis. Des soldats forcèrent les piquets de grève et intimidèrent les grévistes.

La grève ne put durer. Les travailleurs n'avaient pas les ressources financières voulues. Et c'est un groupe d'ouvriers assagi mais appauvri qui se mit à chercher d'autres emplois, leurs trois mois de grève n'ayant rien donné. Les syndicats juifs, démoralisés, mettraient du temps à remonter la pente, et la compagnie Eaton n'a toujours pas de syndicat.

En raison de la grève et de la crise économique que subit le pays avant la Première Guerre mondiale, un certain nombre d'ouvriers juifs torontois en chômage commencèrent à créer leurs propres minuscules ateliers de fabrication d'articles tels que des jarretelles, des boutonnières, des manches et des cols. C'est dans ces greniers et ces sous-sols qu'allait naître la *shmata* de Spadina – les centaines de petites compagnies de fabrication de vêtements qui allaient révolutionner la fabrication et la vente en gros du vêtement au Canada. Les grévistes furent donc en fin de compte les vainqueurs, car les minuscules ateliers de couture et les fabriques plus importantes qui leur succédèrent mirent fin au monopole presque total de la compagnie Eaton dans l'industrie du vêtement pour dames.

Au milieu de 1914, au début de la guerre, la période d'immigration de masse prenait fin. Davantage de Juifs arrivèrent au Canada cette année-là qu'en toute autre année de l'histoire du Canada. Mais les 20 000 Juifs qui débarquèrent étaient noyés dans la masse des 400 000 autres nouveaux immigrants. Ces deux nombres ne seraient jamais dépassés.

Et ces nouveaux venus juifs qui quittaient Halifax pour Montréal, Toronto, Winnipeg, Vancouver et d'autres endroits n'étaient guère conscients que l'Europe qu'ils avaient laissée ne serait plus jamais la même. Quatre années de guerre sanglante s'en chargeraient. Ils ne se rendaient pas non plus compte que le Canada dont ils foulaient maintenant le sol était un pays très différent de ce qu'il était quinze ans auparavant. L'arrivée de trois millions d'immigrants, dont plus de cent mille Juifs, avait produit ce changement.

CHAPITRE 7

La période de l'organisation

1914 - 1930

La vie de la communauté juive du Canada de 1914 à 1930 a été caractérisée par la prolifération des organisations. Il en surgissait partout – et tout le monde y adhérait. Il existait des organisations culturelles, politiques, charitables, sociales. La presse yiddish avait fort à faire pour se tenir au courant de toutes les activités et réunions – et pas seulement dans les principales agglomérations. Les Juifs d'Europe orientale avaient un besoin viscéral de se regrouper. Qu'ils fussent établis dans l'île du Cap-Breton, à Timmins, à Regina, cela ne faisait aucune différence. Là où des Juifs s'installaient, des liens étaient établis, des groupes organisés et des activités charitables et culturelles mises sur pied.

Pour les Juifs d'Europe, la fin du XIXe siècle, marquée de pogroms dans l'est, d'un antisémitisme accru symbolisé par l'affaire Dreyfus dans l'ouest, et par des bouleversements économiques partout, fut un tournant décisif. Des décisions fondamentales devaient être prises qui allaient avoir des répercussions durables sur la vie de leur communauté. Beaucoup choisirent de partir pour des pays européens plus hospitaliers; d'autres préférèrent émigrer au-delà des mers, vers « l'Eldorado ». La plupart décidèrent – peut-être n'avaient-ils pas le choix – de rester.

Mais même pour eux la vie n'allait plus jamais être pareille. De nouvelles idées, de nouveaux mouvements s'infiltraient dans les communautés juives européennes. Le socialisme, l'anarchisme, le hassidisme, le sionisme et une foule d'autres idéologies rivalisaient pour gagner la faveur des masses populaires juives. Il y avait un net renouveau de la conscience juive, du sentiment que les Juifs devaient s'efforcer de prendre en main leur destinée. Ce fut une époque de renaissance de la culture juive, de la littérature yiddish, de l'hébreu et même du principe de gouvernement autonome et d'autodétermination pour les Juifs.

Beaucoup de ceux qui arrivèrent au Canada à cette époque apportèrent dans leurs bagages ces courants d'idées. Ce sont eux qui ont jeté les bases du mouvement ouvrier juif et, surtout, du sionisme. Mais, fait tout aussi révélateur, tout comme leurs frères d'Europe, ils furent influencés par la vague nationaliste qui déferlait sur le monde juif à cette époque. Pour eux, même s'ils avaient émigré au Canada et non en Palestine, le sionisme était sans conteste la seule solution du problème juif.

Et rares sont les endroits où le sionisme fut plus populaire au sein des masses juives

À gauche: Groupe d'orphelins de guerre à Revno, en Ukraine, en 1921, avant leur départ pour le Canada. (Ottawa Jewish Historical Society 4-018)

Cour de la Société hébraïque d'aide aux immigrants,
Varsovie, Pologne, 1921.

qu'au Canada. Peut-être à cause des conditions de vie que les immigrants y trouvèrent à leur arrivée. Pouvait-on trouver pire en Palestine, si primitive fût-elle, qu'une cabane isolée au milieu d'une prairie balayée par les vents ou qu'un atelier nauséabond dans une usine surchauffée de Toronto, ou une chambre dépourvue de chauffage dans un immeuble de Montréal? Et pourtant, les immigrants qui s'établissaient aux États-Unis étaient confrontés à des conditions de vie encore pires et montraient beaucoup moins d'enthousiasme pour la cause sioniste. La graine du sionisme trouva véritablement au Canada un sol fertile.

D'une part, il existait un certain nombre de sionistes non juifs claironnant sur tous les toits qu'ils appuyaient la création d'une patrie pour les Juifs en Palestine. Henry Wentworth Monk, homme d'affaires excentrique mais respecté, fut fort prodigue de son temps et de son argent pour faire campagne pour la création d'une patrie pour les Juifs. Bien avant que l'idée d'un Etat juif n'ait germé dans le cerveau de Theodore Herzl, Monk lança dans les années 1870 et

1880 une campagne de levée de fonds au Canada et en Angleterre dans le but d'acheter des terres en Palestine pour les Juifs européens. En 1881, Monk proposa même la création d'un fonds national juif. Il publia des manifestes, écrivit de longs articles, prit la parole devant diverses assemblées et fit de nombreuses pressions au Canada et en Angleterre pour réaliser son rêve. Il faut préciser que Monk n'était pas seul. Plusieurs autres personnes – surtout des ecclésiastiques, mais également des politiciens et des journalistes – épousèrent la cause sioniste à cette époque. En fait, lorsqu'une organisation sioniste était créée au Canada, rares étaient les réunions auxquelles n'assistaient pas plusieurs éminents chrétiens canadiens. Et il y avait toujours des ministres, des maires, des lieutenants-gouverneurs et d'autres personnalités pour les accueillir chaleureusement.

Le sionisme arriva au Canada avec Alexander Harkavi, un éminent journaliste yiddish d'origine russe. Avec un petit groupe de disciples, il fonda à Montréal en 1887 la Hovevei Zion Society, « Les

Congrès sioniste canadien, Ottawa, juillet 1912.

Amants de Sion ». Quelques mois après, des sections étaient créées à Toronto et Winnipeg. Peut-être était-ce prématuré, car l'organisation périclita peu de temps après lorsque Harkavi quitta le pays. Elle fut remplacée en 1892 par une organisation du nom de « Retour à Sion », Shovei Zion, dont le membre le plus influent, le philanthrope Lazarus Cohen, se rendit plein d'optimisme en Palestine pour acheter des terres en vue d'y établir des colons canadiens. Un ou deux ans plus tard, plusieurs familles juives de Montréal décidèrent effectivement de faire *aliya* – elles étaient certainement les premières de toutes l'histoire du Canada – et de s'y installer à demeure. Malheureusement, à cause de l'opposition du gouvernement turc, de qui dépendait la Palestine, elles durent bientôt revenir au Canada et l'organisation Shovei Zion fut dissoute.

Ce n'est qu'en 1897, lorsque le visionnaire juif autrichien Theodore Herzl réussit à organiser le premier Congrès mondial sioniste à Bâle, en Suisse, que le sionisme moderne fut véritablement lancé. Deux ans plus tard, la Canadian Federation of Zionist Societies ouvrait un bureau à Montréal. Elle n'était constituée en tout et pour tout que d'une seule organisation, la Agudath Zion, presque entièrement composée de membres de synagogues des beaux quartiers. Bien que dirigée en apparence par le docteur David Alexander Hart, un descendant de la famille de Trois-Rivières, c'est Clarence de Sola, fils du défunt rabbin de la synagogue hispano-portugaise et homme d'affaires très riche, qui en réalité en tenait les rênes. Il existait évidemment d'autres groupements hors de Montréal, à Toronto, Winnipeg, Québec, London, Ottawa et Kingston, mais seule la Agudath Zion, et peut-être aussi la Winnipeg Zionist Society, pouvaient être considérées comme de véritables groupes permanents. Évidemment, ce sont les Juifs de Montréal qui allaient tenir le haut du pavé au sein de cette fédération – tout comme plus tard au sein du sionisme canadien – pendant les cinquante années suivantes. La communauté était mieux organisée, plus riche, ses liens plus étroits, et surtout elle avait Clarence de Sola, dont les talents d'organisateur, les ressources financières et l'énergie allaient être les principaux atouts de ce mouvement naissant au Canada.

Il est cependant également vrai que les plus ardents partisans du sionisme se trouvaient à Winnipeg. Ce sont eux qui, inlassablement, exigeaient que le sionisme soit pris au pied de la lettre et que les Juifs du Canada eux-mêmes s'installent en Palestine. Alors que la Fédération était prête à acheter des terres en Palestine pour y établir des Juifs d'Europe, les sionistes de Winnipeg insistaient pour que ces terres soient réservées à des émigrants canadiens. Lorsque de Sola écarta leurs recommandations, des sionistes de Winnipeg tentèrent d'acheter des terres en Palestine pour eux-mêmes. Leur tentative échoua.

Sous la direction de de Sola, qui fut président de la fédération de 1900 jusqu'après la Première Guerre mondiale, le mouvement prit rapidement de l'ampleur. Bientôt, des sections furent créées un peu partout au pays, dans les villes petites et grandes. La fédération, par bien des côtés, représentait beaucoup plus pour les Juifs du Canada qu'une simple organisation sioniste. C'était aussi la première organisation nationale juive du Canada. Ses réunions annuelles – la première eut lieu à Montréal en 1900 – étaient la seule occasion qu'avaient les Juifs de partout au pays de se rencontrer et de discuter de leurs problèmes communs, dont beaucoup n'avaient guère de rapports avec le sionisme. Elles servaient de tribunes où diverses communautés – grandes ou petites – apprenaient l'existence les unes des autres. Des relations s'y nouèrent qui allaient jouer un rôle fondamental dans le cadre de diverses autres activités de la communauté juive canadienne au cours de ces années.

En grande partie grâce à de Sola, la fédération put attirer dans son sein une grande partie de la communauté juive canadienne. De Sola entretenait une énorme correspondance avec différents Juifs d'un océan à l'autre, de Glace Bay à Victoria, et il voyagea beaucoup pour rencontrer ses correspondants. Il donna à l'organisation sa crédibilité, et le fait qu'il était issu de la haute société gagna à la fédération non seulement l'appui de Juifs de la classe moyenne, mais également de beaucoup de non-Juifs. Sa principale pierre d'achoppement fut évidemment la communauté immigrante. Il ne prétendait pas la comprendre, et de toute façon ses membres avaient si peu d'argent qu'il ne voyait pas en eux des recrues importantes pour la cause sioniste. Pour lui, le sionisme canadien avait pour objectif d'amasser des fonds et non d'éveiller les consciences. Il laissait ce soin à d'autres.

Mais personne ne mettait en doute l'importance qu'il accordait au mouvement. Lorsque se posa la question, qui divisa la communauté, de savoir si on devait accepter l'offre des Britanniques de substituer l'Ouganda à la Palestine, proposition que de Sola appuyait fortement à cause de sa loyauté envers les Britanniques et envers son ami Theodore Herzl, il se rangea du côté des membres canadiens qui avaient voté contre. Il était déchiré, mais son devoir était de sauvegarder l'unité de l'organisation – et de la cause. Et il y parvint. En grande partie grâce à son travail, la fédération comptait plus de 5 000 membres dans tout le Canada. D'Halifax à Hirsch, de Windsor à Wapella, de Fort William à Fredericton, de Sola avait réussi à planter la graine du sionisme. Il y avait des associations sionistes à Yarmouth, St. Catherines, Brandon, et rares étaient les villes du Canada qui n'avaient pas la leur. Et quel Juif n'a pas été impressionné en 1913, lors du congrès de la fédération à Ottawa, lorsque le premier ministre du Canada par intérim, George Perley, exhorta les délégués à continuer de

Poalei Zion, Toronto 1913. (Toronto Jewish Congress /
CJC, Archives de la région de l'Ont. 2913)

lutter pour la création d'un État juif en
Palestine, que le gouvernement du Canada
considérait comme une « cause juste ».

C'est grâce aux levées de fonds que le
mouvement put faire d'importants progrès
au Canada. En 1903, le Fonds national juif –
le célèbre Keren Kayemeth – fut créé et
des milliers de petites boîtes bleues en fer-
blanc – les pushkes – furent envoyées dans
tout le pays pour être remplies de pièces de
monnaie de 1, 5 et 10 cents. C'est grâce à
ces pushkes distribuées dans les écoles, les
synagogues, les magasins de quartier et les
salles communautaires que la plupart des
Juifs prirent concrètement contact à la fois
avec le sionisme et avec la patrie juive. Les
sommes amassées par le mouvement sioniste furent exceptionnelles – étant donné
le petit nombre de Juifs et leur pauvreté
relative. Grâce aux pushkes, à la vente d'ac-
tions du Jewish Colonial Trust pour acheter
des terres en Palestine et à divers autres

moyens, plus d'un million de dollars – peut-
être la contribution par habitant la plus éle-
vée de toutes les communautés juives du
monde – avaient été recueillis en 1924.

Il semblait y avoir des organisations
sionistes pour tout un chacun. Les Juifs
religieux avaient la leur – le Mizrachi; certains *landsmanschaftn*, et certains groupes
étudiants, avaient leurs propres groupes
sionistes. Il existait des clubs réservés à
ceux qui parlaient yiddish, et d'autres aux
employeurs, ou aux ouvriers. Même le mouvement réformé, dont les dirigeants américains tonnaient contre l'hérésie sioniste –
son chef, le rabbin Isaac Meyer Wise, avait
dénoncé à Montréal le sionisme, le qualifiant « d'ivresse momentanée d'esprits mor-
bides » –, offrit un appui au mouvement du
Canada, appui dont il avait grand besoin.

Aucun groupe ne fonda peut-être
davantage d'associations sionistes que les
femmes juives du Canada. La plupart des

En haut: Premier groupe de *Pioneer Women*, 1920.

En bas: Mme Willinsky, une organisatrice de la première section de la Hadassah à Toronto et l'un des premiers membres du Council of Jewish Women.

associations sionistes étant majoritairement masculines, les femmes organisèrent leurs propres groupes. À Toronto, le B'not Zion (les filles de Sion) fut fondé en 1900. Un an plus tard, les femmes de Montréal fondaient la Young Ladies Progressive Zionist Society. Bientôt, le B'not Zion eut des sections dans tout le pays. À ces deux groupes vinrent bientôt s'ajouter la Herzl Ladies Society, la Young Ladies Zionist Society, les Queen Esther Cadets, le Nordau Girls Group, le Palestinian Sewing Circle et de multiples autres groupes. La plupart étaient des organisations culturelles ou des organisations de collecte de fonds, mais leurs dirigeantes s'engagèrent dans la politique sioniste et beaucoup siégèrent à l'exécutif de la Federation of Zionist Societies. En 1917, apparurent les premières sections canadiennes de la Hadassah, l'organisation féminine sioniste fondée aux États-Unis par Henrietta Szold. Sous la direction de Lillian Freiman, la Hadassah fut le principal collecteur de fonds pour les activités du mouvement sioniste au Canada et en Palestine. Beaucoup plus tard, les femmes du Poalei Zion formèrent leur propre organisation, les Pioneer Women, tout comme des femmes membres du Mizrachi.

L'organisation la plus importante au sein du mouvement sioniste – celle qui attirait le plus grand nombre de nouveaux immigrants au pays – était le Labour Zionist Movement (Poalei Zion). Cette organisation considérait que la lutte des Juifs à l'échelle nationale s'inscrivait dans une lutte générale des classes; elle fut très populaire au sein du mouvement ouvrier juif naissant et en retour fournit à ce mouvement beaucoup de ses premiers leaders. Les militants du Poalei Zion firent descendre le sionisme dans la rue et le firent entrer dans les manufactures. Venu au Canada avec des immigrants plus politisés à la suite de l'échec de la révolution russe de 1905, le mouvement ne se limitait pas à la lutte visant à donner aux Juifs une patrie. Les premiers membres du Poalei Zion furent à l'avant-garde du combat pour la diffusion de la culture yiddish et pour la création d'un

Hananiah Meir Caiserman, secrétaire général du Congrès juif canadien de 1919 à 1950.

réseau scolaire juif distinct et de syndicats. Cette organisation, la plus messianique de toutes celles de la communauté juive, était à la fois un parti politique et une organisation fraternelle dont le but était la reconstitution du peuple juif. Et ses dirigeants, particulièrement Hananiah Meir Caiserman, jeune immigrant roumain arrivé à Montréal en 1910, passaient autant de temps à organiser des syndicats et à éveiller la conscience de la classe ouvrière de la communauté immigrante qu'à travailler à la création d'un Etat juif en Palestine.

Les réalisations du Poalei Zion au cours de ces années ont été très importantes pour la communauté juive canadienne. Elles prouvèrent que l'on pouvait être à la fois socialiste et sioniste, lutter pour assurer la justice sociale aux Juifs en tant que travailleurs et en tant que citoyens du monde, et s'opposer à certains éléments de la communauté sur des questions syndicales tout en faisant front commun avec eux lorsqu'il fallait assurer la survie des Juifs. Cependant, le Poalei Zion fut surtout un mouvement urbain, enraciné dans les quartiers ouvriers de Toronto, Winnipeg, Montréal, et à un degré moindre Hamilton. Il est certain que les Juifs de la classe moyenne et ceux qui vivaient dans de petites villes n'étaient pas attirés par la nature idéologique du Poalei Zion, pas plus d'ailleurs que ne l'étaient de Sola et ses partenaires de la fédération. Choqués par l'attitude antireligieuse du Poalei Zion, son socialisme, ses activités syndicales et ses campagnes de financement distinctes en faveur des travailleurs de Palestine, la fédération refusa de le reconnaître comme une organisation sioniste légitime. De Sola et ses amis n'apprécièrent guère que les syndicats affiliés au Poalei Zion lancent une série de grèves massives à Montréal dans le secteur du vêtement, contre des employeurs qui finançaient généreusement le mouvement sioniste.

Malgré ces heurts, le sionisme florissait avant la guerre au Canada. Les leaders sionistes d'Europe faisaient régulièrement l'éloge des remarquables réalisations de de Sola. Ils étaient émerveillés de voir qu'un nombre relativement restreint de Juifs, pour la plupart des immigrants, disséminés sur une étendue de 3 000 milles, dans un pays rude, avaient pu créer un des plus solides mouvements sionistes du monde.

Le déclenchement de la guerre de 1914 allait diviser encore davantage la communauté juive. Il y avait peu de Canadiens aussi farouchement en faveur de la guerre que les Juifs nantis du Canada. De cœur et d'esprit, ils étaient anglophiles jusqu'à la moelle. Le Canada pouvait bien être leur patrie, mais l'Angleterre était leur modèle, et lorsque celle-ci demanda de l'aide nul ne répondit avec autant d'empressement que les leaders de la communauté juive. Des Juifs éminents comme Mortimer Davis, de l'Imperial Tobacco Company, allèrent même jusqu'à promettre de recruter et de financer leurs propres bataillons. La communauté immigrante fut moins enthousiaste. Elle n'avait rien contre la Grande-Bretagne. Mais dans cette guerre celle-ci était alliée au diable incarné, la Russie des tsars. Comment le Canada pouvait-il s'engager dans une guerre aux côtés des despotiques Romanov?

Comment pouvait-on demander aux Juifs de combattre pour un régime qui s'était rendu coupable des crimes les plus abominables contre leur peuple? Le tsar les avait chassés et maintenant il espérait qu'ils allaient revenir et soutenir sa cause.

De plus, l'Allemagne et l'Autriche avaient été plus tolérantes que la Russie. Vienne était le berceau du sionisme moderne; Berlin, avec ses banquiers, ses politiciens et ses intellectuels juifs, était le haut lieu de la réussite juive. Comparés aux Russes et aux cruautés qu'ils avaient infligées aux Juifs, les Allemands n'étaient coupables de rien. Il était peut-être préférable que l'Allemagne vainque le tsar détesté simplement pour préserver les Juifs d'Europe orientale des épouvantables excès des Russes.

La communauté juive était alors profondément divisée, et à mesure que la guerre progressait, les dissensions s'aggravèrent. Personne ne pouvait parler au nom de la communauté; personne ne pouvait non plus représenter ses intérêts. C'est donc précisément à ce moment que divers groupes et particuliers commencèrent à exercer des pressions pour la création d'un Congrès, d'un Parlement de la communauté juive canadienne, où des décisions pourraient être prises, des points de vue débattus, des programmes mis sur pied, et surtout où la communauté pourrait retrouver son unité.

Les communautés d'immigrants étaient évidemment celles qui réclamaient le plus bruyamment la création d'un Congrès. Les immigrants avaient le sentiment que le pouvoir était depuis trop longtemps entre les mains des Juifs nantis de Montréal et de ceux de la classe dominante et de la classe moyenne de Toronto et de Winnipeg. La communauté juive canadienne était maintenant composée d'une majorité de Juifs d'Europe orientale. Il était temps que leur supériorité numérique se traduise par un certain pouvoir.

Les plus nantis exécraient cette idée. C'était leur argent, leurs efforts, leurs rapports avec la communauté non juive, leurs institutions, notamment le Baron de Hirsch

Reuben Brainin (à droite) avec Hirsch Cohen (au centre) et Mordechai Ginsburg.

Institute, qui avaient permis à la communauté immigrante de survivre. Sous leur égide, la communauté avait maintes fois été sauvée du désastre depuis le début de l'immigration de masse. Et de toute façon, quel visage aurait un Congrès dont la plupart des membres parleraient à peine l'anglais, n'auraient presque pas d'instruction et encore moins d'argent. Qu'en penseraient les autres Canadiens? Le gouvernement prendrait-il la communauté au sérieux? La communauté juive canadienne voulait-elle réellement être représentée par des socialistes militants de langue yiddish? Mais les membres de l'establishment, malgré leurs appréhensions, croyaient de plus en plus que les Juifs du Canada avaient besoin d'une organisation plus représentative. Le cortège des problèmes amenés par la guerre s'allongeait. Que pouvait-on faire pour soulager les Juifs dans les zones de combat? Maintenant que les Turcs s'étaient alliés aux Allemands, la Palestine devenait un butin de guerre.

La communauté juive canadienne devrait présenter un front uni lorsque celle-ci tomberait inévitablement entre les mains des Britanniques. Et, le gouvernement souhaitant mobiliser toutes les communautés, cette guerre n'était-elle pas l'occasion idéale de présenter au gouvernement fédéral une série de doléances? Dans d'autres pays comptant une communauté juive assez importante, il y avait également des mouvements en faveur de la création d'organismes représentatifs. Le principal défenseur de ce qui allait être le Congrès juif canadien, H.M. Caiserman, a dit : « Le Congrès juif canadien n'était pas un mouvement local isolé. Il a ses origines dans l'éveil soudain des masses juives et leur organisation simultanée partout dans le monde. »

Il fut également heureux pour les Juifs du Canada que Rueben Brainin décide d'y passer quelques années. Juif dynamique, éloquent, passionné, Brainin arriva à Montréal en 1912 pour être le rédacteur en chef de l'*Adler*. Au cours des quatre années qu'il passa dans cette ville avant de partir pour New York, il devint le principal défenseur de la création d'un Congrès au sein de la population d'expression yiddish. Il fut leur idéologue, celui qui établit des liens avec la communauté nantie avec laquelle il avait beaucoup en commun. Il se servit des pages de l'Adler – jusqu'à ce qu'il soit mis à la porte pour avoir critiqué l'establishment juif – pour promouvoir ses idées.

La première étape vers la création d'un Congrès fut franchie lors de la fondation à Montréal, en 1915, de la Canadian Jewish Alliance par une section montréalaise du Poalei Zion. Treize organisations assistèrent à la réunion de fondation, dont le but était de créer une organisation-cadre pour la communauté juive canadienne, organisation qui coordonnerait toute l'aide destinée aux Juifs européens et parlerait au nom de la communauté juive canadienne sur toutes les questions la touchant. Brainin accepta la présidence de l'Alliance, même si le travail au sein de l'organisation serait surtout l'oeuvre de membres militants du Poalei Zion.

À peine quelques mois après, des organisations tinrent des réunions à Winnipeg et Toronto pour demander d'être affiliées à l'Alliance. Des promesses d'appui arrivèrent également de communautés juives de tout le pays. Les Juifs voulaient surtout créer un fonds d'aide pour secourir leurs familles, leurs amis et les *landsleit* (citadins) retenus dans les zones de combat.

Les Juifs les plus fortunés et la Federation of Zionist Societies étaient quant à eux fortement opposés à la création de l'Alliance. La fédération répugnait naturellement à appuyer la création d'une autre organisation juive nationale qui mettrait en péril sa suprématie. De plus, la communauté juive établie s'opposait à la création d'un fonds distinct pour les Juifs européens. À son sens, il valait mieux contribuer au « fonds patriotique » du gouvernement canadien, même si les juifs qui vivaient au coeur d'une Europe déchirée par la guerre ne

recevraient pas un sou du gouvernement canadien.

La fédération sioniste riposta à la fondation de l'Alliance par la création de la Canadian Jewish Conference, mais elle recruta peu de membres au sein de la communauté juive, qui rejetait son élitisme. Et pour cause. La fédération était contre un congrès dont les membres seraient élus au suffrage populaire; elle préférait plutôt une assemblée de « notables » choisis par diverses organisations juives. Cependant, la plupart des Juifs du pays voulaient surtout envoyer de l'aide à leurs coreligionnaires d'outre-mer – souhait que partageait l'Alliance. Beaucoup d'organisations juives lançaient leurs propres campagnes de levée de fonds. À Winnipeg, la Western Canada Relief Alliance recueillit des milliers de dollars – et notamment un don de 2 500 $ du conseil municipal de Winnipeg –, qu'elle fit parvenir au Joint Distribution Committee, à New York, qui se chargeait de l'envoyer immédiatement en Europe.

Les dissensions entre les deux organisations de la communauté juive canadienne durèrent jusqu'en 1917. Les événements allaient alors inexorablement renforcer la position de l'Alliance. Cette année-là, les leaders juifs américains décidèrent de créer leur propre congrès, et en juin des élections furent tenues dans tout le pays pour choisir des représentants. Cette même année, alors que l'armée britannique chassait les Turcs de Palestine, le ministre de Affaires étrangères, Arthur Balfour, caressait l'idée d'amener les Juifs du monde entier – et les États-Unis – à soutenir l'effort de guerre britannique en appuyant le principe d'une patrie pour les Juifs. Il se rendit en Amérique du Nord, où il rencontra des représentants de la communauté juive américaine ainsi que le président Woodrow Wilson et d'autres responsables américains. Au cours d'un bref séjour qu'il fit au Canada pour mettre les dirigeants canadiens au courant de la situation, il prit le temps de rencontrer Clarence de Sola, qui lui aussi lui parla de la nécessité de la création d'une patrie juive en Palestine.

À gauche: Défilé du Jour de la Déclaration Balfour, Ottawa, mai 1917. (Ottawa Jewish Historical Society 1-174)

À droite: Défilé à Regina en faveur de la Déclaration Balfour, 1918.

Le 2 novembre 1917, Balfour faisait sa célèbre Déclaration, où son gouvernement s'engageait notamment à appuyer la création d'un État juif en Palestine. Ce fut pour tous les Juifs du monde un moment inoubliable, et aucun d'entre eux ne fut plus euphorique que Clarence de Sola, qui s'attribuait un peu le mérite d'avoir influencé Balfour. Il y eut de gigantesques rassemblements au Canada en faveur de la Déclaration Balfour – près de 7 000 personnes participèrent à une grande manifestation à Montréal, tandis que 6 000 autres se réunissaient à Winnipeg pour entendre le lieutenant-gouverneur du Manitoba chanter les louanges de la cause sioniste.

Les dissensions qui avaient déchiré la communauté semblaient s'être dissipées dans l'euphorie consécutive à la Déclaration Balfour. Des dirigeants nouveaux et jeunes se levaient au sein de la fédération pour contester le pouvoir de de Sola et pour essayer de trouver un terrain d'entente avec les leaders immigrants de l'Alliance. A.J. Freiman, riche homme d'affaires d'Ottawa, Moses Finkelstein, un avocat de Winnipeg, et Louis Fitch et Michael Garber, de Montréal, qui s'emparèrent rapidement des leviers de commande de la fédération, étaient beaucoup plus favorables à la création d'un congrès. Ils furent particulièrement impressionnés par deux assemblées organisées par l'Alliance à Winnipeg et à Toronto, assemblées qui attirèrent des centaines de délégués de l'ouest du Canada et de l'Ontario et qui appuyèrent unanimement la création d'un Congrès juif canadien.

À la fin de 1917, l'opposition sioniste s'était en bonne partie effritée. Il était évident que la plupart des Juifs du Canada ne croyaient pas comme de Sola que la préoccupation première des Juifs devrait être la création d'une patrie en Palestine. Même si la plupart des Juifs partageaient ce rêve, ils se souciaient davantage d'aider leurs frères d'outre-mer dans la détresse. Ils étaient d'avis qu'un Congrès juif canadien serait l'instrument adéquat pour régler la situation désespérée de la communauté juive européenne et pour régler la question d'un État juif.

La preuve la plus éclatante que la communauté était en train de se ressouder fut peut-être l'élection en 1917 de Sam Jacobs comme député fédéral de la circonscription de Cartier, à Montréal. Jacobs, bien qu'appartenant à la communauté établie – né au Canada, il était riche et ne parlait pas un mot de yiddish –, gagna les suffrages de la communauté des quartiers d'immigrants. Il appuya la création d'un congrès, se déclara un ardent défenseur de la création d'un État juif en Palestine et promit de travailler au sein de son parti pour ouvrir davantage les portes du pays à l'immigration et permettre aux nouveaux venus de devenir des leaders au sein de la communauté. Bien que les libéraux eussent mordu la poussière partout au pays, Jacobs remporta une victoire éclatante –, puisqu'il recueillit dix fois plus de votes que son adversaire le plus proche. Il devint donc ainsi le premier Juif à siéger au Parlement depuis Henry Nathan, quelque 45 ans auparavant.

En 1918, l'American Jewish Congress se réunit pour la première fois. Y assistaient cinq observateurs canadiens, dont J.A. Cherniack, de Winnipeg, et Peter Bercovitch et Hirsch Wolofsky, de Montréal. À leur retour au Canada, ils mirent en branle le processus de réunion d'un congrès canadien. Un comité préparatoire, dont la direction fut confiée à H.M. Caiserman, fut formé. La fédération sioniste accepta de se joindre à ceux qui réclamaient un congrès, et en janvier 1919 la Montreal Conference for the Jewish Congress se réunit – ironiquement – dans le bastion de la communauté établie de Montréal, le Baron de Hirsch Institute, pour prendre les dernières dispositions. Pour calmer les inquiétudes de la communauté établie, on demanda à Lyon Cohen de présider l'assemblée, tandis que Caiserman se voyait confier le rôle de secrétaire général.

Les 2 et 3 mars 1914, environ 25 000 Juifs canadiens se rendirent dans les bureaux de vote installés dans les synagogues et les bureaux de la communauté partout au pays pour élire les délégués au Congrès. Ce fut peut-être l'élection la plus chaudement disputée de toute l'histoire de la communauté juive canadienne. Tout le monde semblait vouloir participer à cet événement historique. Des blocs et des coalitions se formèrent, et des marchés furent conclus entre divers groupes et organisations pour assurer l'élection de leurs candidats.

La grande majorité des Juifs du Canada prirent part à l'élection. Caiserman affirma même que presque tous les Juifs adultes du pays avaient voté. Deux semaines plus tard, le 16 mars, 209 Juifs canadiens se réunirent au Monument national, à Montréal, pour participer à l'événement le plus important à avoir eu lieu à l'époque pour la communauté juive, la fondation du Congrès juif canadien.

Jamais, probablement, des représentants d'autant de tendances existant au sein de la communauté juive ne s'étaient réunis sous un même toit. On y trouvait des délégués de la fédération sioniste, du Poalei Zion, du Mizrachi, de l'antisioniste Arbeiter Ring, de divers syndicats, de mutuelles et d'organisations de bienfaisance. Des délégués étaient venus des quatres coins du pays, d'Englehart, en Ontario, Kamsack, en Saskatchewan, Sibbald, en Alberta, Campbellton, au Nouveau-Brunswick, La Macaza, au Québec ainsi que des principales agglomérations. Et beaucoup de Juifs qui n'avaient pas été choisis comme délégués vinrent en observateurs.

Le Congrès s'ouvrit en présence de plus de 2 500 invités venus voir s'écrire une page de l'histoire de la communauté juive. Ils ne furent pas déçus. Des orchestres jouèrent; des élèves d'écoles juives chantèrent; des dignitaires juifs des États-Unis firent des discours; divers rabbins bénirent l'assemblée; et une série d'orateurs non juifs transmirent les voeux de leurs gouvernements, églises et organisations respectifs. Le conseil municipal de Montréal invita même les délégués à une réception à l'hôtel de ville et assura leur transport dans des tramways pavoisés aux couleurs juives et canadiennes. À la grande joie des délégués, le fauteuil du maire était surmonté d'un immense drapeau juif.

Les délégués élirent par acclamation Lyon Cohen au poste de président. Bien qu'il fût membre de la communauté aisée, sa philanthropie, son honnêteté et son dévouement à la cause sioniste et à la communauté juive le rendirent également populaire auprès des nouveaux venus. Il était, au dire de Caiserman, le « choix parfait ». Son « inaltérable bonne humeur, son profond désir de jouer franc jeu, sa tolérance et son respect pour l'opinion d'autrui, ainsi que l'intelligence avec laquelle il comprenait les points essentiels de chaque problème qui surgissait faisaient de lui un président idéal

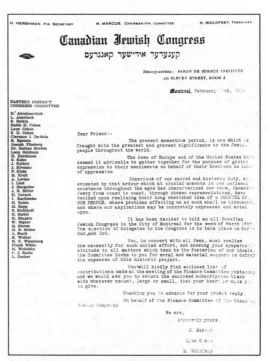

À gauche: Couverture du *Canadian Jewish Chronicle* à l'occasion de la première assemblée plénière du Congrès juif canadien, 1919.

À droite: Lettre annonçant la première assemblée plénière.

pour une assemblée comme le Congrès, composée d'éléments fort disparates ». Pour faire contrepoids, Caiserman lui-même, en sa qualité de leader des Labour Zionists, fut nommé secrétaire général.

Pendant 3 jours, les délégués discutèrent d'un large éventail de sujets, mais l'immigration et la Palestine étaient au centre des débats. Il fut évident dès le début que les délégués du Labour Zionist Movement s'étaient bien préparés. Ils arrivèrent au Congrès avec la machine politique la plus efficace et les résolutions qu'ils voulaient faire adopter le furent généralement. Ainsi, le Congrès réclama la création d'un organe représentatif permanent pour la communauté juive canadienne et élu par elle au suffrage universel. D'autres résolutions appuyant la création d'un Congrès juif mondial et l'envoi de représentants indépendants de la communauté juive mondiale aux pourparlers de paix de Versailles furent adoptées. Le Congrès applaudit la Déclaration Balfour et vota à l'unanimité d'appuyer la création d'un Etat juif en Palestine, quelques délégués membres du Bund s'étant abstenus. Il demandait égale-

ment que le Canada conserve une politique libérale en matière d'immigration et que soit créé un bureau d'immigration pour aider les Juifs immigrant au Canada. C'est ainsi qu'est née la Jewish Immigrant Aid Society (JIAS). Finalement, les délégués adoptèrent des résolutions où ils exprimaient leur loyauté envers le Canada, « une loyauté qui ne le cède en rien à celle des autres citoyens de ce grand pays qui est le nôtre », disait Lyon Cohen, et où ils remerciaient le gouvernement du Canada de son appui et de sa participation à la guerre.

Le Congrès prit fin le 18 mars après que les délégués eurent entonné l'hymne national du Canada, l'hymne national juif et – symboliquement – l'hymne socialiste. Il ne se réunirait à nouveau que 15 ans plus tard.

Néanmoins, il avait bien travaillé. La communauté possédait maintenant un sentiment d'unité et de détermination qui lui avaient auparavant fait défaut. Les délégués regagnèrent leurs demeures, leurs manufactures, leurs magasins ou leurs fermes, convaincus que la communauté juive canadienne avait enfin une voix et des objectifs communs et que le gouvernement allait enfin devoir prendre les Juifs au sérieux.

Les Juifs pouvaient en tout cas rappeler fièrement leur participation à la guerre. Les Juifs du Canada combattirent dans toutes les sections des forces armées et bon nombre d'entre eux furent décorés et reçurent des citations pour leur courage au combat. On croit que plus de 5 000 Juifs ont servi dans des corps expéditionnaires canadiens et que 300 autres se sont engagés volontairement dans la Légion juive de l'armée britannique. Louis Rosenberg, qui pendant plus de 50 ans a recueilli des statistiques sur la communauté juive du Canada, estime que près de 38% de la population juive de sexe masculin en âge de s'engager au Canada a servi dans les forces armées, pourcentage de beaucoup supérieur à la moyenne nationale. Les Juifs ont également reçu, proportionnellement, davantage de médailles pour service militaire insigne que tous les autres soldats canadiens, quelles que fussent leurs origines. Trois Juifs, Maurice Alexander, L. Lerner et H.H. Lightstone, parvinrent même au rang de lieutenant-colonel, tandis que près de cent autres reçurent les grades de commandant, capitaine ou lieutenant. Si l'on tient compte du fait que la plupart des Juifs canadiens étaient d'anciens sujets du cruel régime tsariste, que beaucoup d'autres étaient orthodoxes et ne pouvaient par conséquent pas respecter leurs prescriptions religieuses et alimentaires au sein des forces armées, le nombre de Juifs qui s'engagèrent est impressionnant. En fait, personne ne sait vraiment combien se sont enrôlés, parce que beaucoup choisirent de cacher leur origine, craignant d'attirer l'attention sur leur judéité. En fait, quand le rabbin Herman Abramowitz, le distingué chef spirituel de la synagogue Shaar Hashomayim, fut nommé aumônier honoraire des soldats juifs canadiens, il dénonça aussitôt cette pratique. Dans une lettre que beaucoup purent lire, le « capitaine » Abramowitz se plaignait de ce qu'« un grand nombre de soldats juifs [...] se sont enrôlés sous des noms d'emprunt [et des religions d'emprunt] essayant de dissimuler leur identité juive ». Il suppliait les soldats juifs de se lever et d'affirmer fièrement leur identité, leur enrôlement constituant « une grande source de fierté pour les Juifs ». Certains, mais pas nécessairement tous, suivirent le conseil du rabbin.

Mais si la communauté pensait que sa participation à la guerre et la création du Congrès allaient rendre le gouvernement plus réceptif à ses doléances, elle se trompait amèrement. Tandis que le gouvernement, d'une part, appuyait en paroles la création d'une patrie pour les Juifs en Palestine parce que cela ne lui coûtait pas grand-chose – « de tous les résultats de la [guerre] », déclarait le chef du parti conservateur en 1945, Arthur Meighen, « aucun n'est plus important ni plus fécond dans l'histoire de l'humanité que la reconquête de la Palestine et la remise de ce pays au peuple juif » –, d'autre part, sur une question beaucoup plus irritante pour la communauté juive, il se montra beaucoup plus récalcitrant.

Pendant la plus grande partie de la guerre, l'immigration avait été limitée. Maintenant que la guerre était terminée, et qu'une grande partie de l'Europe était dévastée, les Juifs attendaient anxieusement la réouverture des frontières du Canada pour y accueillir leurs parents et amis. Après tout, la situation en Europe était terrible. La famine sévissait, les destructions étaient considérables et l'économie du continent ruinée. Plus que jamais, il fallait ouvrir le plus largement possible les portes à l'immigration.

Elles commencèrent au contraire à se fermer. Après la Révolution russe de 1917, le Canada, tout comme les Etats-Unis, s'était mis à craindre le « Péril rouge » et hésitait à recevoir des immigrants de peur qu'ils n'apportent avec eux leurs idéologies étrangères. L'hostilité envers les immigrants et l'anticommunisme se répandirent rapidement sur tout le continent nord-américain. Et comme, de plus, on était au plus fort de la récession qui suivit la guerre, le Canada n'avait pas l'intention de rouvrir ses portes trop vite. Presque dès la fin des hostilités, le gouvernement mit en vigueur une série de mesures restrictives pour endiguer le flot d'immigrants. Les plus durement touchés par ces mesures furent les Juifs.

Pour les autorités canadiennes, les immigrants juifs avaient été une grande déception. Le gouvernement avait depuis longtemps pour politique d'inciter les immigrants à s'établir dans l'intérieur du pays, pour exploiter les fermes, les forêts et les mines de l'ouest et du nord du Canada. Il décourageait l'immigration urbaine, mais la majorité des immigrants juifs s'étaient quand même fixés dans les ghettos de Toronto, Montréal et, dans une moindre mesure, Winnipeg. Les quelques cas de réussite individuelle de Juifs sur des terres ou dans des petites villes de l'ouest du Canada n'impressionnèrent guère les responsables de l'immigration. Ils n'examinèrent que les chiffres et constatèrent que la plupart des immigrants juifs s'établissaient dans les villes densément peuplées de l'est du Canada.

Par conséquent, une série de décrets fut adoptée dans les années 1920 qui rendait plus difficile l'entrée des immigrants au Canada – et particulièrement des Juifs. Pour la première fois, et quel que fût leur pays d'origine, tous les Juifs étaient considérés comme un groupe à « permis spécial ». Alors que leurs concitoyens polonais ou roumains pouvaient encore entrer assez facilement au pays, les Juifs originaires des mêmes pays recevaient un statut particulier qui leur interdisait pratiquement l'entrée au Canada. L'ère de l'immigration de masse des Juifs au Canada était bien révolue.

Il y eut naturellement dans toute la communauté juive une levée de boucliers contre ces pratiques manifestement discriminatoires. La communauté n'avait-elle

Hommage à Lillian Freiman, fondatrice de Hadassah-Wizo of Canada, qui a contribué à la fondation de la Great War Veterans' Association et aidé à faire venir des orphelins de guerre juifs d'Ukraine.

pas démontré sa loyauté pendant la guerre? N'avait-elle pas contribué de façon exceptionnelle à l'essor de la société canadienne? N'était-elle pas respectueuse des lois et travailleuse? Ces arguments eurent peu d'effets. Il semblait impossible d'endiguer l'hostilité envers les immigrants et le racisme naissants en Amérique du Nord. Des éducateurs, des politiciens et des journalistes influents, appuyés par des groupes d'agriculteurs et d'ouvriers, formèrent au cours des années 1920 un puissant groupe de pression anti-immigration. L'immigrant, affirmaient-ils s'adressant à une société canadienne de plus en plus réceptive à leurs propos, ne s'assimilait tout simplement pas. Le pays était en train de se « balkaniser » avec tous ces groupes ethniques parlant

En haut: Le premier groupe d'orphelins de guerre juifs d'Ukraine qui a été autorisé à immigrer au Canada, 1921.

En bas: Reçu pour un don fait par le Jewish War Orphans Committee of Canada en vue d'établir une « soupe populaire » pour les orphelins à Elizavetgrad, en Russie.

leur langue, conservant leur propre mode de vie et résistant à tous les efforts pour les intégrer au courant dominant de la société canadienne. Le premier ministre de la Colombie-Britannique disait en 1923 : « Nous voulons à tout prix que ce pays reste un pays britannique. Nous le voulons britannique et rien d'autre. »

À mesure que l'hostilité envers les immigrants faisait du chemin et que la situation économique se détériorait, le flot d'immigrants de l'avant-guerre se tarit presque. La communauté juive était désespérée. Les êtres chers laissés là-bas ne pourraient plus, semblait-il, jamais les rejoindre. Pire, l'effondrement de l'économie de la plupart des pays d'Europe continentale après la guerre, et les pogroms sanglants en Ukraine et ailleurs rendaient le sort des Juifs d'Europe orientale encore plus précaire.

Le Congrès juif canadien fit ce qu'il pouvait. Il envoya des pétitions, organisa des manifestations et exerça des pressions auprès de députés. La réunification des familles exceptée, les responsables de l'immigration restèrent sur leurs positions. De toute façon, le Congrès n'était pas l'organe adéquat pour traiter le problème de l'immigration. Après l'assemblée qui le fonda, le Congrès ne fit pas grand-chose. Après avoir vécu l'expérience émouvante et enivrante de se retrouver et de fonder une organisation nationale, il semble que les Juifs canadiens se soient tout simplement désintéressés du Congrès. Peut-être étaient-ils trop accaparés par leur existence quotidienne pour se préoccuper de questions qui en dépassaient le cadre. De toute façon, en ce qui a trait au problème qui les inquiétait le plus, il existait alors un organisme capable de les aider – la Jewish Immigrant Aid Society.

Pendant toutes les années 1920, la JIAS fut l'organisation communautaire juive la plus active. C'est un représentant de la JIAS qui accueillait l'immigrant à son arrivée et qui le guidait à travers la rébarbative bureaucratie de l'immigration. C'est la JIAS qui ensuite veillait à ce que l'immigrant arrive à destination et qui lui fournissait les prêts, le logement et l'instruction nécessaires pour se préparer à sa nouvelle vie au Canada. Non seulement elle aidait les immigrants déjà arrivés au pays, mais elle passait beaucoup de temps à tenter d'arracher des permis d'immigration à un ministère qui se faisait de plus en plus tirer l'oreille. Elle obtint quelques modestes succès. Grâce, surtout, à l'influence de A.J. Freiman et au travail de sa femme Lillian, présidente de la Hadassah, 100 000 $ furent recueillis qui permirent de faire venir 150 orphelins de guerre juifs en 1920. Trois ans plus tard, encore une fois à la suite de pressions exercées par Sam Jacobs et d'autres, un permis fut accordé pour laisser entrer au pays cinq mille réfugiés juifs de Russie. Mais avant qu'ils soient tous arrivés – seulement 3 300 d'entre eux débarquèrent au Canada –, le gouvernement fit machine arrière – en grande partie à cause de l'intervention du nouveau sous-ministre adjoint de l'immigration, Frederick Charles Blair, qui allait être la principale bête noire de la communauté juive au sein du ministère de l'Immigration.

Mais le gouvernement ouvrier juif joua peut-être un rôle aussi important que la JIAS pour familiariser les nouveaux venus avec leur nouvelle vie au Canada. Dans les années 1920 et 1930, il était au sommet de son pouvoir et de son influence. Sa force était en grande partie attribuable à la concentration géographique de la classe ouvrière juive. La vaste majorité du prolétariat juif était regroupée dans quelques pâtés de maisons autour de la *Main* à Montréal, de l'avenue Spadina à Toronto, et au nord des voies du CP à Winnipeg. C'est cette grande concentration de Juifs qui explique la naissance d'un mouvement ouvrier de masse

juif. Cette masse culturellement et socialement homogène avait connu une expérience commune – immigration, prolétarisation, exploitation –, dans une période très courte, et était par conséquent prête à agir unanimement.

Le mouvement ouvrier juif du Canada était constitué de syndicats de travailleurs du vêtement, des diverses organisations fraternelles qui leur étaient associées et de sections juives de partis politiques de gauche comme le Parti socialiste du Canada, le Parti commmuniste et la CCF. Même s'il avait toutes les caractéristiques des autres mouvements syndicaux ethniques, le mouvement syndical juif était véritablement unique. Aucun autre groupe ethnique ne dominait une industrie comme les Juifs dominaient celle du vêtement, et aucun ne consacrait autant de temps et d'argent pour appuyer des candidats et des causes progressistes. Ceci donna au mouvement ouvrier juif un poids politique et économique beaucoup plus grand que ce que justifiait le nombre relativement petit de ses membres.

Certains immigrants juifs arrivant au Canada étaient des socialistes convaincus. Certains avaient même oeuvré dans des mouvements révolutionnaires en Russie tsariste. Mais généralement, c'est le mouvement ouvrier juif qui les introduisit au socialisme. Il exerçait sur le Juif misérable, exploité et imprégné d'Ancien Testament un attrait profond; il avait, pour reprendre les mots d'un membre, un accent prophétique messianique. Bien que de multiples idéologies contradictoires – anarchisme, communisme, sionisme ouvrier, bundisme et laïcisme, entre autres – se fussent retrouvées au sein du mouvement ouvrier juif, l'idéologie centrale sous-jacente en était néanmoins le socialisme.

Pour beaucoup d'immigrants qui s'étaient écartés du judaïsme traditionnel, le mouvement ouvrier juif constituait un nouveau foyer – voire même un nouveau temple spirituel. En fait, il constituait pour la plupart des Juifs citadins leur première véritable introduction à la vie au Canada. Les organisations fraternelles affiliées au mouvement offraient au travailleur immigrant un milieu rassurant, où il pouvait surmonter le traumatisme que constituait le fait de faire connaissance avec des institutions étrangères, une nouvelle langue et un mode de vie fort différent. Les programmes éducatifs et culturels étaient des activités essentielles du mouvement ouvrier juif. On consacra beaucoup de temps et d'argent pour offrir aux membres des cours d'anglais, des conférences, des pièces de théâtre et de quoi lire.

Les Juifs, à cause de leur histoire, étaient extrêmement sensibles à toute oppression et à toute atteinte aux libertés religieuses et politiques. C'est pourquoi le mouvement ouvrier juif refusa d'adhérer au syndicalisme « ordinaire » des autres syndicats canadiens. Il le remplaça par un souci de justice sociale – non seulement pour ses membres, mais pour tous les travailleurs et même pour tous les Canadiens. Les syndicats juifs furent au premier rang de presque tous les mouvements progressistes au Canada après la Première Guerre mondiale. Contrairement à d'autres syndicats, les intellectuels y jouèrent un rôle primordial, non seulement en tant que conseillers et éducateurs, mais également parce qu'ils y introduisirent de nouvelles idées sociales.

Il était à prévoir que le mouvement serait agité par des remous idéologiques. Il fut en fait un des principaux champs de bataille du grave conflit qui mit aux prises socialistes et communistes et qui se déchaîna avec une extrême violence dans les années qui suivirent la création de l'Union soviétique en 1917. Les socialistes étaient implantés dans des syndicats comme l'International Ladies Garment Workers, l'Amalgated Clothing Workers, le Millinery Workers et plusieurs autres. Ils possédaient leurs propres organisations fraternelles – l'Arbeiter Ring pour les non-sionistes, et le Poalei Zion pour les sionites – et leurs propres journaux et périodiques, dont le plus influent était le *Forward*, de New York.

Les communistes comptaient un assez grand nombre de membres dans certains de ces syndicats, mais on les retrouvait surtout dans la Trade Union League, et plus tard dans la Workers Unity League. Ils prédominaient également dans le United Garment Workers et, pendant un certain temps, dans le Fur and Leather Workers. Leur organisation fraternelle était le United Jewish Peoples Order (UJPO), et leurs principaux journaux le *Freiheit*, de New York, et le *Kampf* (plus tard rebaptisé le *Vochenblatt*), au Canada.

La guerre intestine entre ces deux factions fut impitoyable et haineuse. Elle domina le mouvement tout au long de sa courte histoire et l'affaiblit considérablement. Les trésors de temps et d'énergie gaspillés à se battre entre eux, comme le reconnaissent maintenant avec regret les principaux protagonistes, auraient été mieux employés à combattre les véritables ennemis des travailleurs juifs.

Le mouvement ouvrier juif était également unique d'une autre façon. On n'était pas ouvrier de génération en génération. Il arrivait rarement qu'un ouvrier juif travaillant en usine soit le parent ou l'enfant d'un autre ouvrier. Les travailleurs économisaient, épargnaient et se sacrifiaient afin que leurs enfants n'aient pas à travailler en usine. De plus, les activités éducatives connurent un tel succès qu'elles minèrent le mouvement. Beaucoup d'immigrants eurent assez de confiance en eux pour voler de leurs propres ailes et devenir de prospères commerçants, manufacturiers ou membres des professions libérales. Et si ce n'était pas eux, c'était du moins leurs enfants. La mobilité sociale et la déprolétarisation du travailleur juif furent hors de doute étonnamment rapides.

Pourtant, pendant sa courte histoire, le mouvement ouvrier juif fit beaucoup pour améliorer la qualité de vie non seulement des travailleurs juifs, mais de tous les travailleurs canadiens. Il est à l'origine du syndicalisme industriel, de nouvelles techniques de négociation pour les conventions collectives, et des grèves générales paralysant toute une industrie. Pendant un certain temps il fut l'instigateur et le promo-

En haut: École de l'Arbeiter Ring, Winnipeg, v. 1928.

En bas: Activistes du Young Communist League and Freiheit Club, Toronto, 1926.

teur de beaucoup d'activités culturelles et humanitaires syndicales au Canada. Il lutta aussi énergiquement, et souvent seul, pour un respect plus éclairé des droits de la personne et pour des lois sociales progressistes. Bien avant que cela ne soit à la mode de le faire, le mouvement ouvrier juif exigea le premier une politique plus libérale en matière d'immigration. Il éduqua des milliers de nouveaux immigrants, facilitant leur ascension sociale, et joua un rôle de premier plan dans la croissance de la CCF et du parti communiste. Il fut sans aucun doute la conscience du mouvement ouvrier canadien.

Il prospéra, même s'il était surtout enraciné au coeur de l'industrie où la concurrence était sans doute la plus forte au

Atelier de fourreur, Winnipeg, 1922.

pays. Les manufacturiers de Toronto, Montréal et Winnipeg se livraient toujours une concurrence féroce. C'était à qui fabriquerait les vêtements les moins chers. Les syndicats de ces villes étaient par conséquent continuellement dressés les uns contre les autres pour des questions de salaires et de mises à pied. Et les employeurs de cette industrie étaient certainement parmi les plus hostiles au syndicalisme de tout le pays. Les ouvriers militants étaient inscrits sur une liste noire; aucun employeur ne les aurait embauchés. Les patrons n'hésitaient pas non plus à recourir à la police pour briser les grèves. À Toronto, une jeune gréviste qui faisait partie d'un piquet de grève fut arrêtée pour avoir lancé une boule de neige, fut condamnée à un mois de prison, et à sa libération elle fut déportée en Pologne, d'où elle était originaire. À la même époque, un propriétaire qui avait agressé un travailleur avec une barre d'acier

fut acquitté sous le prétexte qu'il avait « défendu une propriété privée ». À plusieurs reprises la police fit franchir les piquets de grève à des briseurs de grève et arrêta des grévistes qui tentaient de s'interposer. Comme beaucoup d'immigrants savaient que toute arrestation pouvait entraîner la déportation, les grévistes laissaient habituellement la police passer.

Au cours des années 1920, les conditions de travail dans l'industrie avaient très peu changé. Les problèmes hérités de l'époque précédente persistaient toujours – salaires bas, longues heures de travail, accélération du rendement, et conditions de travail dangereuses pour la santé; la tuberculose était même généralement connue sous le nom de « maladie du tailleur ». Un ouvrier de Montréal disait : « Il n'y avait pas de vestiaire. Il fallait secouer ses vêtements pour qu'il n'y ait pas de cafards sur son manteau, ou on les mettait dans une boîte juste

En haut: Chiffonnier de Toronto, 1911.

À droite: Chaim Freiden, ramasseur de ferraille,
Moose Jaw (Saskatchewan), 1913.

à côté de l'endroit où on travaillait. Et les
sandwiches, on les mangeait sur place [...].
Il n'y avait évidemment pas de période de
repos. Il fallait manger son repas au travail
et travailler en mangeant. » Et malgré les
efforts des syndicats naissants, la plupart
des travailleurs recevaient encore un
salaire de famine. En 1921, par exemple,

un homme travaillant dans l'industrie du
vêtement à Toronto gagnait en moyenne
1050 $ par an; une femme seulement 670 $.
Les travailleurs sociaux estimaient à l'époque qu'une famille devait gagner au moins
1655 $ pour survivre.

Les personnages les plus pathétiques de
la communauté juive étaient les chiffonniers

Grève générale de Winnipeg, 21 juin 1919.

– il y en avait six cents à Toronto en 1914.
Beaucoup d'entre eux étaient de vieux Juifs,
pour la plupart érudits, qui avaient joui
d'une grande considération dans les vieux
pays, et qui ne pouvaient obtenir d'autre
emploi parce que, Juifs pratiquants, ils
refusaient de travailler le jour du sabbat.
Ces hommes vénérables, parmi lesquels on
trouvait des rabbins, passaient leurs jour-
nées à fouiller des chiffons sales et malodo-
rants dans lesquels ils trouvaient parfois
des animaux morts ou des fœtus humains.
Leurs conditions de travail étaient tellement
pénibles que certains formèrent un syndicat
des chiffonniers, et firent même grève avec
succès.

Bien que la participation du mouvement ouvrier juif fût minime lors de la
fameuse grève générale de Winnipeg en
1919, où pendant 45 jours la ville fut cou-
pée du reste du monde par la grève surprise
de quelque 30 000 travailleurs, dont ceux
du chemin de fer, du téléphone et de la
poste, certains Juifs y jouèrent à titre personnel un rôle important – du moins aux yeux
du gouvernement. Parmi les cinq « étrangers » arrêtés par la « Royale gendarmerie
à cheval du Nord-Ouest » à la fin de la
grève, trois, Samuel Blumenberg, Michael
Charitinoff et Moses Almazov, étaient juifs.
Ils furent finalement relâchés, mais tous
les trois quittèrent « volontairement » le
Canada peu de temps après. Beaucoup de
Juifs de la ville étaient contre la grève, mais
un mémoire remis par la police secrète au
gouvernement fédéral donnait l'impression
que presque toute la communauté était composée de radicaux et qu'on ne pouvait lui
faire confiance. Quelque temps après, le
commissaire de la police provinciale du
Manitoba affirmait que les Juifs étaient tous
engagés activement dans une conspiration
internationale pour détruire la civilisation
occidentale.

Cette grève incita toutefois les Juifs qui
restaient à s'engager davantage en politique.
Résultat direct des divisions ethniques et
de classe engendrées par la grève, des Juifs
de la classe ouvrière commencèrent à se
porter candidats à diverses élections – et à
gagner. Un Juif d'origine britannique, John
Blumberg, conducteur de tramway, fut élu

conseiller municipal du nord de la ville et fut réélu pendant les 35 années suivantes. Mais, plus important encore, un autre immigrant britannique, Abraham Albert Heaps, tapissier pour le CP et conseiller municipal travailliste, qui fut acquitté d'une accusation de conspiration séditieuse pour son rôle pendant la grève, fut élu député au Parlement fédéral. Il fut l'un de ses premiers députés travaillistes. Il siégea honorablement jusqu'en 1940. D'autres Juifs appuyés par le mouvement ouvrier, dont Rose Elkin, William Tobias et Marcus Hyman, furent élus aux Assemblées législatives, aux conseils scolaires et aux conseils municipaux. Mais Winnipeg faisait exception. Le mouvement ouvrier juif de Montréal et Toronto appuya divers candidats de gauche et libéraux, mais rares sont les Juifs qui furent élus ailleurs.

Certains Juifs ne croyaient pas possible de changer les terribles conditions de travail des ouvriers canadiens sans transformer complètement la structure socio-économique. Pour eux, la solution était simple : le communisme.

Il est certain que la révolution russe trouva un écho extrêmement favorable dans le coeur de certains Juifs. Beaucoup de Juifs russes avaient été au premier rang de la révolution, qui avait mis fin définitivement au règne abhorré des tsars. Il n'y aurait plus jamais de pogroms. Séduits par l'exemple soviétique, de nombreux travailleurs juifs abandonnèrent le Poalei Zion et l'Arbeiter Ring pour joindre les rangs de la pléthore d'organisations et de syndicats ayant des penchants communistes qui fleurirent dans les années 1920. Cette lutte entre Juifs communistes et non communistes pour la direction de la classe ouvrière juive fut l'un des points marquants de l'histoire de la communauté immigrante au cours de l'entre-deux-guerres.

Dans les années 1920 un nouveau type de leader juif fit son apparition au Canada. Les dirigeants issus de la communauté anglophone établie avaient été tranquillement évincés par des militants de la communauté immigrante qui faisaient leur chemin. Comment aurait-il pu en être autrement? La communauté immigrante était si dynamique, et dans une agitation tellement perpétuelle, qu'aucune pression ne pouvait endiguer son flot créateur. Bientôt, celui-ci brisa les murs du ghetto et inonda la vieille communauté, dont certains membres, sans le vouloir, adoptèrent ses principes et devinrent ses chefs. De nombreux immigrants – ou leurs enfants – quittèrent leurs quartiers – sans renier leurs origines – et devinrent des dirigeants des communautés établies. Et bien que la communauté juive fût encore divisée en fonction des classes, le pouvoir était passé entre les mains d'une nouvelle génération.

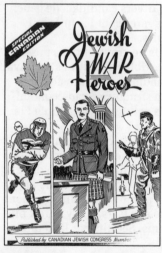

CHAPITRE 8

Les années noires
1930-1945

En juin 1934, eut lieu l'une des grèves les plus étranges de l'histoire du Canada, et une des plus révélatrices pour la communauté juive. Samuel Rabinovich, jeune étudiant en médecine frais émoulu de l'Université de Montréal, se vit offrir un poste d'interne à l'hôpital Notre-Dame. Le jour où il devait entrer en fonction, les quatorze autres internes de l'hôpital abandonnèrent leur poste, refusant, comme ils l'expliquèrent, de travailler avec un Juif. Ils organisèrent un piquet de grève devant l'hôpital et refusèrent même de s'occuper des urgences – en dépit du serment d'Hippocrate qu'ils venaient tout juste de prêter. Ils furent bientôt rejoints par des confrères internes de cinq hôpitaux catholiques des environs et par le clergé des paroisses voisines.

L'événement fit sensation et fit la une des journaux francophones. Tous les internes furent interviewés et leurs propos rapportés avec sympathie. Aucun d'entre eux ne voulait travailler pendant une année entière aux côtés d'un Juif – qui pourrait les en blâmer, demandait le principal journal francophone du Québec, *Le Devoir*, – et tous s'inquiétaient de ce que les patients catholiques pourraient trouver « répugnant » d'être traité, ou même seulement touchés, par un médecin juif. Des organisations comme la

Société Saint-Jean-Baptiste, l'Association des jeunes catholiques et divers conseils de comté et coopératives ainsi que des membres éminents du clergé catholique se rangèrent du côté des internes indignés. Au bout de quelques jours, l'infortuné docteur Rabinovich donna sa démission . Les Juifs, jubilait un journal québécois, ont maintenant appris où est leur place, et « ce n'est pas au Québec ».

Leur place n'était pas non plus, semble-t-il, en Saskatchewan. À peu près au même moment où Rabinovich perdait son emploi, le Regina General Hospital refusait d'engager deux radiologues juifs. Le directeur de l'hôpital expliqua à la presse que la nomination d'un Juif aurait été « inacceptable » pour le personnel et le public dans son ensemble.

Cette ignoble grève des internes ne fut qu'un des innombrables incidents antisémites qui marquèrent la société canadienne dans l'entre-deux-guerres. Par exemple, à Toronto en août 1933, eut lieu la célèbre émeute de Christie Pits, où une foule de jeunes – des membres et des partisans d'un Swastika Club local – terrorisa une équipe de baseball juive et ses partisans au cours d'une bagarre qui se poursuivit dans les rues avoisinantes et dura pendant

À gauche: En 1944, le Congrès juif canadien a publié une série de livres de bandes dessinées pour enfants racontant les hauts faits de soldats juifs pendant la Deuxième Guerre mondiale. Ces bandes dessinées visaient à faire mieux connaître la contribution des Juifs canadiens à l'effort de guerre.

Exemples d'affiches antisémites apparues en Ontario dans les années 1930. Sur celle de gauche, on lit: « Only Gentile Business Sollicited » (On ne veut faire des affaires qu'avec des non-Juifs).

la majeure partie de la nuit. Il y eut également de violents troubles dans les rues de Winnipeg et de Vancouver lorsque des bandes d'antisémites et de Juifs s'affrontèrent.

Il s'agissait là évidemment d'incidents isolés. Le Canada n'était pas l'Europe orientale. Il y eut bien du harcèlement, et des synagogues, des écoles et des commerces juifs furent effectivement vandalisés, mais il y eut peu de manifestations violentes. Cependant, il est clair que l'antisémitisme s'est répandu au Canada au cours des années 1920 et 1930. Un comité du Congrès juif canadien affirmait en 1937 : « Au cours de ces dernières années nous avons constaté une progression étonnante de l'antisémitisme. Des manifestations d'un sentiment antijuif grandissant ont eu lieu partout [...] Des Juifs ont été exclus d'hôtels, de plages, de terrains de golf et de parcs. [...Il y a] de nombreux panneaux à l'entrée des parcs et des plages indiquant que seuls les Gentils sont admis [...Il y a eu] une surprenante augmentation du nombre de personnes et de

compagnies qui refusent de louer des logements à des Juifs [...]; on a de plus en plus pour principe de ne pas employer de Juifs; de boycotter toutes les entreprises juives; on observe des tentatives sporadiques de diverses organisations d'impliquer les Juifs dans des troubles et des manifestations de violence [...] »

L'année suivante, le Congrès juif canadien fit faire une étude sur la situation des Juifs au Canada anglais. Les résultats furent tellement inquiétants – mais guère surprenants pour la communauté juive du Canada – qu'ils ne furent jamais publiés. L'étude rapportait que pour les Juifs canadiens le contingentement et les restrictions étaient monnaie courante. Elle indiquait que peu d'enseignants et aucun directeur d'école n'était juif. Les banques, les compagnies d'assurances et les grandes entreprises commerciales et industrielles refusaient également d'employer des Juifs. Aucun magasin n'embauchait de vendeurs juifs; les médecins juifs ne pouvaient pas obtenir de poste dans les hôpitaux. Il n'y avait pas de juge juif, et les avocats juifs étaient exclus de la plupart des firmes. Non seulement les universités et les écoles professionnelles contingentaient le nombre d'étudiants juifs, mais elles refusaient d'employer des professeurs juifs. Les universités canadiennes étaient à peu près totalement *judenrein* (exemptes de Juifs) – du moins en ce qui a trait au corps professoral. Il y avait peu de fonctionnaires

La swastika, utilisée comme symbole d'antisémitisme au Québec dans les années 1930.

juifs, et ceux qui l'étaient étaient rarement promus. Le rapport ajoutait qu'il était pratiquement impossible pour les infirmières, les architectes et les ingénieurs juifs de trouver un emploi dans leur domaine. Et certains n'y parvenaient que parce qu'ils adoptaient des noms de famille chrétiens – du moins jusqu'à ce que la supercherie soit découverte.

Si le Juif avait de la difficulté à se trouver un emploi ou à s'instruire, il était peut-être encore plus ardu pour lui de se trouver un endroit convenable où se loger ou passer des vacances. De plus en plus la vente de propriétés était assortie d'ententes empêchant qu'elles ne soient cédées à des Juifs. Des panneaux commençaient également à apparaître partout au pays à l'entrée des plages et des lieux de villégiature indiquant au Juif qu'il n'était pas admis. Un hôtel des Laurentides affichait : « Interdit aux chiens et aux Juifs. » On pouvait lire sur une plage de Toronto : « Interdit aux Juifs ». Un terrain de camping de Gimli, au Manitoba,

posa des affiches avertissant les Juifs de rester à l'écart. Partout dans la région de Muskoka, en Ontario, plusieurs hôtels avaient des affiches prévenant qu'ils refusaient les Juifs.

La situation semblait à ce point dangereuse qu'un Juif député à l'Assemblée législative de l'Ontario avertit ses coreligionnaires : « Si rien n'est fait rapidement, les Juifs pourraient bien subir au Canada le même sort qu'en Allemagne [...]. Aucun incendie ne s'allume aussi facilement que l'antisémitisme. Le feu couve au Canada, il n'a pas encore éclaté, mais l'étincelle est là. L'Allemagne n'est pas le seul endroit où existe la discrimination. Regardez le Québec. »

Et c'est effectivement au Québec que les Juifs étaient le plus menacés. Alors qu'au Canada anglais il n'existait pas d'institutions ou de mouvements promouvant des comportements antisémites, au Québec l'Eglise catholique romaine et ses alliés laïcs du mouvement nationaliste canadien français étaient agressivement antijuifs. Maurice Eisendrath, le rabbin de la synagogue Holy Blossom, affirmait : « Au Québec, l'antisémitisme est un mode de vie. Dans le reste du Canada, c'est plutôt une réflexion après coup. Ici, c'est beaucoup plus subtil. Là-bas, c'est quelque chose de général et de démoniaque. »

Pour les Canadiens français nationalistes de l'époque, les Juifs – en fait tous les étrangers – constituaient une menace. Cernés par un univers américain envahissant, et dominés dans leur propre pays par une majorité anglophone à l'esprit apparemment étroit, les Canadiens français se sont toujours sentis menacés; leur mode de vie, leurs traditions, leur langue, leur culture et leur religion étaient, du moins à leurs yeux, constamment en péril – et cela fut particulièrement vrai dans l'entre-deux-guerres. Et tout ce qui pouvait porter atteinte à l'influence et au rôle de l'Eglise était sacrilège. Les dangers les plus graves étaient bien entendu le modernisme et le matérialisme ainsi que celui qui en était le propagateur – le Juif. C'est lui qui personnifiait le danger, il était, au dire d'un érudit catholique, le porteur, partout dans le monde, des bacilles de la sécularisation, du matérialisme, du communisme et de l'internationalisme. On voyait en lui le propagateur du mode de vie américain et le principal responsable des bouleversements sociaux et du déclin des valeurs morales.

Dans les écrits et les discours de nombreux ecclésiastiques et nationalistes québécois éminents, le Juif était communément décrit comme un parasite, un microbe qui propageait une insidieuse maladie en train de miner la santé nationale. L'éradication et la quarantaine s'imposant pour toute maladie, l'élite de la société québécoise travailla avec acharnement à empêcher tous les Juifs d'entrer au Canada et à ostraciser ceux qui y étaient déjà établis. Elle prit la tête de croisades contre l'immigration et exerça d'inlassables pressions pour empêcher les Juifs d'immigrer, tout en appelant la population à boycotter les marchands juifs. « Si nous ne leur achetons rien », tonnait

l'*Action catholique*, un journal officiel de l'Eglise, « ils partiront ». C'est ce qui fut à l'origine du célèbre mouvement *Achat chez nous*, parrainé par des autorités ecclésiastiques, qui exhortait les Canadiens français à acheter chez leurs coreligionnaires et à ne pas fréquenter les commerces tenus par les Juifs qui, selon *Le Devoir*, « avaient la malhonnêteté et la corruption dans le sang ». À l'origine, cela n'était qu'une arme nationaliste visant à favoriser le développement économique des Canadiens français, une forme de légitime défense, mais le mouvement devint vite agressivement antisémite. Un prêtre de haut rang disait à des confrères : « Il s'agit de nous débarrasser des Juifs et des usuriers. »

Le mouvement avait l'appui de l'Eglise, de la majeure partie de la presse, et des commerçants. La revue de l'Association des restaurateurs lançait cet avertissement : « Voulez-vous être empoisonnés? Achetez votre nourriture chez les Juifs. » L'ultranationaliste Société Saint-Jean-Baptiste appuyait aussi activement le boycottage, et beaucoup de ses rassemblements un peu partout dans la province se terminaient par ce souhait, que répétaient tous les participants : « Je promets que je n'achèterai jamais rien d'un Juif. »

Le chef spirituel de ce mouvement était l'éminent intellectuel canadien français de l'époque, l'abbé Lionel Groulx. Groulx, à bien des égards, fut pour le Canada français du XXe siècle ce que Goldwin Smith avait été pour le Canada anglais du XIXe siècle. Auteur prolifique, orateur puissant, esprit brillant, Groulx fut le chef incontesté de la nouvelle génération de nationalistes canadiens français. Tout comme Smith, il eut une énorme influence sur ses concitoyens québécois. Beaucoup de ses disciples allaient devenir des leaders au sein de leur société, ses prêtres, ses politiciens, ses professeurs et ses journalistes. Comme Smith également, il traita les Juifs avec mépris dans ses écrits.

La question qui illustre sans doute le mieux la situation précaire des Juifs au Québec est sans doute celle des écoles. La commission scolaire protestante acceptait difficilement les élèves juifs dans son réseau. La commission et la communauté juive étaient constamment à couteaux tirés sur des questions telles que la possibilité de siéger à la commission scolaire, l'instruction religieuse, les programmes scolaires, les professeurs antisémites, et même à propos du droit de la commission d'empêcher les élèves juifs de s'inscrire dans ses écoles. Ce n'est qu'après toute une série de batailles juridiques et l'adoption de diverses lois que la question fut enfin réglée dans les années 1920. Mais même à ce moment, aucune des deux parties n'était satisfaite des décisions prises.

Prise entre l'inflexibilité des protestants et l'hostilité des catholiques, la communauté juive sollicita l'aide du gouvernement provincial. En 1930, un Projet de loi concernant l'éducation des enfants de croyance judaïque dans l'île de Montréal fut déposé à l'Assemblée législative de Québec. Il avait pour but de mettre sur pied un comité qui statuerait sur le rôle des commissions scolaires catholiques et protestantes relativement à l'instruction des enfants juifs. Il ne permettait pas aux parents juifs d'élire des membres de la commission scolaire ni de se porter candidats. Néanmoins, même si ce projet de loi n'accordait qu'un pouvoir extrêmement limité aux Juifs, il fut vigoureusement attaqué par certains leaders religieux et nationalistes qui craignaient de voir surgir le spectre d'un réseau scolaire laïcisé qui mettrait en danger le Québec catholique et l'Eglise. La campagne antijuive lancée par ces forces fut tellement violente que le gouvernement provincial retira le projet de loi – une « victoire », pavoisa l'*Action catholique*, « sur les ennemis du christianisme ».

Ce qui surprend davantage ceux qui se penchent aujourd'hui sur cette campagne antijuive est son irrationalité. La communauté juive du Québec était minuscule – et politiquement et économiquement faible. Elle ne représentait qu'un peu plus de un pour cent de la population de la province, et un seul comté – celui de Gésu à Montréal –

comptait plus de mille habitants juifs. La plupart des Juifs étaient des immigrants de fraîche date et – comme la plupart des Canadiens français – ils étaient peu instruits, pauvres, impuissants et opprimés.

Mais au Québec, le problème juif était indissociable de la question nationale. Pris entre le marteau anglais et l'enclume française, le Juif était victime d'abus des deux parties – particulièrement des Canadiens français, puisque le Juif était perçu comme l'allié des anglophones. Il habitait dans leur secteur de Montréal, lisait leurs journaux, fréquentait leurs écoles et parlait leur langue. En outre, les Juifs étaient surtout présents dans certains des secteurs économiques traditionnels des Canadiens français, ils étaient petits commerçants, ouvriers non spécialisés. Ils rivalisaient pour obtenir les mêmes emplois – souvent à des moments où il y avait une pénurie de ces emplois.

Malgré leurs propos virulents, les antisémites du Québec n'eurent guère de succès. Il y eut peu d'actes de violence perpétrés contre des Juifs – en fait peu d'actes d'aucune sorte. Les autorités ecclésiastiques pouvaient attaquer les Juifs, les journaux pouvaient présenter les excès des Juifs sous le jour le plus affreux, les politiciens pouvaient réclamer leur isolement, cela donna très peu de résultats.

Dans tout le pays, des organisations comme le Crédit social, les Native Sons of Canada, l'Orange Order et le Canadian Corps étaient pétris d'antisémitisme. Au cours des années 1930, les propos antijuifs se firent plus fréquents dans les pages éditoriales de certains journaux du pays, et on en entendit proférés du haut de certaines chaires protestantes. Des prédicateurs de l'énorme église presbytérienne Knox, au coeur du quartier juif de Toronto, avenue Spadina, mettaient régulièrement leurs ouailles en garde contre le « détestable Juif »; et leurs prêches étaient souvent rapportés dans les journaux de la ville, particulièrement dans le *Toronto Telegram*, un journal qui n'était pas particulièrement tendre pour les Juifs.

Télégramme (et message codé) envoyé par le premier ministre du Canada à Londres à la suite de pressions juives, 1933.

Pourquoi le Canada était-il à ce point antisémite? Jusqu'à un certain point, la vaste propagande antisémite des nazis avait porté fruit. Certains s'y laissèrent prendre, et furent aussi influencés par des colporteurs de haine américains tels que Henry Ford, le père Coughlan, Gerald L.K. Smith et d'autres. C'était également une période de crise, et la chasse au bouc émissaire se terminait toujours à la porte des Juifs. Le grand nombre de noms juifs chez les gens de gauche incita beaucoup de Canadiens crédules et malveillants à croire que la plupart des Juifs étaient communistes.

Par ailleurs, beaucoup de Canadiens réagissaient à trois décennies d'immigration pratiquement illimitée. La montée rapide de l'hostilité envers les immigrants dans les années 1920 tient au fait que les Canadiens s'inquiétaient du genre de Canada que produiraient ces millions d'étrangers, souvent sans instruction et illettrés. Pour beaucoup, le Juif symbolisait l'« abâtardissement » appréhendé du pays. Une bonne part de l'antisémitisme au Québec et dans les régions fondamentalistes de l'ouest du Canada résultait de l'enseignement religieux. Les Juifs avaient tué le Christ, avaient refusé de se repentir ou de se convertir au christianisme, et ils étaient par conséquent damnés. De plus, l'antisémitisme faisait partie du bagage culturel de nombre de nouveaux immigrants, et particulièrement de ceux d'Europe orientale. Une vieille tradition antijuive ne pouvait disparaître du jour au lendemain.

Beaucoup de Canadiens, particulièrement ceux de l'élite, ceux qui influençaient l'opinion, les politiciens, les enseignants, les écrivains, les hommes d'affaires et les journalistes continuaient de croire que les Juifs ne correspondaient tout simplement pas à leur conception du Canada. Ils rêvaient d'un pays de colons et d'agriculteurs; et malgré ce que les Juifs étaient en train de réaliser en Palestine à l'époque – rendre un désert fertile –, peu de Canadiens croyaient qu'ils pouvaient faire de bons agriculteurs. Les immigrants qui ne s'établissaient pas sur des terres devaient travailler dans la forêt, dans les mines, les fonderies, les conserveries ou les usines de textile, ou encore dans le secteur de la construction. Les Juifs étaient considérés comme des citadins, des colporteurs et des commerçants alors qu'on voulait des bûcherons et des mineurs. On les considérait comme des cerveaux, mais on préférait les bras, comme des gens à l'esprit solide, mais on avait besoin de reins solides.

Beaucoup d'éminents Canadiens firent néanmoins front avec la communauté juive dans sa lutte contre l'antisémitisme. À la fin de sa vie, Henri Bourassa renia son antisémitisme et dénonça les propos de certains de ses compatriotes québécois. Le journal francophone montréalais *Le Canada* publia dans ses pages des articles réfutant les canards antijuifs de la presse nationaliste. Des ecclésiastiques, des politiciens et des journalistes du Canada anglais appuyaient activement la communauté juive, mais malheureusement ils étaient trop peu nombreux. Pour faire face à la xénophobie de l'époque, les Juifs étaient passablement seuls.

Au sein de la communauté, aucune organisation n'était en mesure de faire face au problème. Le Congrès était endormi, les Sionistes ne pensaient qu'à la Palestine, et les autres organisations juives étaient trop faibles, trop isolées, trop locales. Jamais la communauté ne s'était sentie aussi isolée, aussi vulnérable, aussi faible; et jamais elle n'avait eu autant besoin d'être unie.

L'arrivée au pouvoir d'Hitler en Allemagne n'eut guère de répercussions au Canada. Si la presse publiait régulièrement des récits de ses excès et du mauvais traitement réservé aux Juifs d'Allemagne, les Canadiens étaient trop occupés à tenter de surmonter la crise pour se soucier des activités de ce drôle de personnage de bande dessinée qui venait juste de prendre le pouvoir à des milliers de milles d'ici. La communauté juive se rendait compte qu'elle était pratiquement seule à s'inquiéter.

Mais que pouvait-elle faire? Comment pouvait-elle mobiliser l'opinion publique? Les Juifs canadiens étaient trop loin du pouvoir politique et économique pour exercer une influence. Ils n'en avaient guère à Ottawa; quand ils parlaient, rares étaient ceux qui écoutaient. Ils firent plutôt de la « politique dans la rue ». Les défilés, les manifestations, les rassemblements et même les grèves allaient peut-être faire prendre conscience des dangers du nazisme.

La communauté de Winnipeg était au premier rang. Au printemps 1933, elle organisa une énorme marche antinazie au centre-ville. Quelques jours plus tard, 1500 personnes manifestèrent à Vancouver contre les ravages causés par les nazis. À Toronto, les propriétaires d'usine et les commerçants juifs se joignirent à leurs employés lors d'une grande marche vers les édifices gouvernementaux. À Montréal, des milliers de personnes participèrent à un rassemblement pour dénoncer les agissements des nazis envers les Juifs. Naturellement, une semaine

plus tard, une importante contre-manifestation fut organisée dans la même ville par des Canadiens français nationalistes pour protester contre le rassemblement juif.

Mais les défilés et les manifestations n'étaient pas suffisants. La presse juive, des leaders et diverses organisations commencèrent à réclamer que le Congrès sorte de sa torpeur, qui durait depuis 1919. Ces appels furent particulièrement pressants dans l'ouest du Canada, où la communauté juive se sentait très isolée. En mai 1933, certaines associations juives de Winnipeg se réunirent pour former le Western Canadian Jewish Congress Committee. Elles invitèrent des délégués de tout l'ouest du Canada à assister à une réunion d'urgence. La réaction fut extraordinaire. Deux mois plus tard, les délégués décidèrent à l'unanimité de rétablir le Congrès afin de s'occuper du problème de l'antisémitisme au pays et de la situation des juifs d'Europe.

Toronto et Montréal mirent plus de temps à réagir. La communauté établie, les « Yahudim », comme Caiserman les appelait avec mépris, hésitait à convoquer un Congrès qui, elle le savait, serait dominé par les « têtes chaudes ». Les Juifs de l'ouest continuèrent à la harceler. Le secrétaire du Western Canadian Jewish Congress Committee, M.A. Gray, avertissait Caiserman en ces termes : « Je crains que l'ouest ne soit forcé de se charger entièrement d'organiser le Canada, car nous croyons que nous ne pouvons rester les bras croisés devant les événements actuels, qui touchent les Juifs du Canada et du monde entier. »

Caiserman avait depuis un certain temps déjà répandu l'idée du réveil du Congrès. Par ses discours et ses articles, il avait fait plus que quiconque pour que le Congrès ne soit pas oublié. De son petit bureau au Baron de Hirsch Institute, il correspondait avec des Juifs d'un océan à l'autre pour les convaincre de relever le Congrès de ses cendres. Finalement, en juin 1933, il organisa à Toronto une réunion de délégués de tout le pays favorables à la résurrection du Congrès. Caiserman y fut nommé secrétaire d'un comité chargé de convoquer la prochaine assemblée. Et en décembre, Lyon Cohen, Sam Jacobs, A.J. Freiman, Moses Finkelstein, Caiserman et d'autres appelèrent tous les Juifs du Canada à envoyer leurs représentants à Toronto le 27 janvier 1934 pour la deuxième assemblée du Congrès juif canadien.

Le choix des délégués, au cours de la première semaine de janvier 1934, illustra les divisions qui existaient au sein de la communauté. Les sionistes étaient eux-mêmes divisés entre le Poalei Zion, le Mizrachi et des associations modérées. S'y ajoutèrent dans les années 1920, les Révisionnistes, disciples militants de Vladimir (Zeev) Jabotinsky, qui réclamaient la création, dans la terre biblique d'Israël, d'une patrie juive dont ferait partie la Transjordanie, que les Britanniques avaient unilatéralement arrachée de la Palestine. La gauche juive avait engendré diverses organisations communistes, anarchistes, socialistes et antisionistes déterminées à faire obstacle aux sionistes travaillistes (Labour Zionists) et aux organisations de la communauté établie. Beaucoup parmi les Juifs les plus riches étaient opposés à toute cette entreprise. Ils craignaient une assemblée constituante élue démocratiquement. Ils préféraient le modèle de l'American Jewish Committee, où le pouvoir était concentré entre les mains d'un petit nombre de dirigeants juifs de la classe dominante.

L'élection des délégués fut par conséquent mouvementée. Un des participants à Winnipeg dit à ce sujet : « Les passions étaient à ce point exacerbées qu'au moins une réunion vira pratiquement à l'émeute avec coups, sang, yeux au beurre noir... Pas moins de 3800 personnes vinrent voter, faisant un long trajet, venant des quatre coins de la ville malgré une température de moins 25 et un vent glacé et pénétrant qui souffla tout le jour. Des masses de gens de tous âges, de toutes conditions sociales et de tous genres firent la queue... » Cependant, dans la plupart des endroits, les élections, bien que chaudement disputées, eurent généralement lieu d'une façon plus disciplinée. Les enjeux étaient élevés et

chaque faction, chaque société, voulait être représentée afin de faire valoir ses points de vue.

La deuxième réunion du Congrès juif canadien débuta par un froid et venteux matin de janvier à Toronto, dans la Crystal Ballroom de l'hôtel King Edward. Les délégués écoutèrent gravement une série de harangues prononcées par Jacobs, Caiserman et d'autres, décrivant le sort précaire des Juifs en Europe et leur triste situation au Canada. On ne retrouvait pas l'atmosphère de fête et de joie de la première réunion du Congrès quinze ans auparavant. La situation des Juifs au Canada et dans le monde avait radicalement changé – et pas pour le mieux.

Les points de vue sur les mesures à prendre étaient divers, mais les délégués étaient tous d'avis qu'une organisation nationale juive ne pouvait prospérer que si elle était dotée d'exécutifs régionaux relativement autonomes, à Montréal, Toronto et Winnipeg. En ce qui concerne l'exécutif national, Sam Jacobs en fut élu président et Caiserman se vit confier une fois encore le poste clé de secrétaire général. Les objectifs que s'est fixés la communauté juive du Canada au cours des deux jours de réunion plénière étaient simples : continuer de faire pression sur le gouvernement du Canada pour qu'il ouvre ses frontières à plus d'immigrants juifs, organiser des campagnes pour combattre les nazis outre-mer et les antisémites au pays, exhorter les Britanniques à ouvrir la Palestine à la colonisation juive et trouver des moyens pour financer les diverses activités culturelles, religieuses et éducatives de la communauté juive. Ce programme ne serait guère modifié au cours des dix années suivantes.

Malheureusement, au cours des années qui suivirent, le Congrès obtint peu de résultats. Jacobs était trop occupé à Ottawa pour consacrer beaucoup de temps aux activités du Congrès; bien que passionné et dévoué, Caiserman était un piètre administrateur. Bien pire, la communauté nantie de Montréal ne voulait à peu près rien savoir d'une organisation qu'elle trouvait trop

Deuxième séance plénière du Congrès juif canadien,
Toronto, 1934.

à gauche, trop sioniste et trop dominée par
la communauté immigrante. Le Congrès fut
boudé par la riche communauté réformée,
qui dénonça l'organisation pour son « sionisme militant ». Dès le début, le Congrès
fut donc à court d'argent. Pendant les quelques années qui suivirent, Caiserman passa
le plus clair de son temps à tenter de recueil-
lir quelques milliers de dollars pour qu'il
puisse fonctionner. Parfois, il ne pouvait
même pas verser le salaire hebdomadaire
de la secrétaire, qui était de huit dollars.
Ce n'est qu'en 1938, lorsque le riche
Samuel Bronfman s'intéressa au Congrès,
que celui-ci exerça une véritable influence
au sein de la communauté juive.

Le Congrès coordonna notamment
un boycottage des produits allemands au
Canada. Beaucoup de commerçants et de
manufacturiers juifs collaborèrent, mais
hors de la communauté l'appui fut minime.
En fait, pendant que le Congrès suppliait
désespérément les Canadiens de boycotter

les importations d'Allemagne, Mackenzie
King écrivait en 1937 au leader nazi
Herman Goering pour tenter d'« accroître
les échanges » entre les deux pays. Bien
sûr, la campagne de boycottage échoua.

Mais si l'organisation nationale n'était
pas très solide, les régions quant à elles
florissaient. Tant dans l'ouest du Canada
qu'en Ontario, la majeure partie de l'establishment juif s'intéressa activement au
Congrès. De plus, les communautés juives
des petites villes de ces deux régions, que
leur isolement inquiétait, sollicitèrent l'aide
et l'appui des exécutifs régionaux. Ces deux
régions jouèrent donc un rôle essentiel en
ce qu'elles firent pression sur les gouvernements, parrainèrent des activités antinazies
et réclamèrent l'admission de réfugiés juifs.

Au milieu des années 1930, diverses
organisations fascistes avaient pris racine au
Canada. Adrien Arcand, un journaliste raté,
fonda au Québec le plus important groupe
fasciste au pays, « L'Ordre patriotique des

135

À gauche: Uniformes nazis devant être portés au Canada, années 1930.

À droite: Propagande antisémite au Canada, années 1930.

Goglus ». Il publia un certain nombre d'hebdomadaires dont le seul objectif était de répandre des calomnies sur les Juifs. Soutenu par de riches commanditaires, Arcand affirma un jour qu'il avait plus de 50 000 adhérents au Québec seulement. Mais leurs gênantes et pénibles activités n'étaient pas prises au sérieux par la plupart des Québecois.

Dans l'ouest du Canada, un immigrant anglais, William Whittaker, créa une organisation s'inspirant des sections d'assaut nazies. Vêtus de chemises kaki, de culottes de cheval marron et de bottes d'équitation, les « chemises brunes » de Whittaker défilèrent dans les quartiers juifs de Winnipeg et lancèrent un périodique d'un antisémitisme virulent, le *Canadian Nationalist.* En Ontario, des antisémites organisèrent des Swastika Clubs – des bandes de jeunes hommes portant des insignes à croix gammée qui intimidaient les Juifs sur les plages et dans les parcs publics. Mais aucun de ces groupes n'eut beaucoup d'importance, même si en

juillet 1938 un congrès fasciste national eut lieu au Massey Hall de Toronto, réunissant plusieurs centaines de délégués et plusieurs centaines de curieux.

La communauté juive ne parvint pas à faire adopter de lois contre ces groupes haineux, sauf au Manitoba, où Marcus Hyman réussit à faire intervenir la première loi du pays interdisant toute diffamation contre un groupe, la Manitoba Defamation Act, qui permettait à tout membre d'un groupe religieux ou racial identifiable de demander une injonction contre toute personne publiant des documents diffamatoires, mais elle forma des coalitions avec des groupes liés à l'Eglise et d'autres groupes pour faire obstacle aux fascistes. Les rassemblements où des ecclésiastiques, des politiciens et des journalistes éminents s'addressaient à la foule s'avérèrent l'arme la plus efficace de la communauté juive.

Même si les années de dépression et de guerre – de 1930 à 1945 – furent effectivement sombres et dures pour la communauté juive canadienne, elles furent également une période de vitalité, d'expérimentation, de passion et de créativité. Même s'ils étaient tous préoccupés par la propagation de l'antisémitisme et la persécution en Europe, les Juifs du Canada s'occupaient également d'édifier les structures de leur propre communauté. Malgré la dureté de la crise – ou plus justement à cause d'elle –, toute une série de nouvelles organisations de bienfaisance furent créées. Les *landsmanshaftn* étendirent leurs activités aux énormes problèmes des Juifs indigents. Les sionistes, bien que divisés, se mobilisèrent pour combattre les tentatives du gouvernement britannique de restreindre l'immigration des Juifs en Palestine. De nouvelles synagogues et de nouvelles écoles furent construites; une école Peretz fut créée par l'Arbeiter Ring à Calgary, une maternelle hébraïque vit le jour à Edmonton, une école de gauche du Poalei Zion fut créée à Toronto, une nouvelle école Talmud Torah fut établie à Montréal, une nouvelle congrégation orthodoxe de Toronto, le Shaarei Shomayim, acheta un nouvel édifice, et la synagogue Holy Blossom s'installa dans un magnifique édifice neuf de la banlieue de Toronto. À Montréal, on acheva un nouvel édifice pour la Young Men's Hebrew Association ainsi qu'un foyer pour personnes âgées, et on fonda l'Hôpital général juif. Les journaux yiddish augmentèrent leur tirage, et pour répondre aux besoins d'un lectorat anglophone de plus en plus nombreux, de nouveaux périodiques anglo-juifs virent le jour – dans la seule ville de Winnipeg, il y en avait deux, le *Jewish Post* et le *Western Jewish News*. Du Cap-Breton à Vancouver, chaque communauté juive, chaque organisation juive étendit son secteur d'activité.

L'immigration était au point mort, mais la communauté devait abriter, nourrir et soutenir la poignée de réfugiés qui avaient réussi à franchir les barrières. Chaque arrivée était un grand événement; on faisait tout pour que les nouveaux se sentent chez eux. Par l'intermédiaire de la JIAS, la communauté veillait à ce qu'aucun immigrant ne vive aux crochets de l'État. Après tout, les bureaucrates fédéraux semblaient déterminés à déporter tous les étrangers indigents du pays. Et si c'était des Juifs, tant mieux – du moins de l'avis de fonctionnaires du ministère de l'Immigration.

La crise avait ruiné l'industrie du vêtement, mais les syndicats juifs restaient actifs. Faillites, chômage, conditions de travail abominables, salaires de famine – une caractéristique permanente de cette industrie –, tout cela empira à la suite de l'effondrement de l'économie. Les salaires diminuèrent de 40%, les emplois de 50%, et même ceux qui avaient un emploi étaient forcés de travailler à temps partiel. La plupart des syndiqués travaillaient en moyenne 2 jours par semaine à cette époque. Les plus touchées étaient évidemment les femmes, dont beaucoup étaient protégées par des lois sur le salaire minimum. Afin de contourner ces lois, les femmes étaient tout simplement mises à pied et remplacées par des hommes qui eux n'avaient aucune protection.

Beaucoup de femmes n'acceptèrent pas passivement leurs mises à pied. Alors que les syndicats juifs étaient des bastions de la suprématie masculine, les Juives s'avérèrent tout aussi militantes que les hommes. Dans son étude des ouvrières juives du Canada, l'historienne Ruth Frager montre bien que leur contribution fut essentielle au succès du mouvement ouvrier juif.

Curieusement, il y eut aussi des succès. Pendant les années 1930, il y eut davantage de militantisme syndical dans l'industrie du vêtement que dans tout autre secteur de l'économie canadienne. À une époque où peu de travailleurs étaient prêts à risquer leur emploi en faisant grève, les travailleurs juifs du vêtement organisèrent leurs grèves les plus importantes et les plus profitables. Ce dynamisme s'explique en partie par la création de l'Industrial Union of Needle Trades Workers (IUNTW), d'obédience communiste, qui comptait parmi ses dirigeants certains des radicaux les plus pittoresques de l'époque, dont J.B. Salsberg, Joshua Gershman et Becky Buhay. Déterminés à briser l'hégémonie de l'ILGWU parmi les ouvriers de l'industrie, ils lancèrent une grande campagne d'organisation et furent à l'origine de certaines des grèves les plus importantes, dont une grève générale à Montréal en 1930.

Les socialistes et les sionistes ouvriers de l'ILGWU, convaincus que les communistes devaient être mis en échec, firent entrer leur syndicat dans la phase la plus militante de son histoire. Sous l'impulsion de Bernard Shane à Montréal, de Sam Kraisman à Toronto et de Sam Herbst à

Défilé du 1er mai à Toronto, 1935. Au premier plan, portant des pancartes, on aperçoit les activistes travaillistes juifs J.B. Salsberg, Max Dolgory, Alec Richman et Jack Hilf.

Winnipeg, ils organisèrent une série de grèves dans ces villes. Leur stratégie était simple. Les ouvriers quittaient le travail en avril et en août, au plus fort de la saison de production. Tout atelier où le travail était interrompu au cours de ces mois ne pouvait pas compter sur le reste de l'année. La plupart acceptaient les conditions du syndicat.

Afin d'échapper aux syndicats juifs, certaines compagnies tentèrent de fausser compagnie à leurs ouvriers. Un exemple célèbre est celui d'une importante compagnie, la Superior Cloak, qui immédiatement après avoir signé sa première convention collec-

tive avec le syndicat disparut une bonne nuit de l'endroit où elle était établie, dans le secteur de Spadina, et refit surface le lendemain matin à Guelph, à quelque 75 milles de là. Machines, patrons et dossiers avaient été secrètement déménagés en camion pendant la nuit. Lorsque les ouvriers découvrirent que leur lieu de travail s'était volatilisé, ils affrétèrent tout simplement un parc de camions et dressèrent des piquets de grève à l'extérieur de la nouvelle usine. Lorsque les ouvriers nouvellement embauchés par la compagnie refusèrent de franchir ces piquets de grève, la Superior, domptée, rentra au bercail. D'autres compagnies usèrent sans plus de succès du même stratagème.

D'autres syndicats étaient également actifs. La Baker's Union de Toronto était présente dans la plupart des boulangeries juives de la ville. Les travailleurs de la fourrure eurent moins de succès, car le conflit opposant communistes et socialistes s'envenima à tel point qu'il causa une scission au sein du syndicat. En fait, les syndicalistes juifs furent à ce point actifs au cours de cette période, occupés à syndiquer ou à se quereller, qu'un éminent rabbin de Toronto fit observer tristement qu'il y avait davantage « d'activité frénétique juive » au nouveau Labour Lyceum, rue Spadina, que dans toute synagogue ou organisation communautaire au pays.

Cependant, la situation des Juifs d'Europe se détériorait et comme le gouvernement du Canada se montrait encore plus intraitable sur la question des réfugiés, le mouvement ouvrier juif se détourna de ses activités syndicales pour mettre toutes ses énergies au service de ses frères juifs. Pendant une courte période, les divisions internes furent oubliées alors que bundistes, sionistes ouvriers et communistes faisaient front commun avec leurs patrons pour combattre l'antisémitisme et faire pression en faveur des réfugiés juifs. L'antagonisme au sein du syndicat et sur les lieux de travail fut oublié – ou du moins temporairement mis de côté – pour combattre l'ennemi commun.

En dépit de la dureté de la période, dans certains secteurs de la société, des Juifs connaissaient de remarquables succès. Par exemple, les Bronfman avaient fait de leur petite entreprise familiale de spiritueux, dans l'ouest, une des entreprises de distillation les plus prospères du Canada. À Québec, le minuscule magasin de Maurice Pollack était devenu le plus grand magasin de détail de la région. À Ottawa, A.J. Freiman avait fait de son magasin de meubles le grand magasin le plus prospère de la ville. Des centaines d'autres hommes d'affaires juifs ouvraient ou agrandissaient

leurs magasins et leurs usines. Mais les progrès les plus frappants de la communauté eurent lieu dans le domaine de la politique.

Pendant la plus grande partie des années 1930, il y eut trois députés juifs à la Chambre des Communes : Sam Jacobs, de Montréal, A.A. Heaps, de Winnipeg, et Sam Factor, de Toronto. Tous trois représentaient, il est vrai, des circonscriptions à la forte population juive, mais ils recevaient aussi l'appui de nombreux non-Juifs. Au niveau provincial, Peter Bercovitch, Joseph Cohen et Maurice Hartt ont siégé à l'Assemblée législative de Québec, tout comme, pendant une brève période, Louis Fitch, un actif sioniste.

Un jeune avocat dynamique, David Croll, maire de Windsor, fut élu en 1934 à l'Assemblée ontarienne, et il fut le premier Juif à être ministre au Canada; il fut en effet ministre du Travail et du Bien-être social dans le nouveau gouvernement libéral de Mitchell Hepburn. Siégeaient également, du côté de la majorité gouvernementale, deux autres députés juifs, John Glass et E.F. Singer. Au Manitoba, Marcus Hyman siégea à l'assemblée provinciale, tout comme M.A. Gray, activiste du Congrès élu en 1941. Dans tout le pays, de nombreux Juifs furent élus membres de conseils municipaux et de conseils scolaires, même dans des régions où la population juive était faible.

Beaucoup de Juifs tirèrent une grande satisfaction des réalisations politiques des leurs, mais pour un plus grand nombre encore les jours sombres de l'entre-deux-guerres furent éclairés par les prouesses des athlètes juifs canadiens. Qui, au sein de la communauté – et même au Canada –, ne fut pas fier des remarquables performances de Fanny Rosenfeld, de Toronto? Appelée affectueusement « Bobby », celle-ci fut la plus grande athlète féminine de l'époque au Canada. Et lors des jeux olympiques de 1928, à Amsterdam, elle remporta deux médailles, dont une d'or. Elle établit des records dans au moins 6 disciplines d'athlétisme, et elle fut l'une des meilleures joueuses de tennis du pays. Elle mena égale-

Fanny Rosenfeld.

ment les équipes de basket-ball, de base-ball et de hockey dont elle faisait partie aux championnats. En 1950, elle fut choisie à juste titre l'Athlète féminine canadienne du demi-siècle.

Le boxeur Sammy Luftspring, un champion canadien auquel on accordait de grandes chances de remporter une médaille olympique, refusa de participer aux jeux de 1936 parce qu'ils avaient lieu en Allemagne nazie. Avec d'autres athlètes juifs canadiens, il participa plutôt en Espagne à des jeux alternatifs. Il fut avec Ben Yackubowitz – connu sous le nom de « Baby Yack » –, un autre boxeur de Toronto, l'un des boxeurs les plus populaires du Canada.

Dans le domaine du hockey, Alex Levinsky, petit-fils du fondateur de la synagogue Goel Tzedec, à Toronto, fut l'un des meilleurs joueurs de défense des Maple Leafs de Toronto. C'est à un rejeton de la grande famille juive québécoise, Cecil Hart, qu'on doit en grande partie la création des

Canadiens de Montréal, et pendant la majeure partie des années 1920 et 1930, il fut l'entraîneur de l'équipe et remporta plusieurs fois la coupe Stanley. La récompense accordée aujourd'hui au joueur le plus utile à son club dans la Ligue nationale de hockey – le trophée Hart – est ainsi nommé en l'honneur de ce descendant direct d'Aaron Hart.

Aucune équipe ne donna autant de fierté à la communauté juive de l'ouest que l'équipe de balle molle du YMHA. Année après année, elle vainquait chaque équipe qu'elle rencontrait. Mais même le sport n'échappait pas au funeste antisémitisme. Lorsque l'équipe de football du YMHA de Winnipeg, qui était favorite, se rendit à Regina en 1936 pour participer aux championnat junior de l'ouest du Canada, des spectateurs déchaînés envahirent le terrain en criant « battez les Juifs ». Le match fut interrompu lorsque les joueurs du YMHA, qui menaient, s'enfuirent. Peu de temps après, des responsables juifs décidèrent de retirer toutes les équipes juives du sport organisé. Après l'exemple de Christie Pit, il semblait que certaines régions du Canada étaient trop dangereuses pour les athlètes juifs.

Toutes les régions du pays restèrent fermées aux réfugiés juifs. Le monde des années 1930, disait Chaim Weizmann, sans doute le leader juif le plus influent de l'époque, était divisé en deux parties; une partie où, comme en Allemagne, les Juifs ne pouvaient pas vivre; et une partie où, comme au Canada, ils ne pouvaient pas entrer. En fait, de toutes les démocraties occidentales qui étaient terres d'immigration, le Canada est celle qui avait la pire réputation pour ce qui est de donner refuge aux Juifs fuyant le fléau nazi. Tandis que beaucoup de petits pays d'Amérique latine acceptaient des dizaines de milliers de Juifs et que les États-Unis et même la minuscule Palestine en accueillaient plus de 100 000 chacun, l'immense Canada n'en laissa entrer que moins de 5000 de 1933 à 1945.

Le Cabinet canadien était parfaitement conscient du sentiment antijuif existant

Des réfugiés allemands se rassemblent à Zbaszyn, sur la frontière germano-polonaise, après avoir été expulsés d'Allemagne, 1938.

partout au Canada. Après tout, beaucoup de ses membres le partageaient. Le premier ministre du Canada lui-même, Mackenzie King, était obsédé par les Juifs. Il en rêvait souvent et remplissait son journal de considérations à leur endroit. Tout en considérant les Juifs comme les « gens du Livre », et en quelque sorte des « mystiques », il pouvait aussi répéter – et croire – les calomnies antisémites les plus bilieuses. Il croyait sincèrement, ou il parvint à se convaincre, que de permettre aux réfugiés juifs, « même de la meilleure sorte », d'entrer au Canada détruirait le pays. Il écrivait dans son journal : « Nous devons nous efforcer de faire régner la paix au pays et éviter qu'il y ait trop de sang étranger. » Les Juifs, craignait-il, non seulement pollueraient le sang canadien, mais pire, si on les laissait entrer ils

causeraient des émeutes et rendraient plus difficiles les relations entre le gouvernement fédéral et les provinces. Accepter des réfugiés Juifs, déclara-t-il à ses ministres, qui l'appuyaient en cela, mettrait en danger l'unité canadienne, susciterait l'hostilité de beaucoup de Canadiens, renforcerait les tendances nationalistes au Québec et déclencherait des effusions de sang dans les rues. King était de toute évidence influencé par son bras droit québécois, Ernest Lapointe, qui lui répétait obstinément qu'il risquait de s'aliéner sa province si le gouvernement ouvrait, si peu que ce soit, les portes du Canada à l'immigration juive. King était toutefois un politicien consommé, le meilleur de toute l'histoire du Canada. Il se vantait de savoir prendre le pouls de la nation. S'il avait pensé pouvoir gagner des votes

Samuel Bronfman, v. 1939.

en admettant des réfugiés, il l'aurait probablement fait.

À la même époque, son sous-ministre de l'Immigration, Frederick Blair, un antisémite forcené, répétait à qui voulait l'entendre que les Juifs étaient des « tricheurs » et des « menteurs » qui « détruisaient » tous les pays où ils s'établissaient. Avec d'autres hauts fonctionnaires, notamment le principal diplomate du pays et futur gouverneur général, Vincent Massey, Blair veilla à ce que peu de Juifs entrent au pays comme immigrants. Il disait fièrement au premier ministre : « Jamais encore les Juifs n'ont exercé autant de pressions que maintenant et je suis heureux de dire [...] qu'ils n'ont jamais été si bien repoussés. Il entre au pays encore moins de Juifs qu'avant. »

La communauté juive était plutôt impuissante devant de telles manifestations d'antipathie. Ne constituant qu'un peu plus d'un pour cent de la population, politiquement et économiquement faibles, atterrés par l'horreur de la situation et craignant une violente réaction antisémite, les Juifs canadiens se firent discrets au cours de ces années. À la fin des années 1930, il y eut peu de manifestations ou de grandes réunions, et on ne recourut certainement pas à la désobéissance civile. Craintifs et marginaux, les Juifs canadiens comprenaient fort bien que toute action violente se retournerait contre eux. On taxerait la communauté de déloyauté et certains de ses membres risqueraient même la déportation. Même si certains Juifs prônaient une attitude plus militante, une diplomatie tranquille et des négociations secrètes entre le gouvernement et les dirigeants juifs étaient à l'ordre du jour. Les porte-parole de la communauté parvinrent à arracher quelques concessions au gouvernement – ainsi qu'un leader juif l'affirma plus tard, « même les miettes comptent lorsqu'on ne peut avoir toute la miche, particulièrement lorsque chaque miette représente une vie juive sauvée des camps de la mort » –, mais dans l'ensemble ils échouèrent lamentablement. Même les horreurs perpétrées lors de la Nuit de cristal, en 1938, où les nazis détruisirent des milliers de synagogues, de maisons et de magasins juifs, et arrêtèrent, blessèrent et tuèrent d'innombrables Juifs, ne parvinrent pas à émouvoir le gouvernement canadien. Les efforts de groupes favorables aux réfugiés comme la Ligue canadienne pour la Société des Nations et d'amis de la communauté juive tels que le sénateur Cairene Wilson et certains ecclésiastiques éminents eurent peu de résultats.

Ce sont ces échecs qui amenèrent un changement important au sein du Congrès juif canadien. Déçu de son peu de succès, Samuel Bronfman, l'éminent distillateur, décida qu'il était temps de consacrer son immense énergie – et ses énormes ressources – à le remettre sur pied. Fils de colons tôt établis à Wapella, en Saskatchewan, Sam Bronfman, se vit fortement inculquer dans son enfance la nécessité d'aider ses frères juifs. En effet, son père tenait tellement à ce que ses enfants reçoivent une éducation judaïque qu'il avait amené avec lui du vieux pays un maître religieux. Pendant des années, la famille lutta pour améliorer son ordinaire dans l'hostile frontière des prairies. Elle en vint à réussir dans l'hôtellerie et l'immobilier. Mais c'est dans la production et la vente d'alcool qu'elle fit fortune.

Dans les années 1920, Sam et son frère Allan se fixèrent à Montréal, où ils participèrent activement aux oeuvres philanthropiques juives. Tandis qu'Allan était en grande partie responsable de la construction de l'Hôpital général juif, Sam était l'âme d'une foule d'autres institutions juives. Bien que généreux de leur argent, les Bronfman fuyaient les organisations juives. Sam disait du Congrès qu'il était « non pertinent et [...] inutile » et il avait le sentiment qu'il était « plus nuisible que profitable pour la communauté juive ».

En août 1938, Sam Jacobs, le président, très ciritiqué, du Congrès, mourut, usé par son enthousiaste, mais inutile, campagne à Ottawa en faveur de l'admission au Canada d'un plus grand nombre de réfugiés juifs. Déterminés à choisir un président qui donnerait plus d'autorité au Congrès, les chefs du Poalei Zion approchèrent Sam Bronfman. Le fait qu'ils aient songé à l'industriel millionnaire démontre à quel point ils étaient inquiets. Pourtant, Bronfman était différent de la plupart de ses collègues nantis. Ses origines immigrantes, ses racines rurales, son engagement bien connu en faveur des causes juives et sa générosité avaient fait de lui, comme le dit Caiserman, « un des nôtres [...] un véritable homme du peuple ».

Bronfman accepta à contrecoeur. Lui aussi considérait qu'il était nécessaire de redonner vie au Congrès, et pour l'aider dans cette tâche il engagea un jeune et énergique avocat, Saul Hayes. Celui-ci, un excellent choix, allait apporter au Congrès les compétences et le leadership politique dont il avait désespérément besoin. Il amena également au Congrès les groupes de la classe dominante qui s'étaient tenus à l'écart de

Saul Hayes, v. 1950.

l'organisation, mais qui étaient de bons philanthropes. Finalement, grâce à l'engagement et aux fonds de Bronfman ainsi qu'au nouvel appui des couches les plus intégrées de la société juive, et grâce, particulièrement, aux talents d'organisateur de Hayes, le Congrès trouva enfin son équilibre.

La nouvelle relation qui s'établit entre le Congrès et le Bnai Brith, cette vaste organisation fraternelle fondée aux États-Unis, fut également importante. Celui-ci avait créé sa première loge canadienne dans les années 1870 et était maintenant présent partout où existait une population juive. Dès le début, ces loges furent très actives dans le domaine des services, de la charité et du travail communautaire, mais elles furent surtout efficaces dans le domaine des relations publiques et dans la lutte contre l'antisémitisme. Les dirigeants du Bnai Brith se sont consacrés bien avant tout le monde à la lutte contre la diffamation et pour les droits de l'homme. Dans presque toutes les régions, ils créèrent des organisations pour combattre la discrimination et particulièrement l'antisémitisme. Désireux de profiter de leur expérience et de leur compétence, et particulièrement du fait que l'organisation comptait de nombreux membres dévoués, Bronfman proposa à l'exécutif du Bnai Brith de créer une organisation commune pour lutter contre l'antisémitisme. Il alléguait que la conjoncture présente était trop dangereuse et la situation de la communauté juive canadienne trop précaire pour qu'on permette à des divisions d'exister en son sein. Face à l'antisémitisme, plaidait-il, la communauté doit parler d'une seule voix.

Même s'ils avaient toutes les raisons de dédaigner le tout nouveau Congrès parce qu'il empiétait sur leurs domaines de responsabilité, les dirigeants du Bnai Brith se montrèrent tout à fait réceptifs. Ils réalisaient eux aussi que la communauté juive devait parler d'une seule voix, que son unité était beaucoup plus importante que la perte d'autonomie de leur organisation. Ils acceptèrent avec empressement de s'unir au Congrès pour fonder le National Joint Public Relations Committee en vue de combattre l'antisémitisme, de faire comprendre au public canadien ses conséquences funestes et de négocier avec le gouvernement et d'exercer des pressions sur lui à ce sujet.

Mais pour ce qui est de l'admission de réfugiés au Canada, ni le nouveau Congrès ni la création du comité n'apportèrent de changement. Même si Hayes, Bronfman, les trois députés fédéraux et quelques Juifs ayant une certaine influence forcèrent le Cabinet et le ministère de l'Immigration à accorder à contrecoeur quelques permis, ils furent impuissants à convaincre le gouvernement de changer sa politique. Les Juifs du Canada ne purent qu'assister avec une impuissante résignation à l'odyssée du *St. Louis*, un navire ayant à son bord plus de neuf cents Juifs d'origine allemande, qui alla de port en port le long de la côte des Etats-Unis et de divers pays latino-américains à la recherche d'un havre où débarquer ses misérables passagers. Malgré de pressants appels au gouvernement du Canada, Mackensie King rétorqua que ce n'était pas « un problème canadien ». Avec la réponse de King s'éteignait la dernière tremblante lueur d'espoir, et les Juifs du *St. Louis* reprirent la direction de l'Europe où beaucoup allaient trouver la mort dans les chambres à gaz du Troisième Reich.

Au début de la guerre, la communauté juive se mobilisa une fois encore. Le Congrès exhorta vigoureusement les Juifs aptes au service à s'engager, et des milliers le firent. Tout comme lors de la Première Guerre mondiale, les Juifs furent le groupe le plus fortement représenté au sein des forces armées – 17 000 d'entre eux s'engagèrent, près de 50% de ceux qui étaient aptes au service militaire, et des centaines d'entre eux furent décorés pour leur courage et leurs faits d'armes. La communauté juive recueillit également d'importantes sommes d'argent par l'entremise du War Aid Executive du Congrès. Ces sommes serviront à la construction de centres récréatifs pour les soldats en permission, juifs et non juifs. Le Congrès mit également sur pied un comité d'aumônerie pour qu'il y ait suffisamment d'aumôniers juifs au sein des forces armées canadiennes. Il fallut un certain temps pour convaincre le ministère de la Défense nationale que des rabbins étaient nécessaires; ce n'est qu'après que le Congrès eut fourni une liste des très nombreux Juifs sous les drapeaux que le ministère nomma le rabbin Gershon Levi, de Montréal, premier aumônier juif de l'histoire du Canada. Beaucoup d'autres allaient suivre.

Les communautés juives locales d'un océan à l'autre contribuèrent particulièrement à l'effort de guerre. La communauté juive d'Halifax, par exemple, accueillit des milliers de soldats juifs pendant la guerre. En 1943, notamment, plus de 400 hommes participèrent au Seder de la Pâque de la communauté. Des centaines assistèrent aux

En haut à gauche: Lettre adressée par l'aumônier Gershon Levi aux soldats relativement aux célébrations de Hanouka, 1943.

En haut à droite: Seder pascal organisé pour les soldats juifs canadiens dans les Maritimes.

En bas: Le rabbin Samuel Cass prend part au premier office religieux célébré en territoire allemand par la 1re Armée canadienne, 1945.

offices religieux des grandes fêtes. De même, la minuscule communauté juive de Moncton créa un centre communautaire qui desservit les milliers d'hommes et de femmes juifs postés à la base aérienne avoisinante. Et à l'autre bout du pays, le British Columbia Jewish War Efforts Committee, formé par le Congrès et les Federated Jewish Women de Vancouver accueillirent et s'occupèrent héroïquement de milliers de soldats juifs, hommes et femmes, originaires non seulement du Canada, mais également des États-Unis, de Grande-Bretagne et d'ailleurs. En fait, partout au pays, là où des soldats étaient en garnison, les communautés juives locales – même les plus petites – s'empressaient d'offrir une hospitalité extrêmement appréciée.

Même lorsque la guerre éclata en Europe, le gouvernement ne changea pas ses politiques d'un iota. Parmi les centaines de milliers de Juifs qui échappèrent aux nazis et s'enfuirent vers l'Espagne, le Portugal, la France, la Belgique, la Hollande et le Japon entre 1939 et 1945, seuls 500 furent admis

Monuments funéraires de la Deuxième Guerre mondiale en Europe.

au Canada, même si beaucoup de ces réfugiés auraient apporté avec eux les compétences ou l'argent dont le Canada avait si désespérément besoin en temps de guerre. Le pays laissa entrer quelque 2250 autres Juifs, mais il s'agissait d'« internés », c'est-à-dire de jeunes Juifs allemands envoyés

par la Grande-Bretagne pour la durée de la guerre. Ils furent pendant plusieurs années internés dans des camps – souvent avec des prisonniers de guerre nazis – et traités pratiquement comme des captifs. À leur libération, beaucoup d'entre eux quittèrent le Canada le plus vite possible, mais ceux qui avaient choisi de rester apportèrent une contribution particulière à ce pays en tant que scientifiques, savants, artistes et industriels. Ils étaient un vivant rappel, un symbole, de ce que perdait le Canada en fermant ses portes.

Ce sont peut-être les Juifs internés à Auschwitz qui ont donnné la description la plus perspicace et la plus émouvante du Canada à cette époque. Ils nommaient « Canada » les bâtiments du camp où la nourriture, les vêtements, l'or, les diamants et d'autres biens dont on avait dépouillé les prisonniers étaient entreposés, parce que pour eux cela représentait le luxe et le salut, un Eden en enfer. Ils étaient inaccessibles, tout à fait hors d'atteinte – comme le Canada entre 1933 et 1945.

CHAPITRE 9

Horizons nouveaux
1945-1990

Avril 1945. La guerre tire à sa fin. Au cours des derniers mois, la libération des camps de la mort hitlériens a révélé à un monde sceptique que des événements trop horribles pour qu'on puisse y croire se sont bel et bien produits. Mandaté par son gouvernement, l'ambassadeur du Canada en France, Georges Vanier, se joint à des hauts fonctionnaires américains qui se rendent sur place visiter le camp de concentration de Buchenwald, libéré depuis peu.

Vanier est révolté de ce qu'il voit. Bien plus, en tant que Canadien il a honte. Il écrit au premier ministre Mackenzie King pour lui décrire les fours, les survivants réduits à l'état de squelettes vivants, les fosses communes, les « corps nus empilés comme des cordes de bois ». Dans une émission de radio diffusée au Canada, Vanier condamne l'indifférence de son gouvernement face au terrible sort des Juifs. « Comme nous avons été sourds » à leurs cris de détresse, se lamente-t-il.

Si Vanier avait espéré que la révélation des atrocités commises par les nazis allait inciter le Canada à prêter aux Juifs une oreille plus favorable, il se trompait lourdement. Le gouvernement allait rester sourd au moins pendant quelques années encore.

Le Canada de l'après-guerre était en plein essor. La majeure partie de l'Europe étant en ruines, le Canada était sorti de la guerre avec une des économies les plus fortes du monde. Les aliments, le bois et les objets manufacturés qu'il produisait contribuaient à la reconstruction des pays ravagés d'Europe occidentale. Il possédait l'une des plus grandes flottes du monde, et s'il y avait pénurie au Canada, ce n'était pas d'emplois mais de travailleurs. Il était évident qu'il n'y aurait pas de récession d'après-guerre comme cela avait été le cas vingt-cinq ans auparavant.

Mais où le Canada allait-il trouver des travailleurs? Pendant les seize dernières années, c'est-à-dire depuis le début de la crise à la fin de 1929, le Canada avait accepté peu d'immigrants. Maintenant, l'économie étant florissante, les industries, qui réclamaient les unes après les autres de la main-d'oeuvre, savaient où la trouver. En Europe, des centaines de milliers d'hommes et de femmes affamés affluaient dans les camps pour personnes déplacées. Beaucoup d'entre eux étaient des Juifs qui avaient échappé à la solution finale d'Hitler. Ils n'avaient ni patrie, ni foyer, ni famille pour les accueillir. Six millions de leurs frères et soeurs avaient été exterminés, victimes du crime le plus abominable de l'histoire. Ceux qui avaient survécu cherchaient alors à recommencer leur vie.

Mais le Canada n'était pas encore prêt à leur ouvrir ses portes. Pour répondre au besoin de main-d'oeuvre, le gouvernement autorisa diverses compagnies à faire venir

---

À gauche: David Lewis (à gauche) et A.M. Klein, Montréal, v. années 1920.

Brochure publiée par le Congrès juif canadien dans le cadre de sa campagne de secours outre-mer.

Finalement, en 1947, à la suite des pressions exercées par le Congrès juif canadien et par les manufacturiers et syndicats juifs du secteur du vêtement, le gouvernement accepta un plan visant à admettre des ouvriers du vêtement juifs. Mais presque à la dernière minute, les autorités canadiennes eurent la frousse. Des ordres furent envoyés aux responsables de l'immigration outre-mer, juste avant qu'ils ne se rendent dans les camps de personnes déplacées pour recruter des ouvriers : pour chaque Juif admis, un non-Juif devait également immigrer. Les quotas qui depuis si longtemps faisaient partie de la vie des Juifs canadiens avaient maintenant été étendus à la politique du Canada envers les réfugiés.

Il y eut une exception à cette règle. En 1941, les gouvernement canadien avait approuvé un programme afin de faire sortir mille orphelins juifs réfugiés de la France de Vichy. Malheureusement, le cabinet avait attendu tellement longtemps avant d'approuver le plan proposé qu'au moment où il fut adopté il n'y avait plus d'enfants orphelins juifs en France; ils avaient tous été amenés à Auschwitz. Mais la décision ministérielle ne fut jamais annulée, et en 1947 elle fut remise en vigueur. Le problème consistait à trouver des enfants – les nazis avaient accompli leur travail meurtrier avec une telle efficacité que très peu avaient survécu. Ce n'est qu'en haussant la limite d'âge à dix-huit ans que les responsables réussirent à trouver les enfants qu'ils cherchaient.

À la fin de 1947, tous les enfants – la plupart étaient des adolescents – étaient arrivés au Canada. Ils furent accueillis en héros par une communauté juive au comble de l'émotion, répartis dans des foyers un peu partout au pays, et ils reçurent toute l'aide dont ils pouvaient avoir besoin, tout cela aux frais de la communauté. Pour certains la transition fut extrêmement difficile, mais la plupart réussirent très bien dans leurs nouveaux foyers.

Heureusement, vers 1948, l'attitude des Canadiens envers l'immigration juive avait commencé à changer. Mackenzie King avait

des mineurs, des agriculteurs et des travailleurs de l'industrie du bois, et même des domestiques, n'émettant qu'une restriction – pas de Juifs. Les autorités du pays pressentaient que les Canadiens n'étaient pas prêts à en accepter un grand nombre. Une série de sondages d'opinion effectués juste après la guerre révéla que la majorité des Canadiens préféraient pratiquement tous les types d'immigrants – y compris les Allemands – aux Juifs.

Par conséquent, au cours des deux années qui suivirent la guerre, tandis que des dizaines de milliers de réfugiés affluaient au Canada, seul un faible pourcentage d'entre eux étaient des Juifs. On ne triait guère non plus les réfugiés autorisés à immigrer. Comme le premier souci des autorités canadiennes était de ne pas laisser entrer au pays de Juifs ou de sympathisants communistes, elles trouvèrent opportun de favoriser ceux qui avaient combattu aux côtés des nazis, car peu importe ce qu'ils étaient d'autre, ils n'étaient présumément ni juifs ni communistes.

Groupe d'orphelins de guerre de Winnipeg assistant à un match de base-ball, v. 1948.

pris sa retraite, Fred Blair était mort, et de nouveaux leaders aux idées nouvelles et plus larges sur l'avenir du pays arrivèrent au pouvoir. Beaucoup pensaient que l'heure du Canada avait enfin sonné. La plupart des économies du monde occidental étant toujours dans un état lamentable, le Canada était à la veille de devenir une véritable puissance mondiale. Tout ce qu'il lui fallait c'était des gens. C'est pourquoi il ouvrit largement ses portes. Pendant la décennie suivante près de deux millions de nouveaux venus affluèrent, dont des milliers de Juifs, la plupart étant des rescapés des camps de la mort. À leur arrivée, l'antisémitisme n'était plus aussi répandu que par les années antérieures. Les horreurs de l'Holocauste avaient bouleversé beaucoup de Canadiens;

d'autres furent touchés par le combat dramatique mené par les Juifs en Palestine pour s'y créer un État. Le Canada avait pour politique officielle de soutenir l'Angleterre dans sa tentative d'isoler la Palestine et d'empêcher par la force les réfugiés juifs d'y entrer, mais un grand nombre de Canadiens étaient favorables à la lutte courageuse des Juifs assiégés en Terre sainte.

C'est ce moment opportun que les leaders de la communauté juive du Canada choisirent pour lancer une vaste offensive contre la discrimination. Ils étaient motivés par leur colère face au traitement reçu par les soldats juifs qui, revenant d'outre-mer, devaient subir les mêmes restrictions qu'avant. L'histoire de cet ancien combattant renvoyé de son emploi de vendeur à

En haut : Réfugiés juifs à Halifax avec Noah Heinish (à l'extrême droite), du Congrès juif canadien.

En bas : Envoi de secours outre-mer par le Congrès juif canadien, v. 1946.

Toronto lorsqu'on découvrit qu'il était juif se répandit partout. D'autres se rendirent compte que l'accès de patinoires, de pis-

cines, de clubs de golf et d'hôtels leurs était interdit malgré les sacrifices héroïques qu'ils avaient consentis pour leur patrie.

Le Jewish Labour Committee et le Joint Public Relief Committee du Congrès juif canadien ainsi que le Bnai-Brith prirent la direction de la campagne. On avait essayé la diplomatie tranquille, mais en vain. Les jeunes militants énergiques chargés de la campagne, particulièrement Kalman Kaplansky et Sid Blum, du Labour Committee, et Ben Kayfetz, du Congrès juif canadien, décidèrent qu'on n'obtiendrait des résultats que par des pressions directes, des manifestations publiques et l'éducation. Ils comptaient se battre pour faire abolir toutes les restrictions, et non seulement pour les Juifs, mais pour toutes les minorités.

Le juge Keillor MacKay, de la Cour suprême de l'Ontario, donna une vigoureuse impulsion à leur campagne en stipulant en 1945 que la clause de la convention interdisant de vendre des terres et des maisons aux Juifs et à d'autres était contraire à l'intérêt général, et par conséquent illégale. La cause fit le tour des tribunaux pendant cinq ans avant que la Cour suprême n'émette un jugement définitif, mais on avait porté le premier coup contre la discrimination. Elle en subirait d'autres.

En 1947, le gouvernement CCF de la Saskatchewan fit adopter la première loi sur les droits de l'homme du Canada. Quatre ans plus tard, à la suite de pressions savamment orchestrées des organisations juives, le gouvernement conservateur de l'Ontario adopta la première loi sur l'équité dans l'emploi au Canada, qui fut suivie trois ans plus tard par une loi sur l'équité dans le domaine du logement. En fait, en 1955, l'Ontario avait stipulé que la discrimination envers les minorités dans l'emploi ou dans la location ou la vente de maisons était illégale. Au cours des dix années suivantes, les autres provinces et le gouvernement fédéral emboîtèrent le pas à l'Ontario; bientôt des codes exhaustifs des droits de l'homme furent adoptés au Parlement et dans tout le pays. La Charte des droits et libertés, adoptée en 1982, qui enchâsse les droits de la personne dans la constitution canadienne, doit beaucoup au travail de ces pionniers qu'étaient Kaplansky, Blum, Kayfetz et leurs collègues.

Tandis que ces garanties légales étaient mises en place, une communauté juive canadienne plus audacieuse montra qu'elle n'était plus disposée à accepter passivement l'antisémitisme d'autrefois. C'est dans le secteur de la médecine qu'eut lieu la première percée de l'après-guerre. Depuis des dizaines d'années, il était de notoriété publique au sein de la communauté juive – et probablement aussi à l'extérieur – que les écoles de médecine du pays avaient des quotas pour l'admission d'étudiants juifs. Pire, les quelques étudiants qui parvenaient à franchir les obstacles et à obtenir leur diplôme ne pouvaient souvent pas exercer à leur gré.

Cela n'avait pas toujours été le cas. Au milieu du XIXe siècle, le docteur Aaron Hart David, descendant des deux plus éminentes familles juives du Québec, avait été à la fois secrétaire de l'Association médicale canadienne et doyen de la faculté de médecine du Bishop's College. Il faudrait attendre un siècle avant qu'un Juif soit à nouveau doyen d'une faculté de médecine.

Au début des années 1900, presque toutes les écoles de médecine du Canada avaient adopté le système des quotas. Les Juifs n'étaient pas les seules victimes de discrimination; les femmes et les autres minorités ethniques étaient également soumises à de dures restrictions. Les journaux juifs rapportaient souvent des récits de jeunes Juifs brillants, qui avaient des notes excellentes mais dont l'inscription était refusée, alors que des non-Juifs dont les résultats étaient de beaucoup inférieurs étaient acceptés. Certains étudiants qui ne pouvaient entrer en médecine tentaient d'être admis en art dentaire, mais là aussi les quotas étaient rigoureux. Le doyen de la faculté d'art dentaire de l'Université de Toronto expliquait en 1950 que les Juifs n'avaient pas la « dextérité musculaire » nécessaire pour être des dentistes compétents.

On ne pouvait pas faire grand-chose pour forcer les autorités universitaires récalcitrantes à changer leur ligne de conduite, mais la communauté juive prit une mesure pour contrer les restrictions dans les hôpitaux: elle en bâtit un. Ces pionniers de la médecine que furent A.I. Willinsky, à Toronto, et Alton Goldbloom, à Montréal, ont raconté par le menu dans leurs mémoires les difficultés qu'ils eurent à obtenir un poste dans un hôpital et à faire admettre leurs patients dans les hôpitaux. Une fois admis, les patients juifs étaient traités par des médecins qu'ils ne connaissaient pas et dont ils ne parlaient parfois pas la langue. Pour résoudre ces problèmes pendant les années 1920 et au début des années 1930, la communauté juive fonda le Mount Sinaï Hospital à Toronto et l'Hôpital général juif à Montréal. On dut renoncer, faute de fonds, à faire d'une clinique de Winnipeg le troisième hôpital juif du Canada.

Mais la communauté de Winnipeg montra sa détermination d'une autre façon. En 1944, la Avukah Society, une association de diplômés juifs de l'Université du Manitoba, organisa une campagne pour dénoncer le système des quotas de la faculté de médecine de l'université.

Au cours d'une réunion de la commission de la santé de l'assemblée législative, la description minutieuse de ces politiques restrictives par des membres de la Avukah mit le président de l'université et le doyen de la faculté dans l'embarras. Ils démontrèrent, document internes de l'université à l'appui, que tandis que des quotas étaient imposés aux Juifs, aux femmes et à d'autres groupes ethniques les « candidats recherchés... ceux d'origine anglo-saxonne, française ou irlandaise » étaient régulièrement acceptés avec des notes beaucoup plus basses. Pressée par le gouvernement, la faculté de médecine accepta à contrecœur de changer sa politique, non sans que le doyen, grognon, prophétise que l'université finirait par être appelée « l'université juive », « promettant » que les étudiants non juifs iraient ailleurs. L'Université du Manitoba fut par conséquent la seule à se débarrasser de l'odieux « numerus clausus » (quotas), et à partir de 1945 les étudiants juifs ainsi que ceux des « races non recherchées » furent admis en nombre croissant.

Le précédent créé par le Manitoba incita d'autres facultés de médecine, et beaucoup d'hôpitaux, à abolir leurs restrictions. Le docteur Alton Goldbloom fut nommé directeur de l'hôpital pour enfants de Montréal, et d'autres médecins juifs, qui pendant longtemps n'avaient pu pratiquer que dans les deux hôpitaux juifs, commencèrent bientôt à se voir offrir régulièrement des postes dans des hôpitaux non juifs. Dans les années 1960 et 1970, il y eut des chefs de département, des chefs du personnel médical, des doyens de facultés de médecine juifs, et même un président juif de l'association médicale canadienne. Il n'y eut pour ainsi dire pas de domaines de la médecine où les médecins juifs ne se distinguèrent pas.

La médecine n'est pas le seul domaine où la condition des juifs au Canada changea

radicalement. Il en fut de même dans le domaine juridique. Les restrictions pour l'admission dans les facultés de droit étaient moins nombreuses, mais il y en avait certainement beaucoup pour les Juifs qui sollicitaient un emploi auprès de firmes établies. Partout au pays, les juifs diplômés avec grande distinction étaient obligés de s'établir à leur compte. Aucun Juif ne siégeait dans les tribunaux, à l'exception peut-être parfois d'à l'échelon local. En 1914, Samuel Schultz avait été nommé juge d'un tribunal de comté en Colombie-Britannique, mais ce n'est que trente et un ans plus tard, à Toronto, qu'un autre Juif, Sam Factor, fut nommé juge. Il fallut attendre le début des années 1950, lors de la nomination d'Harry Batshaw, au Québec, et de Sam Freedman, au Manitoba, pour que des juges juifs siègent pour la première fois dans une cour supérieure au Canada. Freedman devint également dans les années 1970 le premier juge en chef juif d'une province. Depuis ces nominations, les changements ont été radicaux. Au cours des deux dernières décennies des juges juifs ont été nommés à tous les niveaux du système judiciaire. Dans cinq provinces, la Colombie-Britannique, le Manitoba, l'Ontario, le Québec et la Nouvelle-Écosse, des juges en chef juifs ont siégé, soit à la Cour d'appel soit à la Cour suprême.

Personne, sans doute, ne représente mieux le revirement incroyable qui s'est produit dans le système juridique que Bora Laskin. Dans les années 1930, ce brillant juriste de l'Université Harvard retourne à Toronto. Il ne peut évidemment se trouver un emploi. Pendant plusieurs années, il gagne sa vie en rédigeant des résumés pour une revue de droit. Il n'est engagé en 1940 par le département de droit de l'Université de Toronto qu'après que le chef du département a écrit une curieuse lettre au président de l'université, qui est hésitant, attestant que, bien que Laskin soit juif, il n'en est pas moins un « sujet britannique loyal, respectant nos institutions et nos traditions [...qui...] ne fera pas honte à l'université

[...et qui a] juré sur la Bible devant témoins qu' [il n'est pas] membre d'un mouvement subversif ».

Laskin devient vite l'un des plus grands professeurs de droit du pays, et son exemple aide à abattre des barrières pour d'autres. En tant que membre du comité des affaires juridiques du Congrès juif canadien, il mène dans tout le pays un combat contre le sectarisme et le racisme. Dans les années 1970, il est juge à la Cour suprême du Canada, et en 1975, il est nommé juge en chef - ce qui est remarquable pour ce fils d'immigrants russes de Fort Williams, en Ontario.

La carrière de Bora Laskin symbolise la transformation révolutionnaire du Canada, où une société pleine de préjugés, plongée dans l'ignorance, a cédé la place à la nation multiculturelle, progressiste et ouverte d'aujourd'hui. Mais Laskin n'est pas le seul à avoir effectué un si beau parcours. Un autre Juif originaire de l'ouest, Maxwell Cohen, est devenu l'un des principaux juristes du pays et le doyen de la faculté de droit de l'Université McGill; il a récemment été nommé représentant du Canada à la Cour internationale de justice. Dans les années 1970, au moins une demi-douzaine de facultés de droit avaient à leur tête des doyens juifs, et il y avait partout de nombreux professeurs juifs. Parallèlement à ces changements radicaux dans le système judiciaire et dans les universités, les grandes firmes d'avocats du pays ont commencé à recruter de brillants jeunes diplômés juifs. En une génération, les barrières avaient été brisées.

Dans le Canada d'avant-guerre, peu de domaines professionnels étaient aussi fermés aux Juifs que l'enseignement et l'administration dans les universités. Pendant les années 1930, il n'y avait qu'une petite poignée de chargés de cours juifs – il n'y avait ni professeurs, ni administrateurs, ni doyens, ni chefs de départements – dans tout le pays. Parmi les milliers de réfugiés, érudits, professeurs, scientifiques, artistes, musiciens et auteurs expulsés des universités et conservatoires allemands entre 1933 et 1940, seuls trois ou quatre furent engagés

Bora Laskin.

par des universités canadiennes. En fait, quelques mois à peine avant le déclenchement de la guerre, les délégués à une conférence des universités canadiennes adoptèrent à l'unanimité une résolution pressant le gouvernement de ne pas admettre d'universitaires réfugiés et de déporter ceux qui étaient déjà ici, de peur qu'ils acceptent des postes « pour lesquels d'autres Canadiens pourraient être qualifiés ».

Les universités, outre qu'elles faisaient preuve de discrimination envers les professeurs juifs, établissaient également des quotas pour l'admission d'étudiants juifs. Au premier rang de ces établissements venait McGill. Pendant des années, c'était un secret de polichinelle que les critères d'admission étaient beaucoup plus élevés pour les candidats juifs que pour tous les autres. Un examen de la correspondance de responsables de l'université, du président au bas de l'échelle, montre bien que ceux-ci étaient déterminés à limiter impitoyablement la présence des Juifs à McGill. Ils avaient peur qu'en acceptant trop de Juifs l'université ne devienne, comme le disait un de ces responsables, « la Yeshiva du nord ». Il y aurait tant d'étudiants juifs, dit le principal de l'université, sir Arthur Currie, qu'il n'y aurait guère de place pour les non-Juifs. En dépit des efforts de Sam Bronfman, qui était l'un des grands bienfaiteurs de l'université, ce n'est que bien après la Deuxième Guerre mondiale que les quotas furent abandonnés.

Le reste de la société laissant tomber les restrictions, les universités ne tardèrent pas à suivre le mouvement. Dans les années 1950 et 1960, il y avait des Juifs dans le corps professoral de toutes les universités, et certains doyens et chefs de département étaient juifs. Et à la suite de la nomination de Max Wyman à la présidence de l'Université de l'Alberta en 1966, et de celle, quelques mois plus tard, d'Ernest Sirluck à l'Université du Manitoba, le Canada avait ses premiers présidents d'université juifs. Ils ne seraient pas les derniers.

Depuis Ezekiel Hart, des Juifs canadiens avaient été - ou avaient essayé d'être – actifs dans la vie politique du pays, surtout au niveau local. Ce n'est qu'en 1935, lorsque David Croll, Juif originaire de Windsor, fut nommé au cabinet de l'Ontario, qu'un Juif obtint un poste de ministre. Mais Croll fut moins heureux sur la scène fédérale. A son retour de la guerre, où il avait obtenu le rang de lieutenant-colonel, Croll fut élu député au Parlement fédéral, mais, bien qu'il l'eût mérité, on lui ne lui permit pas d'accéder au cabinet. Ni Mackenzie King, ni son successeur Louis Saint-Laurent, n'étaient disposés à accepter un Juif dans leur cabinet. On se débarrassa donc de Croll en l'envoyant à la chambre haute pour en faire le premier sénateur juif du Canada. Pendant les quarante années suivantes, il allait faire beaucoup pour son pays, mais son apport ne serait jamais aussi important que s'il avait été ministre. Un autre Juif de Windsor, Herb Gray, allait devenir le premier ministre fédéral juif du Canada en 1969. Depuis sa nomination, il y a eu des

ministres juifs dans presque tous les cabinets fédéraux.

Dans l'après-guerre, les Juifs ont joué un rôle plus important tant au niveau provincial que fédéral. Pendant la majeure partie des années 1940 et une partie des années 1950, Joe Salsberg, un militant ouvrier haut en couleurs, siégea en tant que communiste à l'Assemblée législative et contribua beaucoup à faire de l'Ontario une société plus ouverte. Par contre, un autre communiste, Fred Rose, qui fut élu député fédéral d'une circonscription de Montréal, fut plus tard reconnu coupable d'espionnage pour le compte de l'Union soviétique. Lorsque Salsberg fut finalement défait dans sa circonscription de St. Andrews, ce fut par Allan Grossman, qui fut le premier Juif à être ministre dans un cabinet conservateur.

Aucun Juif n'a peut-être autant apporté à la vie politique de ce pays qu'un immigrant polonais qui a grandi dans le ghetto de langue yiddish de Montréal. Fils d'un ouvrier du vêtement, David Lewis se mérita une bourse Rhodes pour étudier à Oxford et revint au Canada à la fin des années 1930. Il fut l'un des architectes du parti social-démocrate du Canada, le CCF. Pendant vingt ans, le parti survécut en grande partie grâce aux efforts inlassables de Lewis. Lorsque le parti refit surface sous le nom de Nouveau Parti démocratique dans les années 1960, Lewis fut élu député au Parlement, et il devint bientôt le chef du parti – il était le premier Juif à diriger un parti politique national au Canada.

En Colombie-Britannique, Dave Barret fut en 1972 le premier Juif à accéder au poste de premier ministre d'une province; pendant ce temps, en Ontario et au Manitoba, des Juifs étaient chefs de l'Opposition. Au Québec, Victor Goldbloom, le fils d'Alton, fut en 1970 le premier Juif de cette province à être ministre. En fait, dans les années 1970 et 1980, les Juifs étaient si nombreux dans les divers cabinets fédéraux et provinciaux que peu de Canadiens en faisaient cas. L'élection de Nathan Philips au poste de maire de Toronto dans les années 1950 fit des remous, mais peut-être

Bazar de charité du National Council of Jewish Women,
1948.

non pas tant parce qu'il était juif que parce
qu'il était le premier non-protestant à occuper ce poste.

En plus de ces gains dans le domaine
politique, les Juifs du Canada eurent soudain accès pour la première fois à des
postes d'influence dans la Fonction publique. Il y avait toujours eu des Juifs dans
la Fonction publique fédérale, mais jusque
dans les années 1950 ils avaient été confi-
nés à des postes de peu d'importance. Le
premier Juif à « réussir » à Ottawa fut Louis
Rasminsky, qui fut employé au ministère
des Finances dans les années 1940. Mais
les années passèrent sans qu'on lui accorde
jamais de promotion, jusqu'à ce qu'à la fin
des années 1950 il soit nommé à un poste
digne de ses talents et de son expérience, celui de gouverneur de la Banque du Canada.
À cette époque, quelques Juifs avaient été
nommés ambassadeurs, mais la véritable

percée eut lieu dans les années 1960 et 1970
lorsque tous les obstacles furent levés dans
la Fonction publique. Depuis, des Juifs ont
été nommés à des postes diplomatiques
et politiques délicats. Au cours de la dernière décennie, des Juifs ont servi leur pays
comme sous-ministres dans une pléiade de
ministères, notamment aux ministères des
Affaires extérieures et des Finances, comme
ambassadeurs aux Nations-Unies et aux
États-Unis ainsi qu'à de nombreux autres
postes clés, dont celui de secrétaire principal du premier ministre.

Dans les années 1950, les conseils d'administration des grandes sociétés étaient
les derniers endroits d'où les Juifs étaient
encore exclus. La lutte fut plus âpre parce
que les préjugés étaient plus solidement
enracinés et qu'il était plus difficile d'y
faire face. Les lois avaient peu d'influence;
seules comptaient la pression morale et,

Saidye Bronfman en train de découper le ruban à
l'inauguration du YM-YWHA, Montréal, 1955.

surtout, l'influence économique. Lorsque
Sam Bronfman fut invité à faire partie du
conseil d'administration de la Banque de
Montréal dans les années 1950, il était le
premier Juif à être nommé directeur d'une
des grandes sociétés du pays au cours du
XXe siècle.

Peu à peu, d'autres Juifs rejoignirent
Bronfman autour des tables des conseils
d'administration partout au Canada. Comme
le souligne John Porter dans *The Vertical
Mosaic*, son étude, devenue un classique,
sur les élites du Canada, même au milieu
des années 1960 presque aucun Canadien
d'origine immigrante n'avait réussi à péné-
trer dans l'establishment du pays, mais les
Juifs grugeaient graduellement ce monopole.
Les enfants et les petits-enfants des travailleurs immigrants du début du siècle se faisaient rapidement une place dans la société
canadienne. Ils refusaient d'accepter les

restrictions imposées aux générations
antérieures, et ils étaient prêts à enfoncer
le mur de préjugés dont s'entourait l'élite
financière du Canada.

Au cours des deux dernières décennies, ils y sont parvenus. Les Bronfman,
à Montréal et à Toronto (les enfants de
Sam et Allen respectivement), les Steinberg,
les Reitman et les Pascal à Montréal, les
Koffler, les Poslun et les Wolfe à Toronto,
les Cohen à Winnipeg, les Belzberg à
Vancouver, et une légion d'autres ont
tous transformé leur petit commerce fami-
lial en géants de l'industrie canadienne,
et grâce à leur succès ils ont obtenu des
postes dans des conseils d'administration.
Ils ont même obtenu le contrôle de certaines
de ces mêmes sociétés de fiducie et compagnies d'assurance qui avaient refusé la
clientèle de leurs parents et de leurs grands-
parents.

Aucune famille ne connut une ascension plus fulgurante dans le monde financier que les légendaires Reichmann de Toronto. Juifs d'origine hongroise ayant réussi à échapper aux nazis, les frères Reichmann, Albert, Paul et Ralph, sont arrivés au Canada en 1956 et, grâce à leur travail acharné, allié à un sens imaginatif de l'administration et à une forte dose de témérité, ils sont incontestablement devenus les industriels les plus influents du pays – tout en demeurant résolument des Juifs orthodoxes pieux.

L'une des conséquences les plus importantes de l'ascension rapide des Juifs du Canada au cours des trente dernières années a été la croissance phénoménale de la philanthropie juive. D'après des études récentes, il existe peu de communautés aussi généreuses de par le monde que la communauté juive du Canada. Non seulement l'aide qu'elle fournit à Israël et aux institution juives est, proportionnellement, parmi les plus élevées au monde, mais elle a également contribué très généreusement à des activités charitables non juives. Les Juifs du Canada ont largement subventionné les théâtres, les orchestres, les universités, les musées, les galeries d'art, les hôpitaux et d'autres institutions culturelles et éducatives du pays, et ont inlassablement consacré énormément de temps et d'argent à presque toutes les oeuvres de bienfaisance canadiennes.

La Commission royale sur le bilinguisme et le biculturalisme mise sur pied dans les années 1960 a souligné le rôle des Juifs dans l'essor de la littérature canadienne, le qualifiant de « remarquable » et de « distinctif », et nul ne personnifie mieux ces qualités que le fondateur de la littérature judéo-canadienne, A.M. Klein. Né dans le ghetto de Montréal en 1909, fils d'un travailleur du vêtement immigré, Klein fut pendant une bonne partie de sa vie avocat, rédacteur en chef de divers journaux anglo-juifs, rédacteur des discours de Sam Bronfman et militant de la politique juive et socialiste (il fut une fois candidat du CCF aux élections fédérales, mais il fut battu).

Mais sa grande passion était la poésie. En 1948, il obtint le prix du gouverneur général pour un recueil de poèmes satiriques, pourtant pleins d'émotion, sur le Québec intitulé *The Rocking Chair*. Son unique roman, *The Second Scroll*, lui valut une large audience. Mais surtout il fut, au dire d'un érudit, « le fondateur de toute une lignée d'écrivains juifs canadiens qui l'ont étudié et qu'il a inspirés ». On trouve parmi ceux-ci les plus éminents auteurs juifs de Montréal: Irving Layton, Leonard Cohen, Mordecai Richler et Ted Allan.

Ces écrivains s'inscrivent dans une longue tradition de littérature juive à Montréal. Le premier poète juif du pays fut probablement Isidore Asher, Juif d'Écosse qui arriva à Montréal dans les années 1860; avant de retourner en Grande-Bretagne, il publia plusieurs ouvrages en vers extrêmement prisés. Quelques années plus tard, un autre Juif d'origine britannique, David Ansell, émigra à Montréal et écrivit un livre très populaire sur l'avenir de l'Empire britannique. Ses idées suscitèrent un tel enthousiasme qu'il fut très connu dans les cercles gouvernementaux, tant au Canada qu'en Angleterre. La Grande-Bretagne le nomma consul général du Canada au Mexique, une sinécure purement honorifique, mais qui lui valut sans doute d'être le premier diplomate juif du Canada.

C'est à la suite de l'arrivée des immigrants d'Europe orientale, au début du siècle, que fleurit la littérature d'expression yiddish à Montréal. D'éminents auteurs et journalistes yiddish étaient invités à faire des conférences, donner des cours, écrire, et certains s'installèrent même à demeure dans la ville. Leur présence, jointe à la création d'écoles yiddish et d'institutions culturelles comme la Bibliothèque juive publique, fut essentielle à l'épanouissement d'une génération de jeunes auteurs anglophones de talent.

Certains esprits chagrins de Winnipeg peuvent être en désaccord avec ces propos – après tout la communauté juive de leur ville était tellement vivante qu'un érudit la baptisa « la Jérusalem du Nouveau Monde » –, mais il est évident que la place de Montréal dans la littérature juive canadienne est unique.

Mais le ghetto de Montréal n'est pas le seul lieu qui donna naissance à une culture littéraire anglo-juive. L'apport des Juifs de l'ouest du Canada, dont l'expérience est tout à fait différente, est également distinctif. Adele Wiseman, Eli Mandel, Miriam Waddington et Jack Ludwig sont les produits de ce milieu, tout comme, jusqu'à un certain point, le célèbre romancier Henry Kreisel, bien qu'il ait quitté son Australie natale pour le Canada au cours de la Deuxième Guerre mondiale, faisant partie des internés envoyés par le gouvernement britannique. Au cours des dix ou vingt dernières années, d'autres écrivains sont venus enrichir la déjà riche tradition littéraire judéo-canadienne.

S'il n'est pas possible de discerner une école proprement judéo-canadienne dans le domaine des arts visuels, des sculpteurs tels que Sorel Etros, Gerald Gladstone et Stanley Lewis et des peintres comme Gershon Iskowitz, Aba Bayefsky, Lewis Muhlstock, Les Levine et Ghita Caiserman Roth ont tous traité de thèmes juifs dans leurs oeuvres. Plus typiquement juive est la musique de certains des meilleurs compositeurs de ce pays, John Weinzweig, Oskar Morawetz, Harry Freedman, Louis Applebaum, Srul Glick et Milton Barnes.

La Communauté juive du Canada dut payer le prix des changements survenus dans sa situation. Le monde de l'ouvrier, du marchand des petites villes, du fermier et du radical juifs avait disparu, victime de l'ascension socio-économique des Juifs. Leurs enfants, tout comme ceux d'autres Canadiens, sont devenus médecins, avocats, professeurs, comptables, fonctionnaires, marchands et gestionnaires. La majorité de ceux qui ne vivaient pas encore dans des grandes villes s'empressèrent de s'y installer pour être à proximité des écoles et des institutions juives. Ils n'avaient plus de temps à consacrer aux vieilles querelles idéologiques, et les communistes juifs devinrent des reliques de la guerre froide. De toute façon,

les anciennes dissensions au sein de la communauté ont pour la plupart disparu à mesure que les Juifs des quartiers populaires s'installaient dans les beaux quartiers et devenaient des leaders de la communauté.

Le rude dynamisme bagarreur des débuts de la présence juive au Canada est disparu, tué par le choc de l'Holocauste et la fragilité du minuscule nouvel État juif au Moyen-Orient. Le monde est devenu un endroit trop dangereux pour que les Juifs puissent se permettre le luxe de luttes intestines et de divisions. Le radicalisme et les luttes de classes des années 1920 et 1930 paraissaient tristement déplacés à la lumière de la nouvelle situation des années 1950 et 1960.

Les Juifs consacraient alors toutes leurs énergies à protéger l'État d'Israël, à accueillir le flot de survivants de l'Holocauste et à vaincre les obstacles qui subsistaient au sein de la société canadienne. Un pontife yiddish baptisa les Juifs de l'après-guerre la « génération *sha shtill* », littéralement la génération silencieuse, ayant peur de faire des remous par crainte de sombrer. Unité et harmonie étaient les mots d'ordre. Par conséquent, les Juifs du Canada abandonnèrent les affaires de la communauté aux mains de ses leaders tout en fonçant tête baissée dans une société canadienne qui devenait rapidement de plus en plus ouverte. Il fallut attendre les années 1970 et 1980 – une fois que les Juifs eurent réussi à améliorer leur situation, que l'antisémitisme eut diminué et qu'Israël sembla à peu près en sûreté – pour que la communauté recommence à tolérer les divergences d'opinion et le pluralisme d'autrefois.

Les institutions et les organismes de la communauté juive changèrent en même temps que le monde qui les entourait. Et peu changèrent aussi totalement dans l'après-guerre que le mouvement sioniste. Sous son nouveau nom de Zionist Organisation of Canada, il se limita presque exclusivement pendant tout l'entre-deux guerres à des levées de fonds et à exercer quelques pressions politiques. Des millions de dollars furent recueillis qui servirent en grande

Le bureau central de la Labour Zionist Organization, à
Montréal, le 14 mai 1948, le jour de l'indépendance de
l'État d'Israël.

partie à acheter la fertile plaine de Sharon
pour les Juifs palestiniens. Mais l'organisme
fut beaucoup moins heureux dans ses
entreprises politiques. Pendant toutes les
années 1920 et 1930, le leader des sionistes
canadiens, A.J. Freiman, conduira des délé-
gations auprès du premier ministre et d'autres responsables gouvernementaux pour
défendre la cause de la patrie qui avait été
promise aux Juifs. Freiman demanda entre
autres à son ami personnel Mackenzie King
d'intercéder auprès des Britanniques pour
qu'ils permettent à davantage de Juifs d'immigrer en Palestine. Chaque Juif admis,
plaidait Freidman, était une victime de plus
arrachée aux nazis. Mais King appuyait la
politique restrictive des Britanniques et rejeta poliment les requêtes de chaque délégation.

Lorsqu'éclata la Deuxième Guerre
mondiale, les sionistes canadiens adoptèrent une attitude plus militante. Sous la
direction de l'avocat montréalais Harry
Batshaw et du financier torontois Samuel
Zacks, une importante campagne de relations publiques en faveur de la Palestine fut
lancée. De nouveaux comités furent mis sur
pied et l'organisme lui-même fut réorganisé
et rebaptisé United Zionist Council. On
invita des non-Juifs à jouer un rôle plus
important au sein du mouvement, mais eux
non plus n'obtinrent guère de résultats. Le
Canada en guerre avait encore moins de
temps à consacrer aux récriminations des
Juifs qu'en temps de paix. Ce n'est qu'après
la guerre, lorsque les Nations Unies se pen-
chèrent sur le problème de la Palestine, que
le Canada s'intéressa à la façon dont on allait remplir la promesse faite aux Juifs dans
la Déclaration Balfour, et seulement parce
qu'un Canadien, Yvan Rand, de la Cour
suprême du Canada, devait siéger à la
Commission spéciale de l'Organisation des
Nations unies pour la Palestine.

Pendant ce temps, les sionistes du
Canada travaillaient d'arrache-pied. Par
l'entremise d'un groupe très en vue d'éminents non-Juifs, le Canadian Palestine

Committee, ils diffusèrent des déclarations et des communiqués de presse, présentèrent des émissions radiophoniques et firent paraître des annonces dans les journaux. Le comité donna aux sionistes canadiens une crédibilité dont ils n'avaient pas joui dans les cercles gouvernementaux pendant des années. Tout ceci joua certainement un rôle dans la décision du Canada de reconnaître l'État juif, mais comme le montre l'historien David Bercuson, le Canada ne prit cette décision que parce qu'il y trouvait son compte et non à cause des pressions exercées par les Juifs canadiens.

Mais les Juifs du Canada n'ont pas fait preuve de désintéressement qu'en faisant des levées de fonds et en exerçant des pressions en faveur de la Palestine. Beaucoup ont aussi été sur place. Au moins trois cents anciens combattants canadiens – dont des non-Juifs tels que « Buzz » Beurling, un as de l'aviation de la Deuxième Guerre mondiale, qui avait abattu plus d'avions allemands que tout autre pilote canadien – se portèrent volontaires pour se battre pour le nouvel État juif lorsqu'il fut attaqué par des armées arabes en 1948. Dirigés par des héros de guerre tels que le capitaine d'aviation Sydney Shulemson, le soldat juif canadien le plus décoré, et le major Ben Dunkelman, dont les parents, David et Rose, ont été le pivot du sionisme canadien pendant des années, ces volontaires ont rendu des services inestimables à une armée israélienne inexpérimentée, qu'ils aidèrent à remporter la victoire. Une douzaine de Canadiens, dont Beurling, ont perdu leur vie pour permettre aux Juifs d'avoir un État.

Ceux qui ne pouvaient aller se battre là-bas avaient des tâches tout aussi importantes à accomplir ici. Avec l'aide d'Alex Skelton, un sous-ministre adjoint au ministère du Commerce, favorable à leur cause, des leaders sionistes ont pu acheter des tonnes de surplus militaires – des mitrailleuses, des mortiers, et même des avions – par l'intermédiaire de prête-noms et les ont expédiés à une armée israélienne désespérée dans des caisses portant la marque

« machines-outils ». D'autres Juifs lancèrent différentes campagnes de levée de fonds. C'est ainsi qu'en moins d'un an, de mai 1948 à mai 1949, près de dix millions de dollars ont été recueillis pour le nouvel État juif; il s'agit probablement de la campagne de financement la plus réussie de l'histoire du Canada jusque-là.

Depuis, les Juifs canadiens ont donné très généreusement de leur temps et de leur argent pour assurer la survie de ce minuscule et fragile État. Pendant la guerre des Six-Jours, en juin 1967, lorsqu'il sembla que les voisins arabes d'Israël étaient prêts à réaliser leur menace de repousser les Juifs à la mer, les Juifs du Canada, conduits par Sam Bronfman, recueillirent en quelques semaines plus de 25 millions de dollars.

Au cours des dix ou vingt dernières années, le mouvement sioniste a perdu de son importance au sein de la communauté, mais la plupart des Juifs continuent d'adhérer à sa doctrine. Au dire de l'historien Michael Brown, le sionisme organisé est devenu « dans une grande mesure un sport pour spectateurs », les Juifs de la Diaspora regardant ce qui se passe en Israël, applaudissant – ou, à l'occasion, chahutant – sur la touche. Certains Juifs canadiens ont pu être en désaccord avec différentes politiques et activités des gouvernements israéliens au cours des dernières années, mais la communauté n'a pas cessé de soutenir activement l'État juif.

Pourtant, beaucoup de Juifs croient qu'après la création de l'État d'Israël le sionisme n'a guère plus de raison d'être. Une grande partie des tâches qui étaient autrefois le monopole d'organisations sionistes – éducation, levées de fonds, organisation de voyages en Israël – ont en effet été reprises par les synagogues, le Congrès juif canadien, le Bnai-Brith, et même l'ambassade d'Israël à Ottawa. Une nouvelle organisation, le Comité Canada-Israël, a assumé la responsabilité de faire des pressions sur le gouvernement. Le sionisme organisé au Canada est ainsi victime de son propre succès. Il a poussé à ce point les différentes institutions juives à s'engager en faveur de la survie d'Israël qu'il n'a plus grand-chose à faire.

Dans l'après-guerre, la politique canadienne d'immigration a subi de très grands changements. Le monde se trouvant inondé de réfugiés, le Canada, qui avait un pressant besoin d'immigrants, ouvrit de nouveau ses portes dans les années 1950. Mais pour beaucoup de Juifs canadiens, il était trop tard. Leurs familles – mères, pères, soeurs, frères, tantes, oncles et cousins – avaient été anéanties par les hordes meurtrières d'Hitler. Beaucoup de Juifs du Canada adoptaient ainsi les survivants qui arrivaient au pays. Ils étaient le seul lien qui existait avec leurs proches, leurs villes, leurs villages et leurs *shtetels* qui avaient été détruits à jamais, avec une culture disparue.

Tout fut mis en oeuvre pour les intégrer à la société canadienne. Les organisations de la communauté, le Conseil national des femmes juives, les *landsmanshaftn* et le Centre d'orientation juif, mobilisèrent toutes leurs forces. La tâche était herculéenne. On acheta des bâtiments pour abriter les survivants; on engagea des travailleurs sociaux spécialement formés; des programmes de formation furent mis sur pied; des bureaux d'emploi furent établis; des Juifs ouvrirent les portes de leurs demeures aux réfugiés. C'est comme si la communauté juive canadienne tentait de réparer son échec des années 1930. En tout, quelque quarante mille survivants de l'Holocauste arrivèrent au Canada.

La plupart des survivants voulaient simplement un peu de temps pour récupérer. Isolés au début de la communauté juive canadienne, ils n'étaient pas prêts, physiquement ou émotivement, à faire autre chose que refaire leur vie, fonder de nouvelles familles et bâtir de nouvelles maisons dans leur nouveau pays. Ils n'étaient pas non plus prêts à parler de leurs expériences. Ce n'est que dans les années 1960, en partie à la suite d'incidents antisémites déclenchés par une poignée de bruyants néonazis, que les survivants commencèrent à former leurs propres organisations et à jouer un rôle actif

La famille Haim Abenhaim, des immigrants séfarades du Maroc, arrive à Montréal, 1960.

au sein de la communauté juive. Depuis lors, bien sûr, les survivants, individuellement ou par l'intermédiaire de leurs organisations, ont joué un grand rôle, tant au sein de la communauté juive que dans la société canadienne en général. En tant que témoins vivants de l'épisode le plus sombre de l'histoire du monde, ils ont poussé la communauté à s'opposer avec plus de vigueur au racisme, à faire pression en faveur d'une loi interdisant la propagande haineuse, à forcer un gouvernement canadien hésitant à poursuivre les criminels de guerre et à faire en sorte que la question de l'Holocauste soit abordée dans les programmes scolaires partout au pays. Dans les domaines du commerce, des arts et du droit, les survivants et leurs enfants ont également beaucoup donné à leur patrie d'adoption.

La communauté séfarade est un autre groupe qui a enrichi la société canadienne. Depuis les années 1950, environ 20 000 Juifs francophones du Maroc et des autres

Marche du Comité des Juifs soviétiques du Congrès juif canadien dans les rues de Montréal.

pays du Maghreb ont immigré au Canada. La plupart se sont installés à Montréal, mais on trouve des communautés séfarades à Toronto et dans d'autres localités. Tout comme les immigrants d'Europe orientale qui les avaient précédés, ils ont créé leurs propres organisations, leurs écoles, leurs journaux et leurs synagogues, et ils sont aussi entrés en conflit avec les chefs de la communauté. Ils avaient, eux aussi, leur langue, leurs coutumes, leurs rites et leur mode de vie, qui déconcertaient les leaders juifs anglophones. Il est devenu évident, au bout de quelques années, que les Séfarades ne s'intégreraient pas à la communauté juive anglophone. Pourquoi l'auraient-ils fait, dans un Québec qui devenait de plus en plus unilingue? Ne valait-il pas mieux que la communauté juive encourage sa propre minorité francophone?

L'organisation-cadre de la communauté séfarade accepta de s'intégrer à la structure de la communauté montréalaise tout en conservant son autonomie sur un large éventail de sujets. Ainsi, tout en créant tout un complexe d'institutions communautaires pour marquer leur caractère distinct, les Séfarades ont fait front commun avec la communauté juive anglophone sur des questions telles qu'Israël et l'antisémitisme, qui concernent tous les Juifs du Canada.

La population juive de langue française a prospéré dans le climat de plus en plus nationaliste du Québec, mais la communauté juive anglophone a connu davantage de vicissitudes. Après l'élection du gouvernement souverainiste du parti québécois en 1976, beaucoup de Juifs ont décidé qu'il était temps de partir. Bien que le nouveau gouvernement ne fût pas antijuif – en fait, il a tenté de rassurer ses citoyens juifs – certains Juifs avaient le sentiment que leur avenir ne se situait pas dans un Québec francophone. Un grand nombre d'entre eux – surtout de jeunes membres des professions libérales - quittèrent la province pour des cieux plus propices, l'Ontario, l'Alberta ou la Colombie-Britannique, ou même l'étranger. À la suite de cet exode, et de l'arrivée de milliers d'immigrants venus d'Israël, d'Afrique du Sud et d'Union soviétique, dans les années 1980, Toronto avait remplacé Montréal en tant que plus grande ville juive du pays.

La migration intérieure est en fait devenue un phénomène permanent dans la communauté juive canadienne. Vingt pour cent des Juifs du Canada vivent aujourd'hui

Contrat de mariage juif, ou Ketouba, donné par l'artiste,
Howard Fox, à sa mère, née en Union soviétique, et à
son père, né au Canada, à l'occasion de leur 40[e]
anniversaire de mariage en 1987. La représentation
de Jérusalem, Toronto et Moscou symbolise la réunion
de Juifs originaires de différents pays.

Des enfants allument les bougies de Hanouka.

hors de la province où ils sont nés. La population juive des provinces de l'Atlantique, du Québec et de Winnipeg diminue, alors que celle de Toronto, d'Ottawa, du sud de l'Ontario, de Calgary, d'Edmonton et de Vancouver a augmenté de façon presque exponentielle. D'après les données de recensement les plus récentes, il y a aujourd'hui près de 330 000 Juifs au Canada (près de la moitié d'entre eux vivent à Toronto ou dans la région), soit une hausse de 40% depuis la fin de la Deuxième Guerre mondiale.

À son arrivée, chaque nouveau groupe – israélien, sud-africain, latino-américain – ajoute une nouvelle dimension à la mosaïque juive du Canada. Mais c'est l'arrivée de milliers de *refuzniks*, les réfugiés d'Union soviétique, qui a le plus réjoui les Juifs du Canada. Depuis la fin des années soixante, beaucoup de membres de la communauté ont été actifs au sein du mouvement en faveur des Juifs soviétiques. Tout comme ils

l'avaient fait, sans succès, pour leurs frères dans les années 1930, ils ont exercé des pressions, fait des campagnes de souscription et organisé des manifestations pour inciter le gouvernement soviétique à permettre aux Juifs de quitter l'URSS. Cette fois, ils ont eu davantage de succès, et leur gouvernement ainsi que les Canadiens ont eu une attitude plus favorable. Cette fois, également, un pays, Israël, peut accueillir le gros des réfugiés.

Le nouveau Canada multiculturel des années 1980 et 1990 est aux antipodes du pays d'il y a une génération, où régnait l'esprit de clocher. Le multiculturalisme fait maintenant partie intégrante de la politique canadienne; la diversité est encouragée. Protégées de la discrimination par les lois, encouragées à conserver leur culture et leur patrimoine grâce aux largesses du gouvernement, les minorités ethniques commencent enfin à jouer leur rôle dans ce pays. Les préjugés et l'hostilité ont fait place à la tolérance et au respect. Et peu de communautés ont fait autant que les Juifs pour provoquer ces changements. Que ce soit individuellement ou par leurs organisations, particulièrement le Congrès juif canadien et le Bnai-Brith, ils ont été aux premiers rangs pour combattre le racisme et les inégalités et pour faire des pressions en faveur de politiques d'immigration plus libérales.

Pourtant, c'est ironiquement cette nouvelle ouverture, cette capacité d'absorption de la société canadienne, pour laquelle la communauté juive avait tant lutté, qui peut menacer la survie des Juifs. Les leaders juifs d'aujourd'hui s'inquiètent tout autant du taux d'assimilation que de l'antisémitisme. Conjointement, la baisse du taux de natalité et la rapide augmentation des mariages mixtes risquent de créer un cauchemar démographique pour les Juifs canadiens.

Malgré ces inquiétudes, la communauté juive reste dynamique et continue de croître. Les effectifs des écoles juives sont les plus élevés par habitant hors d'Israël. Bien que petites, les synagogues situées au coeur des villes ferment, et des lieux de culte plus grands et plus modernes sont construits dans les banlieues. De nouvelles organisations communautaires voient le jour, et d'autres, plus anciennes, connaissent un regain de vitalité. Paradoxalement, alors que beaucoup s'inquiètent de l'assimilation, ce sont les ultra-orthodoxes qui connaissent la plus forte croissance au sein de la communauté juive canadienne.

Les Juifs du Canada ont fait d'immenses progrès depuis le séjour écourté d'Esther Brandeau il y a environ 250 ans. La communauté d'aujourd'hui, prospère et intégrée, peut considérer avec fierté la longue histoire de ses réalisations et des ses contributions dans toutes les sphères de la vie canadienne. Des marchands de fourrures des débuts du Québec aux chercheurs d'or des Cariboo et aux fermiers des prairies, des immigrants travaillant dans l'industrie du vêtement, des marchands des petites villes et des colporteurs itinérants aux universitaires, professionnels et industriels d'aujourd'hui, la communauté juive a joué un rôle éminent dans ce pays.

Ce ne fut pas facile; l'histoire des Juifs ne l'est jamais.

Sources

Une grande partie de ce livre a été rédigé à partir de documents des Archives nationales du Congrès juif canadien et des Archives nationales du Canada. Les livres et articles suivants ont également été consultés.

Chapitre 1

Arnold, Abraham. "Series on Canadian Jewish History." *Canadian Jewish News*, 1972-1977.

Bosher, John, *The Canada Merchants 1713-1763*. Toronto : Oxford University Press, 1987.

Marcus, Jacob. *Early American Jewry*. Philadelphie : Jewish Publication Society of America, 1951.

Rome, David. *Canadian Jewish Archives*. Vol. 15-25. Montréal : Congrès juif canadien, 1980-1982.

Vaugeois, Denis. *Les Juifs de la Nouvelle-France*. Trois-Rivières : Boréal Express, 1968.

Chapitre 2

Godfrey, Sheldon et Judith. "The Jews of Upper Canada." *The Jewish Standard*, août à décembre 1989.

Ouellet, Fernand. *Le Bas-Canada 1791-1840, Changements structuraux et crise*, Ottawa : Éditions de l'Université d'Ottawa, 1980.

Sack, Benjamin G. *History of the Jews in Canada*. Montréal : Harvest House, 1965.

Chapitre 3

Brown, Michael. *Jew or Juif? Jews, French-Canadians and Anglo-Canadians, 1759-1914*. Philadelphie : Jewish Publication Society of America, 1987.

Medjuk, Sheva. *The Jews of Atlantic Canada*. St. John's : Breakwater Press, 1986.

Rosenberg, Stuart E. *The Jewish Community in Canada*. 2 vol.

Toronto : McClelland and Stewart, 1971.

Speisman, Stephen. *The Jews of Toronto*. Toronto : McClelland and Stewart, 1979.

Chapitre 4

Klenman, Allan. "Pioneer Jews in Early British Columbia 1858-1878." Victoria : inédit, 1971.

Leonoff, Cyril. *Pioneers, Pedlars and Prayer Shawls*. Victoria : Sono Nis Press, 1978.

Rome, David. *The First Two Years*. Montréal : H.M. Caiserman, 1942.

Chapitre 5

Belkin, Simon. *Through Narrow Gates*. Montréal : Congrès juif canadien, 1966.

Chiel, Arthur A. *The Jews in Manitoba*. Toronto : University of Toronto Press, 1961.

Gutkin, Harry. *Journey into Our Heritage*. Toronto : Lester & Orpen Dennys, 1980.

Leonoff, Cyril. *The Jewish Farmers of Western Canada*. Vancouver : Jewish Historical Society of British Columbia, 1984.

Neufeld, Timothy. *Jewish Colonization in the Northwest Territories*. Thèse de maîtrise, Université de Saskatchewan, 1982.

Trachtenberg, Henry. *"The Old Clo' Move" : Anti-Semitism, Politics, and the Jews of Winnipeg, 1882-1921*. Thèse de doctorat, Université York, 1984.

Usiskin, Michael. *Uncle Mike's Edenbridge*. Winnipeg : Peguis Publishers, 1983.

Chapitre 6

Cook, Ramsay G. *The Regenerators: Social Criticism in Late Victorian English Canada*. Toronto : University of Toronto Press, 1985.

Harney, Robert (sous la dir. de). *Gathering Place: People and Neighbourhoods of Toronto: 1834-1945*. Toronto : Multicultural History Society of Canada, 1985.

Hart A.D. (sous la dir. de). *The Jew in Canada*. Montréal : Jewish Publication, 1926.

Howe, Irving. *World of Our Fathers*. New York : Harcourt Brace Jovanovich, Inc., 1976.

Oiwa, Keibo. *Tradition and Social Change: Ideological Analysis of the Montreal Jewish Immigrant Ghetto in the Early Twentieth Century*. Thèse de doctorat, Cornell University Press, 1987.

Rome, David. *Canadian Jewish Archives*. Vol. 36-43. Montréal : Congrès juif canadien, 1986-1988.

Silver, A.I. *The French Idea of Confederation*. Toronto : University of Toronto Press, 1986.

Tulchinsky, Gerald. "Immigration and Charity in the Montreal Jewish Community Before 1890." In *Social History*, 1983, p. 354-380.

Wolofsky, Hirsch. *Journal of My Life: A Book of Memories*. Montréal : Eagle Publishing, 1945.

Chapitre 7

Belkin, S. *Le mouvement Poalei Zion au Canada, 1904-1920*. En yiddish. Montréal: Labour Zionist Movement, 1956.

Figler, Bernard. *Lilian and Archie Freiman*. Montréal : A compte d'auteur, 1961.

Frager, Ruth. *Uncloaking Vested Interests: Class, Ethnicity and Gender in the Jewish Labour Movement in Toronto 1900-1939*. Thèse de doctorat, Université York, 1986.

Kage, Joseph. *With Faith and Thanksgiving*. Montréal : Eagle Publishing, 1962.

Paris, Erna. *Jews: An Account of Their Experience in Canada*. Toronto : Macmillan of Canada, 1980.

Rosenberg, Louis. *Canada's Jews: A Social and Economic Study of the Jews in Canada*. Montréal : Congrès juif canadien, 1939.

Tulchinsky, Gerald. "A.M. Klein's Montreal", *Journal of Canadian Studies*. Vol. 19, n° 2 : p. 96-112. Été 1984.

Chapitre 8

Abella, Irving, et Troper, Harold. *None Is Too Many: Canada and the Jews of Europe 1933-1948*. Toronto : Lester & Orpen Dennys, 1982.

Anctil, Pierre. *Le rendez-vous manqué : les Juifs de Montréal face au Québec de l'entre-deux-guerres*. Montréal : Institut québécois de recherche sur la culture, 1988.

_____, et Caldwell, Gary (sous la dir. de). *Juifs et réalités juives au Québec*. Québec : Institut québécois de recherche sur la culture, 1984.

Betcherman, L.R. *The Swastika and the Maple Leaf*. Toronto : Fitzhenry & Whiteside, 1975.

Langlais, Jacques, et Rome, David. *Juifs et Québécois français : 200 ans d'histoire*. Montréal : Éditions Fides, 1986.

Levitt, Cyril, et Shaffir, William. *The Riot at Christie Pits*. Toronto : Lester & Orpen Dennys, 1987.

Rischin, Moses (sous la dir. de). *The Jews of North America*. Detroit : Wayne State University Press, 1987.

Rome, David. *Clouds in the Thirties*. 13 vol. Montréal : Congrès juif canadien, 1977-1984.

Teboul, Victor. *Mythe et images du Juif au Québec*. Montréal : Éditions de Lagrave, 1977.

Chapitre 9

Bercuson, David. *Canada and the Birth of Israel*. Toronto : University of Toronto Press, 1985.

_____. *The Secret Army*. Toronto : Lester & Orpen Dennys, 1983.

Caplan, Usher. *Like One That Dreamed: A Portrait of A.M. Klein*. Toronto : McGraw Hill Ryerson, 1982.

Gutkin, Harry. *The Worst of Times: The Best of Times*. Toronto : Fitzhenry & Whiteside, 1987.

Kallen, Evelyn. *Spanning the Generations: A Study in Jewish Identity*. Toronto : Longman, 1977.

Kattan, Naim. *Juifs et Canadiens*. Montréal : Éditions du Jour, 1967.

Lipsitz, E.Y. (sous la dir. de). *Canadian Jewry Today*. Toronto : JESL Educational Products, 1989.

Schoenfeld, Stuart. "An Invitation to a Discussion: A perspective on Assimilation, Intermarriage and Jewish Identity in Ontario." Inédit, 1987.

Smith, Cameron. *Unfinished Journey: The Lewis Family*. Toronto : Summerhill Press, 1989.

Trépanier, Esther. *Jewish Painters and Modernity 1930-1945*. Montréal : Centre Saidye Bronfman, 1987.

Sources

Waddington, Miriam. *Apartment Seven.* Toronto : Oxford University Press, 1989.

Waller, Harold. *The Canadian Jewish Community: A National Perspective.* Philadelphie : Temple University, Centre for Jewish Community Studies, 1977.

Sources des illustrations

Les archivistes et les dépôts d'archives suivants nous ont apporté une aide précieuse dans nos recherches. Nous leur en sommes des plus reconnaissants. Ce sont : Lawrence Tapper des Archives nationales du Canada; Delphine Castles et Leni Hoover du British Columbia Archives and Records Service; Janice Rosen des Canadian Jewish Congress National Archives; Carol Haber des City of Vancouver Archives; Kenneth Donovan du parc historique national de la Forteresse-de-Louisbourg; David Hart du Holy Blossom Temple; Cyril Leonoff, Marlene Mitchell et Stanley Winfield de la Jewish Historical Society; Bonnie Tregobof de la Jewish Historical Society of Western Canada; Carol Katz de la Jewish Public Library; Keith Widder du fort Michilimackinac; Pamela Miller et Nora Haig des McCord Museum Archives; Phede Chartrand des McGill University Archives; Shirley Berman de la Ottawa Jewish Historical Society; Marcia Koven du Saint John Jewish Historical Museum; et Stephen Speisman des Toronto Jewish Congress/Canadian Jewish Congress, Ontario Region Archives.

Par mesure d'économie d'espace, nous avons utilisé les abréviations suivantes :

ANC : Archives nationales du Canada, Ottawa
AO : Archives of Ontario, Toronto
BCARS : British Columbia Archives and Records Service, Victoria
CJCNA : Canadian Jewish Congress National Archives
CTA : City of Toronto Archives
CVA : City of Vancouver Archives
JHSBC : Jewish Historical Society of British Columbia
JHSWC : Jewish Historical Society of Western Canada
JPL : Jewish Public Library
MCC : Musée canadien des civilisations
MTRL : Metropolitan Toronto Reference Library
OJHS : Ottawa Jewish Historical Society
PANS : Public Archives of Nova Scotia
SJJHM : Saint John Jewish Historical Museum
TJC/CJC-ORA : Toronto Jewish Congress/Canadian Jewish Congress, Ontario Region Archives, Toronto
YIVO : YIVO Institute for Jewish Research

Couverture avant : MCC, prêt du Beth Tzedec Reuben and Helene Dennis Museum.

Couverture arrière, à gauche : MCC, prêt du Social Action Committee, Temple Israel, Ottawa; *à droite* : MCC, prêt de Ronald Finegold.

Chapitre 1

Page viii : University of Toronto Map Library; *1* : ANC (C-107626); *3* : Royal Ontario Museum, Canadiana Department (940 x 54); *4* : Bibliothèque nationale, Cartes et Plans, France, GeC, 5019; *6* : PANS; *7* : ANC (C-135628); *9, en haut* : William L. Clements Library, University of Michigan; *en bas* : MCC, prêt des Mackinac State Historic Parks, Mackinac Island (Michigan); *10* : MTRL, J. Ross Robertson Collection (T 16328); *11, en haut* : MTRL, J. Ross Robertson Collection (T 15674); *en bas* : McCord Museum; *12, en haut* : ANC (C-24562); *en bas* : Musée McCord, Archives photographiques Notman (MP154 (16)); *13* : Service de ciné-photographie, Musée du Québec; *15* : Musée McCord, Documents Hart (M21359).

Chapitre 2

Page 16 : JHSWC, *Journey into Our Heritage*, Harry Gutkin; 18, à gauche : *The Jew in Canada; à droite : The Jew in Canada; 19* : McCord Museum, Hart Papers (M21359); 23 : CJCNA (PC1/6/364); 24 : McGill University Archives (PR 015511).

Chapitre 3

Page 26 : *The Jew in Canada; 28 : The Jew in Canada; 29, à gauche* : ANC (C-18507); *à droite : The Jew in Canada;* 30, à gauche : MCC, prêt d'Annette Wolff; à droite : *The Jew in Canada;* 31 : CTA (SC 498-2-N); 34, en haut à gauche : Holy Blossom Temple Archives; *à droite* : Holy Blossom Temple Archives; *en bas à gauche* : CTA (SC497-26-N); 35, à gauche : MCC, don de Hy Goodman; à droite : MCC, don de Hy Goodman; 36 : MCC, Beth Tzedec Reuben and Helene Dennis Museum.

Chapitre 4

Page 38 : BCARS (HP10110); 42, à gauche : JHSWC (JHS 1689); à droite : BCARS (HP4350); 43 : ANC (C-5005); 45 : CJCNA (PC1/6/8) et Provincial Archives, C.-B.; 46 : JHSBC (34); 47 : JHSWC (JM 1736); 49, en haut : CVA (DIST.P.30 N.19, portion); à droite : CVA (BU.P.662 N.545); 50, en haut : JHSBC (1); à gauche : JHSBC (37); à droite : JHSBC (497); 51 : CVA (BO.P.56 N.17).

Chapitre 5

Page 52 : JHSBC, Cyril Leonoff; 54 : JHSWC (JM 2087); 55 : JHSWC (JM920); 56 : JHSWC (JHS 1201, JM 727); 58 : JHSWC (MG1 A1-3); 59, en haut : JHSWC (JHS 2719); en bas à gauche : JHSWC (JM 2248), *Journey into Our Heritage*, Harry Gutkin; en bas à droite : JHSWC (JHS 1559); 61, en haut à gauche : CJCNA (PC12/0C/9.102), en haut à droite : CJCNA (PC12/0C/9.103); en bas : *The Jew in Canada;* 62, en haut : CJCNA (JCA M-1); en bas : MCC, don de Lawrence Tapper; 64 : *Journey into Our Heritage*, Harry Gutkin; 65 : JHSWC (JHS 408); 66, en haut à gauche : ANC (C-27598); en haut à droite : ANC (C-27459); en bas : ANC (C-27458); 67 : ANC (C-27605); 68 : ANC (C-27619); 69 : ANC (C-27464); 70 : JHSWC (JHS 3144).

Chapitre 6

Page 72 : JHSWC (JHS 523); 74 : MTRL, J. Ross Robertson Collection (T 11147); 78 : Dorothy Freiman Alexandor; 79 : *The Jew in Canada;* 80 : OJHS (2-018) et ANC (4636); 82, en haut : Hôtel de Ville, Montréal (D-95-11); en bas : MCC, prêt d'Allan Sonny Rubin et de Leon Rubin; 83, en haut à gauche : *The Jew in Canada;* en haut à droite : TJC/CJC-ORA; en bas : CJCNA (PC3/1/26A); 84 : CTA (SC3 E8 Box 1 File 5 pg 26); 85 : CTA (James 8029); 88 : CJCNA (PC1/5/35 A.5); 89, à gauche : JHSWC (JHS 870); à droite : JHSWC (JM 3392); 90 : TJC/CJC-ORA (253); 91 : ANC (C-135433); 96 : TJC/CJC-ORA (13); 97 : AO (Acc 14361-508); 98 : AO (Acc 21210-5).

Chapitre 7

Page 102 : OJHS (4-018); 104 : YIVO, Alter Kacyzne; 105 : JPL (83-018); 107 : TJC/CJC-ORA (2913); 108, en haut : JHSWC (JHS 1054); en bas : *The Jew in Canada;* 109 : CJCNA (Caiserman PP2); 111 : JPL (83-141); 113, à gauche : OJHS (1-174), ANC (PA-122816); à droite : Glenbow Archives, Calgary (NB 24-1); 115, à gauche : CJCNA (A6 1919); à droite : CJCNA (ZA 1919); 117 : MCC, prêt de Mme Lawrence Bilsky; 118, en haut : CJCNA (P89/2.2 dans L42); en bas : *The Jew in Canada;* 121, en haut : JHSWC (JHS 3149); en bas : AO (Acc 14361-100); 122 : JHSWC (JHS 763); 123, en haut : CTA (James 616); en bas : JHSWC (JHS 720); 124 : Foote Collection, Manitoba Archives (N-2762).

Chapitre 8

Page 128, en haut à gauche : MCC, prêt des CJCNA; *à droite :* CJCNA; *au centre à gauche :* MCC, prêt des CJCNA; *à droite :* CJCNA; *en bas à gauche :* MCC, prêt des CJCNA; *à droite :* CJCNA; *128, à gauche :* CJCNA (PC1/1/5.10); *à droite :* CJCNA (PC1/1/5.3); *129 :* CJCNA (PC1/3/771); *132 :* CJCNA; *135 :* CJCNA (PC1/3/40); *136, à gauche :* CJCNA (PC1/3/77 K.1); *à droite :* CJCNA (PC1/3/74D); *138 :* AO (Acc 21210-31); *139 :* Temple de la renommée des sports du Canada; *141 :* YIVO; *142 :* CJCNA (Bronfman PP); *143 :* CJCNA (PC1/6/286); *145, en haut à gauche :* ANC (C-135436); *en haut à droite :* CJCNA (PC1/6/161); *en bas :* ANC (PA-174315); *146 :* CJCNA (PC1/1/6A.3).

Chapitre 9

Page 148 : ANC (C-70429); *150 :* CJCNA (FA.3 Passover); *151 :* CJCNA (PC1/2/63A.2); *152, en haut :* CJCNA (PC1/2/63A.Z); *en bas :* CJCNA (PC1/6/13); *155 :* CJCNA (Laskin PP1); *157 :* CJCNA (PC3/1/6); *158 :* CJCNA; *161 :* JPL (83-446-1); *163 :* CJCNA (PC2/1/7A.4); *164 :* CJCNA (PC1/2/74.A.); *165 :* MCC, don de Howard Fox; *166 :* JHSWC (JHS 3385, JM 175).